DOCUMENTS
ET MODÈLES DE LETTRES
POUR LES AFFAIRES

Shirley Taylor

DOCUMENTS
ET MODÈLES DE LETTRES
POUR LES AFFAIRES

FIRST
Editions

Titre original de l'édition anglaise :
Gartside's Model Business Letters & Other Business Documents – Fifth Edition

Édition française publiée en accord avec Financial Times Professional Limited par :

© Éditions First, 2007

ISBN : 978-2-7540-0483-1
Dépôt légal : 3e trimestre 2007
Imprimé en Italie

Mise en page : MADmac

Traduction et adaptation : Eileen Tyack-Lignot

Nous nous efforçons de publier des ouvrages qui correspondent à vos attentes et votre satisfaction est pour nous une priorité. Alors, n'hésitez pas à nous faire part de vos commentaires :

Éditions First
2 ter, rue des Chantiers
75005 PARIS – France
Tél. 01 45 49 60 00
Fax 01 45 49 60 01
E-mail : firstinfo@efirst.com

En avant-première, nos prochaines parutions, des résumés de tous les ouvrages du catalogue. Dialoguez en toute liberté avec nos auteurs et nos éditeurs. Tout cela et bien plus sur Internet à www.efirst.com.

Première partie

LA COMMUNICATION ÉCRITE
TOUR D'HORIZON

Il existe aujourd'hui de nombreux supports de communication modernes et pourtant la lettre d'affaires classique reste l'un des moyens principaux de transmettre l'écrit. Comme le courrier commercial est en quelque sorte l'ambassadeur de l'entreprise, il est primordial qu'il crée une bonne première impression. Il est donc recommandé de choisir un papier à lettre de qualité. La lettre d'affaires révèle un certain nombre d'autres aspects de l'entreprise au travers de sa présentation, de sa structure, du langage et du ton employés.

Présentation, structure, langage et ton

Les progrès des nouvelles technologies conduisent souvent à remplacer la lettre par le courrier électronique. En interne, ce sont les notes qui permettent de communiquer par écrit, ou encore les messages Intranet. Ces autres supports de communication seront également traités dans cette première partie. Mais, quel que soit le mode choisi pour transmettre le message, l'objectif devrait toujours être d'assurer un très haut niveau de qualité de présentation, de structure, de langage et de ton. Essentiellement parce qu'un haut niveau de qualité dans ces domaines laisse entendre que votre entreprise a les mêmes exigences dans les autres sphères de son activité.

Voyons ces aspects dans le détail.

1

La présentation de la lettre d'affaires

Le papier à en-tête

La mise en page

Les parties récurrentes

Le papier à en-tête

Le papier à lettre utilisé par une entreprise exprime sa personnalité. L'en-tête comprendra :

- Le nom de l'entreprise ;

- L'adresse postale complète ;

- Les coordonnées – numéro de téléphone, numéro de télécopie et, le cas échéant, adresse électronique et adresse du site Internet ;

- Le RCS et le nom du siège.

Lorsque l'adresse du siège est différente de celle qui figure en en-tête, celle-ci apparaît généralement accompagnée de son RCS au bas du papier à lettre. De nombreuses entreprises prévoient également des suites de lettres utilisées pour les deuxièmes pages et les suivantes.

Souvent, les entreprises ont recours à des spécialistes pour concevoir la présentation de leur papier à lettre, notamment pour trouver un logo percutant auquel l'entreprise pourra être associée dans l'esprit du public.

Bouygues Télécom   Suite de lettre

Bouygues Télécom
Spécialiste de la communication
21, rue Buffon
75005 Paris
Tél. 331 45 88 48 00
Fax 331 45 88 48 01
E-mail Botel@int.com

La mise en page

La mise en page en bloc dite à l'américaine est la plus utilisée aujourd'hui pour les courriers d'affaires. Considérée comme professionnelle, cette présentation réduit le temps de saisie : outre l'absence de retrait à chaque nouveau paragraphe, la ponctuation libre qui y est généralement associée, allégée des points et des virgules non indispensables, permet un gain de temps.

Bien que cette mise en page soit largement utilisée dans les entreprises, certaines ont adopté leur propre style en matière de présentation de documents. Quelle que soit la disposition choisie, le plus important reste la cohérence, à savoir une unité dans la présentation de l'ensemble des documents.

Dans cet ouvrage, la présentation à l'américaine a été retenue pour tous les modèles de documents.

La première lettre page suivante met en évidence l'interlignage constant (simple interligne) entre tous les paragraphes. Dans le modèle français, l'adresse de l'expéditeur est à gauche et celle du destinataire est à droite, c'est l'inverse dans le modèle anglais. À noter également les différences dans l'emplacement de la date.

1

Papier à en-tête

Editions First
2 ter, rue des Chantiers
75005 Paris
Tél. 331 45 49 60 00
Fax 331 45 49 60 01

Référence de la personne qui a tapé ou référence d'un dossier

AD/PJ

Monsieur Christophe Long
Directeur général
Imprimerie Long
34, rue de la Forêt,
45000 Orléans

Adresse figurant à l'intérieur (nom, titre, société, adresse complète, code postal)

Date (jour, mois, année)

Paris, le 12 novembre 20..

Appel

Cher Christophe,

Accroche pour donner immédiatement l'objet

MISE EN PAGE A L'AMÉRICAINE

Cette mise en page s'est imposée pour la disposition des lettres, e-mails, fax, notes et rapports, soit dans toute la communication professionnelle. La principale caractéristique de ce style tient à l'alignement systématique de tout le texte sur la marge de gauche.

La ponctuation libre lui est généralement associée. Ce qui implique que la ponctuation n'est pas obligatoire dans la rédaction de la référence, la date, l'adresse figurant à l'intérieur, les formules d'appel et de politesse. Bien sûr, la ponctuation doit normalement être respectée dans le corps du texte.Toutefois, l'emploi des virgules se fait plus rare, et devrait être uniquement réservé à servir la compréhension du texte.

Il est important également d'assurer la cohérence de la mise en page et de l'interlignage entre les différents documents. Il est de règle de ne laisser qu'un simple interligne entre les paragraphes.

Vous trouverez dans cet ouvrage un certain nombre d'exemples de lettres présentées à l'américaine.
Cette mise en page est généralement reconnue comme étant très séduisante, facile à réaliser et professionnelle.

Formule de politesse

Bien cordialement

Nom du signataire
Titre ou fonction

Anne Dupont
Anne Dupont, Consultant en communication

PJ si des pièces sont jointes

PJ
Copies :

Faire figurer les noms des personnes en copie, par ordre alphabétique au-delà de deux

Marie Dubois, Editeur
Amélie Larrieu, Coordinateur éditorial

2

Letterheaded paper —

Reference
(initials of writer/typist,
sometimes a filing
reference) —

Date (day, month, year) —

Inside address (name, title,
company, full address,
postal code) —

Salutation —

Heading
(to give an instant idea of
the theme) —

Body of Letter
(one line space between
paragraphs) —

Complimentary close —

Name of sender —
Sender's designation or
department —

Enc (if anything is
enclosed) —

Show if any copies are
circulated
(if more than one, use
alphabetical order) —

FINANCIAL TIMES PITMAN PUBLISHING	**Financial Times Management** 128 Long Acre London WC2E 9AN Telephone +44(0)171 447 2240 Facsimile +44(0)171 240 5771

ST/PJ

12 November 20—

Mr Christopher Long
General Manager
Long Printing Co Ltd
34 Wood Lane
London
WC1 8TJ

Dear Christopher

FULLY BLOCKED LETTER LAYOUT

This layout has become firmly established as the most popular way of setting out letters, fax messages, memos, reports – in fact all business communications. The main feature of fully blocked style is that all lines begin at the left-hand margin.

Open punctuation is usually used with the fully-blocked layout. This means that no punctuation marks are necessary in the reference, date, inside address, salutation and closing section. Of course essential punctuation must still be used in the text of the message itself. However, remember to use commas minimally today; they should only be used when their omission would make the sense of the message unclear.

Consistency is important in layout and spacing of all documents. It is usual to leave just one clear line space between each section.

I enclose some other examples of fully blocked layout as used in fax messages and memoranda.

Most people agree that this layout is very attractive, easy to produce as well as businesslike.

Yours sincerely

Shirley Taylor

SHIRLEY TAYLOR
Secretarial Consultant

Enc

Copy   Pradeep Jethi, Publisher
         Amelia Lakin, Publishing Co-ordinator

Les pages suivantes

Certaines entreprises prévoient des suites de lettres qui sont utilisées pour la deuxième page des courriers professionnels et les suivantes. Généralement, ces suites de lettres ne font figurer que le nom de l'entreprise et son logo. S'il n'existe pas de suite de lettre, la deuxième page et les suivantes devraient être imprimées sur du papier vierge de même qualité que celle du papier à en-tête.

Lorsqu'une page supplémentaire est nécessaire, le haut de la page devrait mentionner l'objet du courrier. Ces détails servent de référence au cas où, pour une raison ou pour une autre, les pages se trouveraient dissociées de la première.

Lorsque des pages supplémentaires sont nécessaires, il convient de respecter un certain nombre de règles :

- Il n'est plus nécessaire de prévoir de mention au bas de la première page pour indiquer que d'autres pages suivent. L'absence de formule de politesse ou de signature devrait rendre la chose suffisamment évidente.

- La deuxième page devrait comporter au moins trois ou quatre lignes en plus de la formule rituelle de politesse.

- Il faut veiller à ne pas laisser de ligne seule soit au bas ou en haut d'une page et commencer tout nouveau paragraphe en haut d'une nouvelle page.

3

Neige Productions

Numéro de page —— 2

Référence —— JL/ST

Nom du destinataire
(première ligne de l'adresse ————————————————— Mademoiselle Sophie Bolan
figurant à l'intérieur)

Date (laisser trois ou quatre ————————————————— 19 juillet 20..
lignes avant de poursuivre)

Essayer de couper
la phrase au bon endroit —— Veuillez signer les deux exemplaires joints, nous en retourner un et
et non au milieu   conserver le second pour vos dossiers.

Prévoir au moins   Le jour de votre arrivée chez Neige Productions, vous participerez à un
deux ou trois lignes sur la —— stage d'intégration. À cet effet, vous trouverez joint un programme qui
nouvelle page   détaille l'horaire de cette journée.

En attendant d'avoir le plaisir de vous revoir, je vous souhaite beaucoup
de succès dans votre nouveau poste.

Conclure comme d'habitude —— Bien cordialement
avec la formule de politesse

Jacques Lelong
Jacques Lelong
Directeur des Relations humaines

Ne pas oublier d'indiquer,
le cas échéant : —— PJ
les pièces jointes   Copie : Michel Lim, Responsable de la Formation
la liste des destinataires
en copie

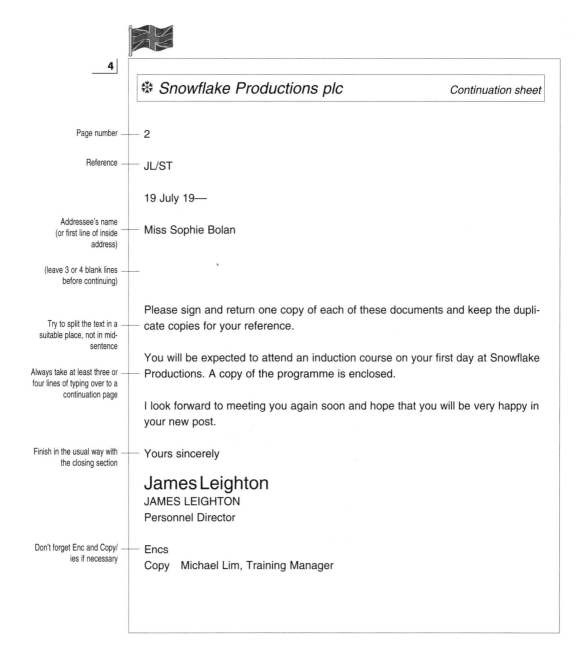

4

| ❄ *Snowflake Productions plc* | *Continuation sheet* |

Page number — 2

Reference — JL/ST

19 July 19—

Addressee's name
(or first line of inside
address) — Miss Sophie Bolan

(leave 3 or 4 blank lines
before continuing) —

Try to split the text in a — Please sign and return one copy of each of these documents and keep the dupli-
suitable place, not in mid- cate copies for your reference.
sentence

Always take at least three or — You will be expected to attend an induction course on your first day at Snowflake
four lines of typing over to a Productions. A copy of the programme is enclosed.
continuation page

I look forward to meeting you again soon and hope that you will be very happy in
your new post.

Finish in the usual way with — Yours sincerely
the closing section

James Leighton
JAMES LEIGHTON
Personnel Director

Don't forget Enc and Copy/ — Encs
ies if necessary Copy   Michael Lim, Training Manager

Les parties récurrentes

Les références

Autrefois, le papier à en-tête faisait figurer les termes :
« Notre ref. » et « Votre ref. »

Aujourd'hui, l'usage des ordinateurs et des imprimantes rend difficile l'alignement avec ces mentions pré-imprimées.

Classiquement, le rédacteur fait figurer la référence sur une ligne à part. Celle-ci inclut les initiales du signataire (généralement en premier) et le cas échéant celles de la personne qui a saisi le document (à la suite le plus souvent). Il est également possible d'y inclure la référence à un dossier.

Exemples :
JL / AD   JL / ad / Per1   JL / AD / 134

La date

La date devrait toujours figurer en toutes lettres.

En France et en Angleterre, l'ordre est le suivant :
jour / mois / année.
Aucune virgule n'est indispensable.

Exemple :
12 juillet 1999

Dans d'autres pays, le mois précède le jour, avec souvent une virgule après le jour.

Exemple :
Juillet 12, 1999

Adresse intérieure

Le nom et l'adresse du destinataire devraient figurer sur des lignes séparées, comme c'est le cas sur une enveloppe. Il faut bien veiller à s'adresser au destinataire de la façon exacte qu'il a de signer ses lettres. Par exemple, quelqu'un qui signe Jacques Lelong doit figurer ainsi dans l'adresse intérieure précédée de Monsieur. Il ne serait pas correct de s'adresser à lui en écrivant « Monsieur J. Lelong ».

Exemple :

> *Monsieur Jacques Lelong*
> *Directeur général*
> *Cabinet Lelong*
> *12, impasse de la Colline*
> *44000 Nantes*

Pour le courrier international, le nom du pays doit figurer sur la dernière ligne. Le mode d'envoi de la lettre, Urgent le cas échéant, doit être mentionné au-dessus de l'adresse figurant à l'intérieur. Il faut bien veiller à toujours faire figurer l'appel : M., Mme, Mlle) et pour les pays anglo-saxons Ms pour une femme dont l'état civil n'est pas connu.

Exemple :

> *URGENT*
> *M. Daniel Artel*
> *Imprimerie de l'Aigle*
> *24, quai des Français*
> *Québec*
> *Canada M4J 7LK*

Indications particulières

Si une lettre a un caractère confidentiel, il est d'usage de le préciser au-dessus de l'adresse figurant à l'intérieur en respectant un interlignage simple. Cette mention peut être entièrement en majuscules ou avec une majuscule pour la première lettre suivie de minuscules soulignées ou non.

Exemple :

> *CONFIDENTIEL*
> *Mme Mélanie Jacques*
> *Directrice du personnel*
> *Jouets et Jeux SA*
> *21, route de Versailles*
> *78000 Saint-Germain-en-Laye*

Il est rarement nécessaire aujourd'hui d'utiliser la mention « À l'attention de », dans la mesure où l'identité du destinataire est presque toujours connue.

Comme on peut le voir dans les exemples ci-dessus, le nom du destinataire est inclus dans l'adresse figurant à l'intérieur et l'appel sera personnalisé dans les courriers en anglais.

Autrefois, cette formule était utilisée lorsqu'on voulait s'assurer de la remise en main propre à un destinataire particulier d'un courrier qui commençait toujours par Messieurs et était adressé à l'entreprise en général.

Exemple :
À L'ATTENTION DE MONSIEUR JEAN TILLE,
RESPONSABLE DES VENTES
Jardins et compagnie
24, rue d'Ambre
67000 Strasbourg

Messieurs,

Appel

Si le nom du destinataire figure dans l'adresse à l'intérieur, la lettre sera généralement nominative en anglais.

Exemples :
Cher Monsieur,
Cher Jacques,
Chère Madame,

Si le courrier est adressé de façon impersonnelle à l'entreprise, la formule Messieurs devrait être utilisée.

Exemple :
Messieurs,

Si la lettre est adressée au responsable d'un service ou d'une société dont vous ignorez le nom, le mieux est d'utiliser une formule comme :

Exemple :
Monsieur ou Madame,

Accroche

Une accroche permet en quelques mots d'indiquer la teneur d'une lettre. Généralement placée avant le début du texte, elle figure d'habitude en majuscules, même si on peut également l'indiquer avec la première lettre en majuscule suivie de minuscules et soulignées ou encore en gras ou en italique.

Exemple :
Chère Madame,
CONFÉRENCE INTERNATIONALE – 24 AOÛT 2007

Formule de politesse

La lettre se termine traditionnellement par une formule de politesse.
Les deux formules les plus usuelles sont :
Veuillez agréer l'expression de nos salutations distinguées
et
Veuillez croire à l'expression de ma parfaite considération.

Pour davantage de simplicité, on écrira :
Bien cordialement qui correspond à une lettre personnalisée.

Exemples :
Messieurs,
Monsieur ou Madame,
Veuillez agréer l'expression de mes salutations distinguées.

Chère Mélanie,
Cher Jean,
Bien cordialement.

Nom et fonction du signataire

Après la formule de politesse, il faut prévoir de laisser cinq à six lignes vierges pour la signature. Le nom du signataire devrait alors apparaître dans le style choisi – majuscules ou premières lettres seulement en majuscules – suivi immédiatement en dessous par son titre ou sa fonction. Il faut noter que dans les exemples cités, le M. ne figure jamais lorsque le signataire est un homme.

Toutefois, il est possible d'ajouter une mention entre parenthèses après le nom d'une femme.

Exemples :
Bien cordialement

Veuillez agréer l'expression de mes salutations distinguées
GEORGES FRIEDMAN
Président

SOPHIE BOLAN (Mme)
Directeur général

Lorsqu'une lettre doit être signée pour l'expéditeur, il est d'usage de faire précéder son nom de la mention pour, pp ou po, signifiant par procuration ou par ordre.

Exemple :
> *Bien cordialement*
> *Anne Dubois*
> *po GEORGES FRIEDMAN*
> *Président*

Pièces jointes

Il y a plusieurs façons d'indiquer que des pièces sont jointes au courrier :

- Apposer une étiquette autocollante portant la mention pièces jointes, généralement sur le côté inférieur gauche de la lettre.
- Taper trois petits points dans la marge gauche à la ligne où les pièces sont mentionnées dans le corps du texte.
- Faire figurer l'abréviation PJ au bas de la lettre, en laissant une ligne après le titre du signataire. C'est la façon la plus usuelle d'indiquer que le courrier contient des pièces jointes.

Exemple :
> *Bien cordialement*
> *SONIA ROBIN (Mme)*
> *Directeur du Marketing*
>
> *PJ*

Copies

Lorsqu'une copie du courrier doit être adressée à un tiers, généralement un collègue du signataire, on peut l'indiquer en portant la mention cc ou copie suivi du nom et de la fonction du destinataire. S'il y a plusieurs destinataires en copie, il est d'usage de les classer par ordre alphabétique.

Exemple :
> *Copies*
> *Mme Sonia Jaunet, Comptable*
> *M. David Robert, Secrétaire général*
> *M. Robert Tapie, Directeur général*

Si l'expéditeur ne veut pas que les destinataires de la lettre sachent qu'un tiers en reçoit une copie, la mention de copie doit être portée simplement sur l'exemplaire du dossier et sur ceux des destinataires en copie.

2

Les autres supports de communication

Les notes internes

Les télécopies

Le courrier électronique

Il est intéressant de signaler que bien que le téléphone ou les réunions soient les moyens de communication privilégiés dans l'entreprise, il est souvent nécessaire de recourir à des écrits. Dans ces cas, une note est rédigée.

Les règles qui s'appliquent à la rédaction du corps d'une lettre sont également valables pour une note, aussi le paragraphe suivant traite-t-il de la présentation et de la structure de ce mode important de communication écrite.

Les nouvelles technologies ont rendu possibles les communications immédiates avec le reste du monde. La rapidité est devenue le gage d'une communication réussie. Alors, télécopies et messages électroniques remplacent de nombreux courriers professionnels. Et de nombreux cadres saisissent eux-mêmes leurs propres textes et les expédient directement à leurs destinataires, au lieu d'en confier la saisie à leur secrétaire.

Pourtant, il faut encore et toujours faire une première bonne impression. En plaçant très haut le niveau de qualité de la communication écrite, il est possible de créer et d'améliorer l'image de l'entreprise. Aussi, bien que ce soit parfois un gain de temps d'assurer soi-même son courrier, il est important de bien en maîtriser les règles pour s'assurer d'une présentation et d'une structure correctes.

Il faut bien se souvenir que dans la compétition qui règne aujourd'hui dans le monde professionnel, l'exigence en matière de communication est vitale. Ce qui n'induit pas que l'urgence doive entraîner une baisse de la qualité de la communication. Bien au contraire, l'entreprise doit se servir des nouvelles technologies pour mettre en valeur et améliorer sa communication en optimisant ainsi son potentiel.

Les notes internes

Les notes internes sont des écrits rédigés par un membre du personnel et adressés à un autre (ou à d'autres) dans le cadre d'une même entreprise.

Elles poursuivent des objectifs divers :

- Transmettre une information.
- Demander un renseignement.
- Informer sur les mesures et les décisions prises.
- Demander que des mesures et des décisions soient prises.

Certaines entreprises ont des formulaires préimprimés pour les notes internes mais à présent il est très fréquent de recourir à des modèles stockés en mémoire dans l'ordinateur. Le rédacteur n'a plus qu'à remplir les différentes rubriques.

La présentation

Le modèle qui suit fournit un moyen aisé et clair de présenter les notes internes.

5

Mettre le terme bien en valeur

Note interne

Insérer le nom et la fonction du destinataire

À
Mathilde Linas, Assistante administrative

Nom et fonction de l'expéditeur

De
Sandrine Thomas, Assistante du Président

Les références (les initiales de l'expéditeur et de la dactylo)

Ref
ST/JJ

Date d'émission

Date
14 août 20..

L'adresse n'est pas nécessaire

Objet : exprimer clairement la teneur du message

PRÉSENTATION DES DOCUMENTS INTERNES
Toutes mes félicitations pour votre nomination dans l'équipe du Président. Je souhaite que vous vous plaisiez dans votre nouveau poste.
Vous trouverez ci-joint une brochure contenant les règles générales de l'entreprise concernant la présentation des documents. J'ai pensé toutefois qu'il serait utile que je vous les résume pour que vous puissiez vous y référer sans difficulté.

1 Structure des documents
Tous les documents doivent être présentés à l'américaine en utilisant la ponctuation libre. Vous trouverez dans la brochure des exemples de lettres, de fax, de notes et autres documents. Ces exemples devraient vous permettre de répondre à vos interrogations.

Le corps du texte devrait être scindé en paragraphes pour parvenir à une conclusion et une fin logiques

2 Signature des lettres
Il est d'usage pour les lettres adressées à l'extérieur de faire figurer en majuscules le nom du signataire immédiatement suivi en dessous de son titre en minuscules avec seulement la première lettre en majuscule

3 Les points numérotés
Il est souvent nécessaire dans les rapports ou autres documents de numéroter les points évoqués. Dans ces cas, les chiffres doivent figurer seuls en l'absence de point ou de parenthèse. Les sous-numérotations devraient être en décimale, à savoir 3.1, 3.2, etc.

Aucune formule de politesse n'est exigée

J'espère que ces quelques indications vous seront utiles et que vous vous pencherez sur les exemples figurant dans la brochure. Si vous avez des questions, n'hésitez pas à me les poser.

Laisser un espace suffisant pour la signature (le nom et la fonction du signataire apparaissant en haut, il n'est pas nécessaire de les répéter ici)

Sandrine Thomas

(Pièces jointes, le cas échéant)

PJ

Copies aux destinataires éventuels

Copie Département du personnel

6

Emphasize the word MEMORANDUM	**MEMORANDUM**
Insert the recipient's name and designation	*To* Mandy Lim, Administrative Assistant
The sender's name and designation	*From* Sally Thomas, PA to Chairman
A reference (initials of sender and typist)	*Ref* ST/JJ
Date of issue	*Date* 14 August 20—
No salutation is necessary	
Subject heading – clearly state the topic of the message	INHOUSE DOCUMENT FORMATS

Many congratulations on recently joining the staff in the Chairman's office. I hope you will be very happy here.

I am enclosing a booklet explaining the company's general rules regarding document formats. However, I thought it would be helpful if I summarised the rules for ease of reference.

1 DOCUMENT FORMATS

> The body of the memo should be separated into paragrphs, reaching a relevant conclusion and close

All documents should be presented in the fully-blocked format using open punctuation. Specimen letters, fax messages, memoranda and other documents are included in the booklet. These examples should guide you in our requirements.

2 SIGNATURE BLOCK (LETTERS)

In outgoing letters it is usual practice to display the sender's name in capitals and the title directly underneath in lower case with initial capitals.

3 NUMBERED ITEMS

In reports and other documents it is often necessary to number items. In such cases the numbers should be displayed alone with no full stops or brackets. Subsequent numbering should be decimal, ie 3.1, 3.2, etc.

> No complimentary close is necessary

I hope these guidelines will be useful and that you will study the layouts shown in your guide. If you have any questions please do not hesitate to ask me.

> Leave space for signature (The sender's name and designation are at the top so it is not necessary to repeat these details here

Sally Thomas

> Enc (if appropriate)

Enc

> Copy/ies (if appropriate)

Copy   Personnel Department

Les télécopies

Le fax est un équipement banal dont toute entreprise dispose (quoique les envois de courriers électroniques avec pièces attachées s'imposent aujourd'hui). Les télécopies s'échangent entre établissements d'une même entreprise ou avec des partenaires à l'extérieur.

De nombreuses lettres qui autrefois auraient été expédiées par courrier sont notamment transmises par fax. Ce qui signifie que les modèles de lettres qui figurent dans cet ouvrage peuvent également être utilisés pour un envoi par fax.

Les formulaires préétablis ou lettres types

De nombreuses sociétés disposent d'un formulaire préétabli pour l'envoi de fax. Très souvent, des lettres types sont conçues pour être mises sur ordinateur. Les opérateurs n'ont plus qu'à entrer les données variables nécessaires. Voici un modèle de formulaire ou imprimé type pour fax.

FAX	
A :	DE :
ENTREPRISE :	DATE :
FAX N° :	NOMBRE DE PAGES (INCLUANT CELLE-CI) :

Présentation à l'américaine

Lorsqu'il n'existe pas de formulaire il est possible de présenter le fax à l'américaine comme le suggère le modèle qui suit.

7

Papier à en-tête —

Nissan Automobiles
86, rue de Chartres
92800 Neuilly sur Seine
Tél. 331 45 88 48 00
Fax 331 45 88 48 01
E-mail nissan@int.com

Inclure le titre principal
Fax —

FAX

À
Jeanne Brancion
Entreprise
Communication Asie (Hanoi)
N° Fax
84 4767677

Ces rubriques sont
importantes pour que toutes
les données essentielles
se retrouvent les unes
à côté des autres

De
Sandrine Tournier, Directeur général
Ref
ST/DA
Date
6 juin 20..

Il est important d'indiquer le
nombre de pages envoyées —— Nombre de pages (incluant celle-ci) : 1

Il est possible d'y ajouter
un appel

Le titre devrait indiquer le —— VISITE A HANOI
sujet principal du fax

Je vous remercie de votre appel téléphonique de ce matin au sujet de
mon voyage à Hanoi le mois prochain. C'est avec plaisir que j'accepte
votre proposition de venir me chercher à l'aéroport pour me conduire à
mon hôtel.

Le corps du texte devrait
avoir la même structure
qu'une lettre professionnelle

J'arriverai par le vol AF 101 le lundi 8 juillet à 18 h 30. Je descendrai
à l'hôtel International, rue Princesse, où les réservations ont déjà été
faites.

Je partirai pour Kuala Lumpur le dimanche par le vol MH989 qui quitte
l'aéroport de Hanoi, terminal 2 à 15 h 45.

La formule de politesse
n'est pas indispensable

En attendant le plaisir de vous rencontrer

Sandrine Tournier

8

Letterheaded paper

Turner Communications

21 Ashton Drive
Sheffield
S26 2ES

Mobile Phone specialists

Tel   +44 114 2871122
Fax   +44 114 2871123
Email   TurnerComm@intl.uk

Include the main
heading 'FAX MESSAGE'

FAX MESSAGE

These headings are
important so that all the
essential details can be
inserted alongside

To	Janet Benson, General Manager
Company	Asia Communication (Singapore) Pte Ltd
Fax Number	65 6767677
From	Sally Turner, Managing Director
Ref	ST/DA
Date	6 June 20—

It is important to state
the number of pages
being sent

Number of Pages
(including this page) 1

A salutation may be
included if preferred

The heading should state
the main topic of the fax
message

VISIT TO SINGAPORE

Thank you for calling this morning regarding my trip to Singapore next month. I am very grateful to you for offering to meet me at the airport and drive me to my hotel.

The body of the fax
message should be
composed similarly to a
business letter

I will be arriving on flight SQ101 on Monday 8 July at 1830 hours. Accommodation has been arranged for me at the Supreme International Hotel, Scotts Road.

I will be travelling up to Kuala Lumpur on Sunday 14 July on MH989 which departs from Singapore Changi Airport Terminal 2 at 1545 hours.

A complimentary close is
not necessary

I look forward to meeting you.

Sally Turner

Le courrier électronique

La quasi-totalité des activités de l'entreprise sont à présent prises en charge par l'informatique. La communication n'échappe pas à la règle et le courrier électronique (communément appelé e-mail) est devenu un moyen très efficace, économique et rapide pour communiquer avec les amis et collègues de par le monde.

Des messages par e-mail peuvent être expédiés à un destinataire ou simultanément à plusieurs. Le courrier électronique est rapide et facile à utiliser et permet un gain de temps précieux comparé aux notes formelles. Il est bien sûr possible d'imprimer les messages électroniques le cas échéant.

La préparation d'un message électronique ne devrait pas être prétexte à oublier toutes les règles élémentaires de la bonne rédaction (voir chapitres 3 et 4), même si la pratique du courrier électronique a imposé son propre protocole ou « netiquette » qui sera traité ici.

1. Vérifiez l'adresse électronique de votre correspondant. Les messages correctement adressés sont transmis en quelques secondes. Cela peut être beaucoup plus long de recevoir un message d'erreur vous indiquant qu'un e-mail mal adressé n'a pas été transmis.

2. Prévoyez toujours une accroche qui permettra au destinataire d'en imaginer la teneur et lui facilitera le traitement.

3. Vérifiez l'heure qu'indique votre ordinateur. Il est important que les indications concernant l'heure et les dates soient justes, sinon vous rencontrerez des difficultés à classer les messages chronologiquement.

4. Déverrouillez la touche des majuscules. Les majuscules correspondent au cri et peuvent sembler menaçantes.

5. Exprimez-vous. Vous pouvez utiliser certains signes ou « emoticons » pour exprimer ce que vous ressentez dans vos messages. Les plus connus sont :
   :-)   heureux
   ;-)   clin d'œil
   :-(triste
   :-I   indifférent
   :-/   perplexe
   :-D   choqué ou surpris.

6. Simplifiez les formules de politesse. Le formalisme n'est pas de mise dans le courrier électronique. Remplacez les salutations formelles telles que Cher David par une plus informelle comme Salut David ou même simplement David. Une formule de politesse finale n'est pas nécessaire. Un simple « À bientôt » peut suffire.

7. Vérifiez votre syntaxe. Il est très facile de laisser les phrases s'allonger indéfiniment à en devenir verbeuses. Essayez de faire des phrases courtes et simples et assurez-vous qu'elles sont grammaticalement correctes. Plus vous vous montrerez exigeant dans la rédaction de vos messages mieux vous serez compris et plus vite vous arriverez à vos fins.

8. Gardez des copies. Tout comme vous conserveriez des copies de lettres, il est recommandé de garder trace des messages émis et reçus.

9. Relisez vos messages. Dès que vous aurez tapé sur la touche Envoi, votre message sera chez votre correspondant en quelques secondes. Vous n'aurez aucun moyen de le stopper pour y faire des modifications. Aussi relisez-le et faites en sorte qu'il soit correct dès la première fois.

Le stockage et la récupération des messages

Les messages électroniques sont stockés sur un serveur à une adresse jusqu'à ce que le destinataire se manifeste pour les récupérer. Bien que les itinéraires empruntés par les messages électroniques puissent sembler complexes, la transmission ne prend que quelques secondes. Lorsque vous cliquez sur Obtenir les messages, vos messages sont récupérés automatiquement et affichés à l'écran.

L'heure s'inscrit automatiquement en heures/minutes/secondes.
Le +0000 indique le nombre d'heures en +/- GMT (par rapport à Greenwich)

9

L'ordinateur inscrit automatiquement la date. Aussi assurez-vous que l'horloge interne de votre ordinateur est à l'heure

Attention à bien saisir l'adresse

Les formules de politesse ne sont pas nécessaires pour le courrier électronique. Elles peuvent le cas échéant être informelles et amicales

Finir également de façon informelle

Date : Lun,22 sept 1998 15 : 17 : 59 +0000

De : sandrine.tournier@aol.com
A : patricia.jade@edfi.fr

Concerne : Révision de l'ouvrage en cours

Bonjour Patricia

Merci pour votre message d'aujourd'hui. Je suis contente de voir que les vacances se sont bien passées. J'ai bien avancé sur les révisions.

J'ai eu la chance d'être aidée par Jeanne Drapier et Olivier Monta.

Je suis sûre que vous serez heureuse d'apprendre que je serais en mesure de tenir les délais et de vous rendre le tout pour la semaine prochaine ou peu après. Pourrait-on prévoir de se voir début octobre pour que je vous remette le manuscrit et que l'on puisse parler des modifications à apporter, de la nouvelle mise en page, etc. ?

A bientôt. Meilleur souvenir
Sandrine

The time is also inserted automatically in hours / minutes / seconds. The +0000 indicates the number of hours + / - GMT (Greenwich Mean Time).

10

The date is automatically inserted by your computer – so make sure you keep your computer's internal clock accurate.

Key in the email addresses exactly.

Formal salutations are not necessary in emails. Keep it informal, with friendly greetings if appropriate.

Finish off informally too.

Subject: Model Business Letters
Date: Mon, 22 Sept 1997 15:17:59+0000
From: shirley.taylor@northern.net
To: pradeep.jethi@Pitmanpub.co.uk

Hi Pradeep

Thanks for your email today. I'm glad you had a good holiday.

I've been able to progress well with revisions to Model Business Letters. Help from my friends Nan Harper and Barrie Mort has been so valuable.

You'll be glad to know that I'll be able to meet the deadline and should be able to finalise things within the next week or so. Can we arrange to meet early October so that I can hand over my manuscript and discuss the amendments and new page design etc?

Talk to you soon. All the best …

Shirley

3

La structure
de vos écrits

Le plan en quatre points

Que vous rédigiez une lettre, un fax, une note interne ou même un message électronique, les règles qui s'appliquent à la structure du corps de texte sont les mêmes.
Les informations données dans ce chapitre concernent toute forme d'écrit professionnel.

Le plan en quatre points

De nombreux écrits de la vie professionnelle sont courts et répétitifs. Ils peuvent être rédigés ou dictés sans préparation spéciale. Les lettres plus exceptionnelles requièrent davantage de réflexion et d'organisation. Ce plan en quatre points fournit une trame simple mais utile pour structurer les écrits professionnels comme on peut le voir ici.

1. Introduction (Contexte et rappel des grandes lignes)
L'objet du courrier
Faire référence à une lettre, un contrat, un document préalable

2. Développement (Faits et chiffres)
Donner des instructions
Demander des informations
Fournir tous les détails nécessaires
Faire un paragraphe différent pour chaque sujet
Assurer un enchaînement logique

3. Réaction ? Action ?
Que doit faire le destinataire ?
Quelle mesure allez-vous vous-même prendre ?
En conclusion

4. Fin de la lettre
Une simple phrase en rapport avec le sujet traité suffit le plus souvent pour clore la lettre

Ce plan en quatre points doit être examiné en détail.

1. Début ou introduction

La première phrase doit énoncer le motif de la lettre qui peut servir à :
– accuser réception d'un courrier précédent
– évoquer une réunion ou un contact
– servir d'introduction au sujet qui sera traité.

Exemples :

> *Je vous remercie de votre courrier du ...*
> *J'ai eu beaucoup de plaisir à vous revoir à la conférence de la semaine dernière.*
> *Nous souhaiterions organiser notre conférence annuelle dans un hôtel parisien en septembre.*

Attention :

> Méfiez-vous des phrases qui commencent par *Pour faire suite à*, elles devraient toujours se poursuivre ainsi :
> *Pour faire suite à votre courrier du 12 juillet, je vous prie d'excuser le retard mis à vous répondre.*

2. Partie centrale (les détails)

La partie centrale du message donne toutes les informations dont le destinataire a besoin.

Parfois, vous pouvez au contraire être à la recherche d'informations et parfois les deux à la fois.

Les informations doivent être exprimées simplement et clairement en consacrant un paragraphe à chaque sujet.

Cette partie de la lettre devrait parvenir naturellement à une conclusion.

3. Conclusion du discours (action ou réaction)

Cette partie mène le message à sa conclusion logique.
Elle peut :

- énoncer l'action attendue du destinataire : ce qu'il doit faire ;
- annoncer la décision que vous allez prendre en fonction des informations données.

Exemples :

> *Veuillez me faire parvenir un devis détaillé pour l'ensemble des frais ainsi que des spécimens de menus.*
> *Si le règlement ne nous est pas parvenu dans les sept jours, nous entamerons une procédure judiciaire.*

4. Fin du message

Une simple ligne de conclusion suffit généralement. Celle-ci devrait être en rapport avec le contenu du message.

Exemples :

> *J'aurai plaisir à vous rencontrer bientôt.*
> *Dans l'attente de vous voir à la conférence du mois prochain.*
> *Nous vous serions reconnaissants de nous répondre aussitôt qu'il vous sera possible.*
> *N'hésitez pas à me contacter au cas où vous auriez besoin d'informations complémentaires.*

Attention :

      Les formules suivantes sont incomplètes et ne devraient pas être utilisées telles quelles :
         Espérant une réponse rapide,
         En attendant une réponse.

Ce plan en quatre points qui structure toute communication écrite est illustré dans l'exemple qui suit.

11

Association des journalistes
43, rue des Plantes
75006 Paris
Tél. 331 43 25 43 25
Fax 331 43 25 43 20

LD/ST

12 mai 2007

Madame Laurence Nani
15, rue du Château
69000 Lyon

Chère Laurence,

SEMINAIRE DES JOURNALISTES DES 8/9 OCTOBRE 20..

Début (faire une brève introduction) — J'ai le très grand plaisir de vous convier en tant que membre éminent de l'Association des journalistes au séminaire exceptionnel qui se tiendra à l'hôtel Plaza à Paris les mardi 8 et mercredi 9 octobre prochain.

Ce séminaire intensif pour journalistes professionnels portera sur :

Détailler (plusieurs paragraphes s'enchaînant logiquement) —
- l'amélioration de l'organisation personnelle
- l'optimisation de la communication
- l'actualisation des connaissances en nouvelles technologies
- le travail en réseaux.

Cette conférence sera animée par un aréopage d'intervenants professionnels qui exprimeront leur point de vue sur de multiples sujets d'intérêt. Vous trouverez ci-joint un programme détaillé de ce séminaire que vous aurez à cœur, j'en suis sûre, de ne pas manquer.

Conclusion (action attendue du destinataire) — Pour être des nôtres, il vous suffit de remplir le bulletin joint et de me le retourner accompagné du règlement de 80 euros par personne avant le 30 juin.

Conclure d'une simple phrase — J'espère avoir le plaisir de vous revoir à l'occasion de cette conférence exceptionnelle.

Bien cordialement

Louise Descombes (Mme)
Responsable du séminaire

PJ.

4

Langage et ton

Adopter la méthode ABC

Check-list

Tout le secret d'une communication réussie réside dans l'utilisation d'un langage simple, comme si vous teniez une « conversation par écrit ». Ce qui implique de communiquer votre message simplement de façon naturelle à l'aide d'un style courtois. La tendance en matière d'écrit professionnel, notamment dans les pays anglo-saxons, est de préférer un ton informel à l'excès de formalisme.

Par contre, quel que soit le type d'écrit, il vous faut respecter la syntaxe, l'orthographe et la ponctuation. Mais cela exige d'autres compétences que la seule capacité à structurer correctement les phrases. Votre objectif est de faire passer une réflexion, des idées d'une personne à une autre, aussi devez-vous toujours garder présent à l'esprit que vous êtes face non seulement à une situation mais également à un individu. Le support choisi ainsi que l'approche et le ton seront interprétés par le destinataire.

Mettez-vous à sa place et essayez d'imaginer comment il va prendre ce qui est écrit et le ton employé. Anticipez les besoins du destinataire, ses souhaits, ses centres d'intérêt et ses problèmes. Trouvez le meilleur moyen d'aborder la situation telle qu'elle se présente.

Le signataire   Le message   Le destinataire

Que vous décidiez de rédiger une lettre, un fax, une note interne ou un message électronique, restez vigilant vis-à-vis des points suivants :

- Choisissez avec soin le support de communication.
- Prenez votre temps pour élaborer le document.
- Soignez la présentation du document pour qu'il reflète votre efficacité et inspire confiance.
- Adoptez une mise en page claire, lisible et structurée logiquement.
- Adaptez votre ton aux circonstances, à la situation et au destinataire.
- Assurez-vous que la syntaxe, l'orthographe et la ponctuation sont respectées.

Adopter la méthode ABC

Vous obtenez une bonne communication écrite lorsque vous dites exactement ce que vous voulez dire en employant le ton juste. Votre message doit satisfaire aux critères suivants :

Attention
Vérifiez soigneusement les faits.
Mentionnez tous les détails nécessaires.
Relisez le message attentivement.

Brièveté
Faites des phrases courtes.
Utilisez des expressions simples.
Évitez le jargon des spécialistes.

Clarté
Employez un français de tous les jours.
Rédigez votre message dans un style coulant et naturel.
Évitez à la fois le formalisme et la familiarité.

Soyez courtois et respectueux

Être courtois ne signifie pas avoir recours à des expressions surannées telles que « votre aimable demande » ou « votre estimée clientèle ». Il s'agit de respecter votre interlocuteur.
En adoptant un style courtois il est possible d'opposer un refus à une demande sans pour autant ruiner tout espoir de relations ultérieures. Il permet de dire non sans porter atteinte à une amitié. La courtoisie implique aussi :

- Une réponse rapide à tout courrier – si possible le jour même.
- D'écrire quelques mots pour dire pourquoi, si vous ne pouvez pas répondre dans l'immédiat. Ce qui vous vaudra la sympathie de votre interlocuteur.
- De tâcher de comprendre et de respecter le point de vue de votre interlocuteur.
- De résister à la tentation de répondre comme si votre correspondant avait tort.
- De faire preuve de tact et d'essayer de ne pas blesser, même si vous pensez que certaines remarques sont injustes.
- De réfréner votre envie de répondre à une lettre offensante par une autre sur le même ton. Tentez plutôt une réponse courtoise qui préserve votre dignité.

Trouvez le ton juste

Pour que votre message atteigne son objectif, il faut que le ton soit juste.

Celui-ci reflète l'esprit dans lequel vous voulez faire passer votre message.

Que vous fassiez une réclamation ou que vous y répondiez, vous pouvez vous exprimer de sorte à n'être ni désagréable ni vexant.

En négligeant d'employer le ton qui convient vous risquez de rédiger un message qui paraîtra agressif, vexant, cassant, désagréable, sarcastique ou blessant.

Ce qui ne servira pas vos objectifs.

Ne dites pas	Dites plutôt
Nous ne pouvons rien pour vous	Malheureusement, nous ne sommes pas en mesure de vous aider en l'occurrence
Le problème ne se serait pas posé si vous aviez correctement branché l'appareil	Le problème devrait se résoudre en branchant l'appareil selon les instructions du mode d'emploi
Votre téléviseur n'est plus sous garantie, vous devrez payer pour le faire réparer	Le contrat garantissant votre téléviseur étant arrivé à expiration, vous devrez malheureusement supporter les éventuels frais de réparations
Je vous écris pour me plaindre car je suis très insatisfait de la façon dont j'ai été traité dans votre magasin aujourd'hui	J'ai été très insatisfait du niveau de service dans votre magasin aujourd'hui

Écrivez naturellement et sincèrement

Essayez de montrer un réel intérêt pour votre correspondant et ses problèmes. Votre message doit sembler sincère tout en étant rédigé dans un style qui vous est propre.

Écrivez naturellement comme si vous teniez une conversation.

Ne dites pas	Dites plutôt
J'ai le plaisir de vous informer	J'ai le plaisir de vous dire
Nous n'anticipons aucune hausse de prix	Les prix ne devraient pas augmenter
Je vous serais reconnaissant de bien vouloir nous informer	Pourriez-vous nous dire
Veuillez nous gratifier d'une réponse rapide	Merci de nous communiquer vos remarques dès que possible

Allez droit au but

Les professionnels ont de nombreux documents à lire. Ils apprécieront les messages directs et précis.

Ne dites pas	Dites plutôt
Nous serons en mesure de	Nous pourrons
Dans le courant des prochaines semaines	Dans les semaines à venir
Auriez-vous l'amabilité de me laisser savoir	Veuillez me dire
Je vous serais reconnaissant si vous acceptiez de	Merci de
Je voudrais vous rappeler que	Notez que Souvenez-vous que
Ce message a pour but de vous informer que je serai en vacances pour deux semaines à partir du 1er juin	Je serai en vacances pour deux semaines à compter du 1er juin
Je suis désolé d'avoir à vous dire que nous n'avons pas ces articles en stock à l'heure actuelle	Ces articles sont momentanément en rupture de stock

Utilisez des termes actuels

Les expressions d'autrefois n'ajoutent rien au sens de votre message.

De telles formules inutiles et alambiquées risquent de donner une mauvaise image de l'expéditeur, voire de créer la confusion dans l'esprit du destinataire.

Une bonne lettre professionnelle est celle qui n'utilise pas plus de mots que nécessaires pour transmettre un message clair et précis.

Ne dites pas	Dites plutôt
Nous avons en notre possession votre courrier du 12 courant	Merci pour votre courrier du 12 juin
Nous accusons réception de votre courrier du 12 juin	Merci pour votre courrier du 12 juin
Je vous écris à la suite de votre lettre datée du 12 juin dans laquelle vous nous demandiez des renseignements sur les services express fournis par notre compagnie	Merci de votre lettre du 12 juin nous interrogeant sur nos services express
Vous trouverez joint à cet envoi	Ci-joint
Veuillez trouver	Ci-joint
Rendez-moi le service de m'informer	Merci de me dire

Employez des mots simples

Vous devez vous efforcer d'éviter les mots dépassés dans la communication professionnelle d'aujourd'hui. Un tel vocabulaire n'apporte rien sinon la confusion.

En employant des mots simples vous obtiendrez un message plus percutant, vous gagnerez du temps et vous contribuerez ainsi à le rendre plus efficient et efficace.

Ne dites pas	Dites plutôt
En référence à	Concernant
En raison du fait que	Parce que
Acquérir	Acheter
Prendre en considération	Considérer
Joint à cet envoi	Ci-joint
Veuillez trouver joint	Je joins/nous joignons
Suffisant	Assez
À l'exception de	Sauf
Dans le but de	Pour
Au cas où	Si, quand
Dans l'intervalle	Entre-temps
À l'heure actuelle	À présent, actuellement, aujourd'hui
Versement	Paiement
Expédier	Se presser, se dépêcher
Sous pli séparé	Séparément
Transmettre	Envoyer
S'efforcer, tenter	Essayer
Prévenir, informer	Indiquer

Certaines expressions devraient être évitées systématiquement :
    J'ai remarqué que…
    Il m'a été rapporté que…
    J'ai le plaisir de vous faire savoir que…
    Je vous écris pour vous informer que…

Je dois vous faire savoir que…
Veuillez (s'il vous plaît)…
En vous remerciant par avance…
Merci et meilleur souvenir…
Sentiments les plus cordiaux.

Mentionnez les détails nécessaires

Si le destinataire doit vous poser une question, c'est que quelque chose a été omis dans votre message. Ne laissez rien au hasard. Prévoyez toutes les informations nécessaires.

Ne dites pas	Dites plutôt
Mon vol arrive à 3 h 30 mercredi	Je prendrai le vol AF 121 de Paris et j'arriverai à l'aéroport d'Hanoi à 15 h 30 le mercredi 12 juin
J'ai beaucoup apprécié votre article dans la lettre d'information du mois dernier	J'ai beaucoup apprécié votre article sur La psychologie des enfants paru le mois dernier dans la lettre d'information interne
Notre responsable des ventes vous contactera bientôt	M. Jean Mathieu, notre responsable des ventes, vous contactera bientôt

Soyez cohérent

La cohérence n'est pas seulement importante dans la présentation mais également dans la teneur du message lui-même.

Ne dites pas	Dites plutôt
Les participants seront Jean Weil, G. Tournier, Martine Hautefeuille et Jacky des ventes	Les participants à la prochaine réunion du comité seront Jean Weil, Gisèle Tournier, Martine Hautefeuille et Jacky Tournier
Je confirme ma réservation pour une chambre simple le 16 / 7 et une chambre double le 17 oct.	Je confirme ma réservation pour une chambre simple le 16 juillet et une chambre double le 17 octobre

Check-list

Avant de signer quelque écrit que ce soit, posez-vous les questions suivantes :

❑ Le message sera-t-il compris ?

❑ Est-ce le ton juste ?

❑ Le langage est-il approprié ?

❑ Ai-je évité les expressions alambiquées et les formules dépassées ?

❑ Ai-je mentionné tous les détails nécessaires, sont-ils exacts ?

❑ Le texte est-il bref, précis et courtois ?

❑ N'y a-t-il pas de fautes d'orthographe ?

❑ N'y a-t-il pas de fautes de grammaire ?

❑ La ponctuation est-elle correcte ?

❑ La structure est-elle logique ?

❑ La présentation est-elle agréable, bien mise en page et cohérente ?

Deuxième partie

LES LETTRES PROFESSIONNELLES LES PLUS COURANTES

5

Les demandes et les réponses

Les demandes de catalogues et de tarifs

Les demandes d'informations générales et les réponses

Les demandes de produits sous condition

Les demandes de visites de représentants

Les demandes de conditions spéciales

Les formules utiles en français et en anglais

Les demandes de renseignements sur les produits et les services sont constantes dans l'entreprise. Lorsque vous rédigez une demande de renseignements courante, respectez les consignes suivantes :

1. Énoncez clairement et précisément ce que vous voulez – des informations générales, un catalogue, les tarifs, un échantillon, un devis, etc.

2. Si vous êtes limité dans le prix que vous voulez consacrer à votre achat, ne le mentionnez pas sinon le fournisseur risque d'établir l'offre de prix au niveau que vous avez annoncé.

3. La plupart des fournisseurs font état de leurs conditions de paiement dans leur réponse de sorte qu'il n'est pas nécessaire de les demander à moins que vous n'escomptiez un traitement particulier.

4. Faites des demandes courtes et précises.

Les demandes de renseignements constituent des ventes potentielles, elles doivent donc être traitées rapidement. Si la demande émane d'un client acquis, dites-lui à quel point vous appréciez sa fidélité, s'il s'agit d'un prospect, exprimez votre satisfaction pour la demande de renseignements et l'espoir que celle-ci se concrétisera par une relation commerciale durable et agréable.

Les demandes de catalogues et de tarifs

Les demandes systématiques qui ne nécessitent pas de réponse formelle

Les fournisseurs reçoivent de nombreuses demandes systématiques de catalogues et de tarifs. Dans ces cas, à moins qu'elles ne contiennent des demandes d'informations complémentaires, il n'est pas nécessaire d'y joindre une lettre. Une carte de visite, portant la mention « Avec les compliments », suffit, en accompagnement des documents expédiés suite aux demandes citées en exemple ci-dessous.

Exemple 1

12

> Madame / Monsieur,
>
> Veuillez m'adresser un exemplaire de votre catalogue et de vos tarifs pour les baladeurs ainsi que des exemplaires de brochures descriptives que je pourrais distribuer aux acheteurs potentiels.
>
> Avec mes remerciements.

13

> Dear Sir / Madam
>
> Please send me a copy of your catalogue and price list of portable disc players, together with copies of any descriptive leaflets that I could pass to prospective customers.
>
> Yours faithfully

Exemple 2

14

> Madame / Monsieur,
>
> J'ai remarqué l'un de vos coffres-forts dans le bureau d'une entreprise locale qui m'a communiqué vos coordonnés. Pourriez-vous m'adresser un exemplaire de votre dernier catalogue. Je suis notamment intéressé par les coffres-forts adaptés aux petits bureaux.
>
> Avec mes remerciements.

15

> Dear Sir / Madam
>
> I have seen one of your safes in the office of a local firm, which passed on your address to me.
>
> Please send me a copy of your current catalogue. I am particularly interested in safes suitable for a small office.
>
> Yours faithfully

Les activités potentiellement importantes

Lorsque la demande laisse entendre qu'il pourrait y avoir des commandes importantes et régulières, une carte « Avec les compliments » ne suffit plus. Il faut alors choisir de rédiger une lettre et en profiter pour promouvoir vos produits.

a) La demande

16

> Madame / Monsieur,
>
> Je possède une grande quincaillerie à Aix et je serais intéressée par les radiateurs électriques dont vous avez fait la publicité dans le journal La Provence.
>
> Merci de m'adresser votre catalogue illustré ainsi que vos tarifs.
>
> Veuillez croire, Madame / Monsieur, à l'assurance de ma parfaite considération.

17

> Dear Sir/Madam
>
> I have a large hardware store in Southampton and am interested in the electric heaters you are advertising in the West Country Gazette.
>
> Please send me your illustrated catalogue and a price list.
>
> Yours faithfully

b) La réponse

18

Chère Madame,

Remercier — Nous vous remercions de l'intérêt que vous portez à nos radiateurs électriques.

Fournir des informations sur certains articles et évoquer le contenu du catalogue — Nous avons le plaisir de vous adresser un exemplaire de notre dernier catalogue illustré. Vous pourriez être notamment intéressée par le FX21 qui est notre tout dernier modèle.

Sans accroître la consommation d'énergie, il produit 15 % de chaleur de plus que les anciens modèles. Vous trouverez tous les détails de nos conditions de vente sur le rabat intérieur de la couverture du catalogue.

Suggérer une réaction — Peut-être pourriez-vous envisager de faire une commande à l'essai afin d'en tester l'efficacité. Ce qui vous permettra simultanément de juger par vous-même de la très grande qualité du matériel et de la finition de ce modèle.

Si vous aviez d'autres questions, n'hésitez pas à me contacter.

Veuillez croire, Chère Madame, à l'expression de mes salutations distinguées.

19

Dear Mrs Johnson

Thank you — Thank you for your letter enquiring about electric heaters. I am pleased to enclose a copy of our latest illustrated catalogue.

Provide further information about specific goods and refer to information in catalogue — You may be particularly interested in our Model FX21 heater, our newest model. Without any increase in fuel consumption, it gives out 15 % more heat than earlier models. You will find details of our terms in the price list printed on the inside front cover of the catalogue.

Suggest action for recipient to take — Perhaps you would consider placing a trial order to provide you with an opportunity to test its efficiency. At the same time this would enable you to see for yourself the high quality of material and finish put into this model.

If you have any questions please contact me.

Appropriate close — Yours sincerely

Demande de conseils

Une lettre de réponse est nécessaire lorsque la demande laisse entendre que le client a besoin d'un avis ou de conseils.

a) La demande

20

> Monsieur / Madame,
>
> Veuillez m'adresser un exemplaire de votre catalogue de petits ordinateurs ainsi que vos tarifs. Je serais particulièrement intéressé par un ordinateur équipé d'un ensemble de logiciels de bureautique.
>
> Avec mes remerciements.

b) La réponse

21

	Cher Monsieur,
Remercier	Nous vous remercions de votre demande du 8 février.
Joindre le catalogue	J'ai le plaisir de vous adresser le catalogue de petits ordinateurs que vous avez demandé. Il contient un certain nombre d'informations sur les différents fabricants.
Donner des détails par rapport à la demande	Les pages 15 à 25 me paraissent particulièrement correspondre à vos besoins tout en proposant des prix très raisonnables.
Terminer en suggérant une démonstration	Si vous désirez assister à une démonstration de l'un quelconque de nos modèles, je pourrai demander à notre représentant de passer vous voir pour en organiser une le jour qui vous conviendra.
	Veuillez croire, cher Monsieur, à l'assurance de notre parfaite considération.

Les demandes de renseignements par recommandation

Lorsque vous écrivez à un fournisseur qui vous a été recommandé, il peut être dans votre intérêt de le mentionner.

a) La demande

22

> Madame/Monsieur,
>
> Mon voisin, Monsieur Stéphan, qui habite 29 Grand'rue à Redon, a récemment acheté une tondeuse électrique chez vous. Il est très satisfait de sa tondeuse à gazon et m'a conseillé de vous contacter.
>
> J'aurais voulu une tondeuse du même type mais un peu plus petite et je vous serais reconnaissant de m'envoyer un exemplaire de votre catalogue et toute information qui pourrait m'aider à faire le meilleur choix en fonction de mes besoins.
>
> Avec mes remerciements.

b) La réponse

23

> Cher Monsieur,
>
> Vous trouverez joint le catalogue, que vous nous avez demandé par votre courrier du 18 mai, accompagné des tarifs correspondants.
>
> Le modèle acheté par votre ami est une Flymo de 38 cm qui est un excellent modèle. Vous trouverez toutes les caractéristiques du modèle de 30 cm en page 15 de notre catalogue. Vous pourrez également consulter en page 17 un modèle encore plus petit, la Junior.
>
> Ces deux modèles sont en stock et nous serions heureux de vous les montrer si vous acceptiez de venir à notre magasin. N'hésitez pas à m'appeler si je peux vous être de quelque secours.
>
> Veuillez croire, cher Monsieur, à l'expression de mes salutations distinguées.

Demande d'échantillons

Une demande d'échantillons donne au fournisseur une excellente occasion de présenter avantageusement ses produits. La réponse devra être convaincante et inspirer confiance.

a) La demande

24

Messieurs,

Nous recevons de nombreuses demandes de nos clients pour des revêtements de sol pouvant convenir à des surfaces brutes, ce qui semble être caractéristique de la plupart des nouvelles constructions dans la région.

Nous vous serions reconnaissants de nous faire parvenir des échantillons de revêtements adaptés.

Une carte d'échantillons illustrant les motifs existants nous serait également d'une grande aide.

Avec nos remerciements.

25

Dear Sirs

We have received a number of enquiries for floor coverings suitable for use on the rough floors which seem to be a feature of much of the new building taking place in this region.

It would be helpful if you could send us samples showing your range of suitable coverings. A pattern-card of the designs in which they are supplied would also be very useful.

Yours faithfully

b) La réponse

26

Chère Madame,

Remercier — Nous vous remercions de votre courrier nous demandant des échantillons et un catalogue des motifs existants pour nos revêtements de sol.

Répondre à la demande formulée — Nous vous faisons parvenir séparément une gamme d'échantillons spécialement sélectionnés pour leur endurance. Un catalogue des motifs y est également joint.

Recommander certains échantillons et suggérer la suite à donner — Pour l'utilisation que vous mentionnez, nous vous recommandons l'échantillon n° 5 qui convient particulièrement aux surfaces brutes et inégales.

Nous vous invitons à essayer les échantillons expédiés. A la suite de quoi, si vous souhaitez en parler, nous demanderons à notre technicien de passer vous voir.

Joindre les tarifs — D'ici là vous pourrez consulter nos tarifs joints ainsi que nos conditions générales de vente.

N'hésitez pas à reprendre contact avec nous si vous souhaitez d'autres informations

Veuillez croire, chère Madame, à l'expression de nos salutations distinguées.

27

Dear Mrs King

Thank you — Thank you for your enquiry for samples and a pattern-card of our floor coverings.

Respond to the request in the enquiry — We have today sent to you separately a range of samples specially selected for their hard-wearing qualities. A pattern-card is enclosed.
For the purpose you mention we recommend sample number 5 which is specially suitable for rough and uneven surfaces.

Recommended specific samples and suggest follow-up — We encourage you to test the samples provided. When you have done this if you feel it would help to discuss the matter we will arrange for our technical representative to arrange to come and see you.

Enclose price list — Meanwhile, our price list is enclosed which also shows details of our conditions and terms of trading.

Please contact me if I can be of further help.
Appropriate close — Yours sincerely

Les demandes d'informations générales et les réponses

Lorsque vous rédigez une lettre pour obtenir des informations générales, veillez à bien préciser les détails dont vous avez besoin, par exemple le prix, les modes de livraison, les conditions de règlement.

Lorsque vous répondez à une demande de renseignements, vérifiez que vous avez bien répondu sur tous les points.

Demande de renseignements pour du matériel de bureau

a) La demande

28

Madame / Monsieur,

Nous souhaiterions recevoir des informations sur les télécopieurs que vous avez en catalogue ainsi que sur leurs prix.

Nous aurions besoin d'un modèle capable de transmettre, essentiellement dans l'hexagone, des télécopies comportant des schémas assez complexes ainsi que du texte.

Avec nos remerciements.

29

Dear Sir / Madam

We would be pleased to receive details of fax machines which you supply, together with prices.

We need a model suitable for sending complex diagrams and printed messages mostly within the UK.

Yours faithfully

b) La réponse

30

Chère Madame,

Pour faire suite à votre demande, nous avons le plaisir de vous adresser une brochure présentant nos télécopieurs les plus récents.

Tous les modèles présentés sont en stock et peuvent être fournis à des prix très compétitifs comme vous pourrez le constater sur les tarifs inclus dans le catalogue.

Une visite à nos magasins vous permettrait à la fois d'assister à la démonstration des différents appareils et de voir notre large gamme de matériel de bureau.

Veuillez croire, chère Madame, à l'assurance de notre parfaite considération.

31

Dear Mrs Rawson

In reply to your enquiry I have pleasure in enclosing a leaflet showing our latest fax machines.

All the models illustrated can be supplied from stock at competitive prices as shown on the price list inside the catalogue.

May I suggest a visit to our showrooms where you could see demonstrations of the various machines and at the same time view our wide range of office equipment.

Yours sincerely

c) Demande de démonstration

32

Cher Monsieur,

J'ai examiné avec attention les documents qui accompagnaient votre courrier du 28 avril.

Notre directeur administratif, Monsieur Georges Tardieu, souhaiterait se rendre dans vos magasins afin d'assister à une démonstration de vos télécopieurs pour se faire une idée de l'appareil qui conviendrait le mieux à nos besoins. Pourrions-nous prévoir un rendez-vous le vendredi 6 mai prochain à 15 h 30. Si ce rendez-vous ne vous convenait pas, pourriez-vous contacter directement Monsieur Tardieu ?

Avec nos remerciements.

33

> Dear Mr Jenkinson
>
> I have studied with interest the literature you sent me with your letter of
> 28 April.
>
> Our Administration Manager, Mr Gordon Tan, would like to visit your showrooms
> to see a demonstration and report on which machine would be most suitable
> for our purposes. Can we arrange this for next Friday 6 May at 3.30 pm. If this is
> inconvenient please contact Mr Tan direct.
>
> Yours sincerely

Demande comportant plusieurs points numérotés

Lorsque vous avez de nombreuses questions à poser, il peut être intéressant de les numéroter.

a) La demande

34

Madame / Monsieur,

Information sur le contexte de la demande — Lors d'une visite récente au Salon de la Maison idéale, j'y ai vu des échantillons de vos dalles en plastique. Je pense que ce revêtement devrait convenir pour mon sous-sol mais je n'ai rencontré personne qui connaissait ce type de matériau.

Les points numérotés servent à lister des questions précises — Pourriez vous me renseigner sur les points suivants :

1. Quel type de préparation doit subir la surface à recouvrir ?
2. Quels sont les couleurs et les motifs disponibles ?
3. Ces dalles peuvent-elles être détériorées par de l'humidité montante ?
4. Le recours à un spécialiste est-il indispensable pour la pose ? Dans l'affirmative, pourriez-vous m'en recommander un dans ma région ?

Terminer par ce que vous attendez de votre correspondant — J'aimerais avoir votre avis sur ces questions.

Avec mes remerciements.

b) La réponse

35

Cher Monsieur,

Remercier et joindre une brochure — Nous vous remercions de votre lettre du 18 août nous demandant des renseignements sur nos dalles en plastique. Vous trouverez joint un exemplaire de notre brochure montrant les motifs et les gammes de couleur dans lesquels ces dalles sont disponibles.

Donner des informations — La société Solbase, au 22 de la rue Haute à Provins est un installateur sérieux qui effectue la pose de tous nos revêtements dans votre région. J'ai demandé à l'entreprise de prendre contact avec vous pour examiner les surfaces concernées. Leur spécialiste sera en mesure de vous conseiller sur la préparation nécessaire et de vous dire si l'humidité risque de poser des problèmes.

Rassurer sur la qualité — Nos dalles en plastique sont robustes et si elles sont posées par un professionnel, nous vous garantissons qu'elles vous donneront entière satisfaction et pour longtemps.

Veuillez croire, cher Monsieur, à l'expression de nos salutations distinguées.

Premières demandes de renseignements

Lorsque vous formulez une demande de renseignements auprès d'un fournisseur que vous n'avez jamais contacté auparavant, indiquez-lui comment vous avez obtenu ses coordonnées et donnez-lui quelques précisions sur votre propre activité.

La réponse à une première demande de renseignements doit être traitée avec soin pour mettre votre correspondant dans de bonnes dispositions à votre égard.

a) La demande

36

Madame / Monsieur,

Informations sur le contexte de la demande — La société DK de Nantes nous a informé que vous étiez fabricant de draps et de taies d'oreiller en polyester et coton.
Nous sommes des négociants en textile et nous pensons qu'il y aurait un marché porteur dans notre région pour des articles de ce type à des prix modérés.

Demande de précisions — Pourriez-vous nous donner des précisions sur les différentes gammes que vous fabriquez, notamment les dimensions, les couleurs et les prix et nous faire parvenir des échantillons des différents types de tissu utilisés.

Renseignements complémentaires sur les prix pour certaines quantités — Pourriez-vous également nous communiquer vos conditions de règlement et les remises consenties pour des commandes d'au moins 500 unités d'une même qualité.
Les prix indiqués devront inclure la livraison à notre adresse qui figure ci-dessus.

Nous vous remercions de l'urgence que vous accorderez à notre demande.

Bien cordialement.

37

Dear Sir / Madam

Background information about enquiry — Dekkers of Sheffield inform us that you are manufacturers of polyester cotton bedsheets and pillow cases.

We are dealers in textiles and believe there is a promising market in our area for moderately priced goods of this kind.

Request for details — Please let me have details of your various ranges including sizes, colours and prices, together with samples of the different qualities of material used.

Further queries regarding prices for specific quantities of goods — Please state your terms of payment and discounts allowed on purchases of quantities of not less than 500 of specific items. Prices quoted should include delivery to our address shown above.

Your prompt reply would be appreciated.

Yours faithfully

b) La réponse

38

Chère Madame,

Remercier. Ci-joint les documents — Je vous remercie de votre courrier du 15 janvier.
Vous trouverez joint notre catalogue illustré accompagné des tarifs que vous avez demandés.

Donner des précisions sur les échantillons

Une gamme complète d'échantillons vous a également été envoyée séparément.
Je suis sûr que dès que vous les aurez examinés vous conviendrez avec moi que ces articles sont d'excellente qualité pour un prix raisonnable.

Répondre aux questions sur les quantités

Pour des achats réguliers d'au moins 500 unités de chaque article, nous pourrions vous consentir une remise de 33 %. En cas de règlement dans les 10 jours suivant la réception de la facture, une remise supplémentaire de 5 % sur le prix net vous sera accordée.

Rassurer sur la qualité, la demande et la livraison

Les produits en polyester et coton connaissent un succès grandissant parce qu'ils sont solides, chauds et légers. Après avoir pris connaissance de nos prix, vous ne serez pas surprise d'apprendre que nous avons de plus en plus de mal à faire face à la demande.
Toutefois, si votre commande nous parvient avant la fin du mois, nous pouvons vous garantir une livraison sous quinzaine.

Evoquer d'autres produits

Je suis sûr que vous serez également intéressée par les informations sur les autres produits figurant à notre catalogue. Si vous souhaitez d'autres renseignements les concernant n'hésitez pas à me contacter.

Je vous prie de croire, chère Madame, à l'assurance de ma parfaite considération.

39

Dear Mrs Harrison

Thank you
Enclose relevant publications

I was very pleased to receive your enquiry of 15 January and enclose our illustrated catalogue and price list giving the details requested.

Give further details regarding samples

A full range of samples has also been sent by separate post. When you have had an opportunity to examine them, I feel confident you will agree that the goods are excellent in quality and very reasonably priced.

Reply to specific questions regarding quantities

On regular purchases of quantities of not less than 500 individual items, we would allow a trade discount of 33%. For payment within 10 days from receipt of invoice, an extra discount of 5% of net price would be allowed.

Assurance of quality, demand and delivery

Polyester cotton products are rapidly becoming popular because they are strong, warm and light. After studying our prices you will not be surprised to learn that we are finding it difficult to meet the demand. However, if you place your order not later than the end of this month, we guarantee delivery within 14 days of receipt.

Refer to other products

I am sure you will also be interested to see information on our other products which are shown in our catalogue; if further details are required on any of these please contact me.

I look forward to hearing from you.
Yours sincerely

Premières demandes de renseignements en provenance d'importateurs étrangers

Cette lettre émane d'un importateur étranger et une réponse sympathique et efficace est nécessaire pour créer une bonne impression.

a) La demande

40

Madame / Monsieur,

Nous avons appris par la société Spett, Mancienne, Fratelli de Rome que vous fabriquiez toute une gamme de gants en cuir faits main pour l'exportation. Nous avons une demande constante dans notre région pour des gants haut de gamme et bien que les volumes ne soient pas très importants, nous pouvons en obtenir de bons prix.

Je souhaiterais recevoir un catalogue de vos produits accompagné des tarifs et des conditions de paiement. Nous vous serions également reconnaissants d'y joindre des échantillons des différentes peaux que vous utilisez.

Avec nos remerciements.

b) La réponse

41

Cher Monsieur,

Nous vous remercions de l'intérêt que vous portez à nos produits dans votre courrier du 22 août dernier.

Vous trouverez joints un catalogue illustré ainsi que des échantillons de certaines des peaux que nous utilisons couramment pour nos fabrications. Nous ne sommes malheureusement pas en mesure de vous envoyer tout de suite la totalité de notre gamme d'échantillons mais vous pouvez être assuré que les peaux de chamois et de daim qui ne sont pas incluses dans cet envoi sont du même niveau de qualité.

Monsieur Francis Noir, notre directeur export, se rendra à Rome le mois prochain. Il se fera un plaisir de venir vous voir pour vous présenter une large gamme de nos produits. Je suis certain qu'en les voyant vous conviendrez que la qualité de la matière première utilisée alliée au haut niveau de savoir-faire satisfera les clients les plus exigeants.

Nous produisons également une large gamme de sacs à main fabriqués artisanalement qui pourraient vous intéresser. Ils figurent en bonne place dans notre catalogue et sont du même niveau de qualité que nos gants. Monsieur Noir pourra vous en montrer quelques-uns lorsqu'il vous rendra visite.

Veuillez croire, cher Monsieur, à l'expression de nos salutations distinguées.

Les demandes de produits sous condition

Les clients demandent parfois que les produits leur soient expédiés sous condition. Ces produits doivent être retournés dans les délais indiqués, sinon ils sont considérés comme ayant été achetés par le client et ne peuvent plus être renvoyés par la suite.

Demande du client pour un produit sous condition

a) La demande

42

Madame / Monsieur,

Plusieurs de mes clients ont récemment manifesté leur l'intérêt pour vos vêtements imperméables et m'ont posé des questions sur leur qualité.

Sous réserve que la qualité et les prix soient satisfaisants, les perspectives de ventes pourraient être très favorables dans notre région. Toutefois, avant de vous passer une commande ferme, je vous serais reconnaissant de me faire parvenir à l'essai pour une durée de quinze jours une sélection d'imperméables et de bottes en caoutchouc pour hommes et enfants. Tous les articles invendus à l'issue de cette période et que je déciderai de ne pas conserver en stock vous seront retournés à mes frais.

Dans l'attente d'une prompte réponse de votre part, je vous prie de croire, Madame / Monsieur, à l'assurance de ma parfaite considération.

43

Dear Sir / Madam

Several of my customers have recently expressed an interest in your waterproof garments, and have enquired about their quality.

If quality and price are satisfactory there are prospects of good sales here. However before placing a firm order I should be glad if you would send me on 14 days' approval a selection of men's and children's waterproof raincoats and leggings. Any of the items unsold at the end of this period and which I decide not to keep as stock would be returned at my expense.

I hope to hear from you soon.

Yours faithfully

b) La réponse

Dans cette réponse, le fournisseur se protège en demandant des références. Certains fournisseurs exigent un dépôt de garantie remboursable ou la garantie d'un tiers. Tout en se protégeant, il est important pour le fournisseur de ne pas offenser le client en lui manifestant sa méfiance.

44

Chère Madame,

Je vous remercie de votre courrier du 12 mars me commandant des vêtements imperméables à l'essai.

Comme nous n'avons pas encore eu l'occasion de faire affaire ensemble, vous comprendrez que je vous demande de me communiquer des références professionnelles ou le nom d'une banque auprès de laquelle je pourrais me renseigner. Dès que ces formalités seront accomplies de façon satisfaisante, nous aurons le plaisir de vous expédier une bonne sélection des articles que vous avez demandés.

Souhaitant que cette première transaction soit le début d'une longue et agréable relation commerciale, je vous prie de croire, chère Madame, à l'assurance de ma parfaite considération.

45

Dear Mrs Turner

I was very pleased to receive your request of 12 March for waterproof garments on approval.

As we have not previously done business together, you will appreciate that I must request either the usual trade references, or the name of a bank to which we may refer. As soon as these enquiries are satisfactorily settled we shall be happy to send you a good selection of the items mentioned in your letter.

I sincerely hope that our first transaction together will be the beginning of a long and pleasant business association.

Yours sincerely

c) L'envoi des produits

Le fournisseur, ayant reçu des renseignements favorables, adresse une lettre rassurante, directe et sympathique à son client. L'explication sur les bas prix est donnée pour dissiper tout soupçon sur la qualité des produits.

46

Chère Madame,

En possession de références favorables, je suis très heureux de pouvoir vous expédier une vaste gamme de vêtements imperméables, conformément à votre demande du 12 mars dernier.

Cette sélection comprend de nombreux modèles récents et séduisants dont l'imperméabilité a été améliorée par un traitement spécial. En raison des économies dégagées sur nos modes de fabrication, il nous a été possible de réduire nos prix de vente qui sont à présent inférieurs à ceux des vêtements imperméables importés de qualité équivalente.

Lorsque vous aurez eu l'occasion d'examiner les produits expédiés, pourriez-vous nous indiquer ceux que vous souhaitez conserver et prévoir de nous renvoyer le reste ?

Je souhaite que cette première sélection corresponde à vos besoins. Au cas où vous en souhaiteriez une nouvelle, n'hésitez pas à me contacter.

47

Dear Mrs Turner

I have now received satisfactory references and am pleased to be able to send you a generous selection of our waterproof garments as requested in your letter of 12 March.

This selection includes several new and attractive models in which the water-resistant qualities have been improved by a special process. Due to economies in our methods of manufacture, it has also been possible to reduce our prices which are now lower than those for imported waterproof garments of similar quality.

When you have had an opportunity to inspect the garments, please let us know which you have decided to keep and arrange to return the remainder.

I hope this first selection will meet your requirements. If you require a further selection, please do not hesitate to contact me.

Yours sincerely

d) Le client retourne les articles non souhaités

Par ce courrier, le client indique les articles qu'il souhaite conserver et y joint le règlement.

48

> Chère Madame,
>
> Il y a de cela quelques semaines, vous avez bien voulu me livrer une sélection de vêtements imperméables à l'essai.
>
> La qualité et les prix me conviennent et j'ai décidé de conserver les articles figurant sur le relevé en annexe. Vous trouverez également joint mon chèque de 18 433 € en règlement de la marchandise.
>
> Je vous remercie pour la rapidité et la délicatesse avec lesquelles vous avez traité cette affaire.
>
> Bien cordialement.

49

> Dear Mrs Robinson
>
> A few weeks ago you were good enough to send me a selection of waterproof garments on approval.
>
> Quality and prices are both satisfactory and I have arranged to keep the items shown on the attached statement. My cheque for £1209.55 is enclosed in settlement.
>
> Thank you for the prompt and considerate way in which you have handled this transaction.
>
> Yours sincerely

Les demandes de visites des représentants

Les clients se forgent souvent une opinion de l'entreprise en fonction des impressions créées par ses représentants. Ce qui montre bien l'importance d'un recrutement sérieux et d'une formation appropriée de la force de vente. Au-delà de leurs talents de négociateur professionnel, les représentants doivent remplir les conditions suivantes :

- Avoir une excellente connaissance des produits qu'ils proposent et de leurs utilisations
- Être en mesure d'anticiper les besoins du consommateur
- Pouvoir conseiller et guider utilement le client.

Demande de visite du représentant

a) La demande

50

> Madame / Monsieur,
>
> C'est avec beaucoup d'intérêt que j'ai pris connaissance de votre publicité pour les ustensiles de cuisine en plastique dans le dernier numéro du Journal de la Maison.
>
> Je vous serais reconnaissant de demander à votre représentant de passer me voir la prochaine fois qu'il se trouvera dans ma région. Cela m'arrangerait qu'il puisse, lors de cette visite, m'apporter une bonne sélection d'articles de votre gamme.
>
> Notre région est en plein développement et sous réserve que les prix soient raisonnables, vos produits pourraient y atteindre de bonnes ventes.
>
> Veuillez croire, Madame / Monsieur, à l'assurance de ma parfaite considération.

51

> Dear Sir / Madam
>
> I read with interest your advertisement for plastic kitchenware in the current issue of the House Furnishing Review.
>
> I should appreciate it if you would arrange for your representative to call when next in this district. It would be helpful if he could bring with him a good selection of items from your product range.
>
> This is a rapidly developing district and if prices are right your goods should find a ready sale.
>
> Yours faithfully

b) La proposition de visite du fournisseur

Cette réponse comporte un certain nombre de points positifs :
- elle est cordiale et sympathique,
- elle se place dans la perspective de l'acheteur,
- elle suscite l'intérêt en évoquant des cas de succès,
- elle explique pourquoi une commande doit être passée sans tarder,
- elle est personnalisée et ne ressemble pas aux réponses types.

52

Cher Monsieur,

Je vous remercie pour votre demande de renseignements du 2 novembre dernier.

Notre représentante, Madame Joëlle Blanc, qui sera dans votre région la semaine prochaine, va passer vous voir. Entre-temps, je vous adresse un catalogue de nos articles en plastique ainsi que des précisions sur nos modes de règlement et nos conditions de vente.

Les ustensiles de cuisine en plastique ont depuis longtemps acquis droit de cité dans la cuisine moderne. Leurs couleurs vives et toniques plaisent aux clients et lorsque les distributeurs les mettent en avant par l'organisation de vitrines thématiques, ils obtiennent de bonnes ventes.

Lorsque vous aurez examiné les échantillons que Madame Blanc vous portera, vous comprendrez l'engouement des clients pour ces articles. Aussi, si vous souhaitez disposer d'un stock avant Noël, nous vous conseillons de passer votre commande d'ici la fin du mois.

Veuillez croire, Cher Monsieur, à l'expression de nos salutations distingués.

53

Dear Mr Kennings

Thank you for your enquiry dated 1 November.

Our representative, Ms Jane Whitelaw, will be in your area next week and she will be calling on you. Meanwhile we are enclosing an illustrated catalogue of our plastic goods and details of our terms and conditions of sale.

Plastic kitchenware has long been a popular feature of the modern kitchen. Its bright and attractive colours have strong appeal, and wherever dealers have arranged them in special window displays good sales are reported.

When you have inspected the samples Ms Whitelaw will bring with her, you will understand why we have a large demand for these products. Therefore if you wish to have a stock of these goods before Christmas we advise you to place your order by the end of this month.

Yours sincerely

Les demandes de conditions spéciales

Les clients demandent parfois des articles qui ne sont plus au catalogue ou des conditions qui ne peuvent leur être consenties. De telles demandes doivent être traitées avec précaution pour ne pas vexer les clients ou perdre des ventes.

Demande de droits de représentation exclusive

a) La demande

54

Madame / Monsieur,

Information sur le contexte de la demande et sur sa spécificité

Nous avons récemment étendu notre rayon de radio/télévision et nous envisageons de compléter notre stock actuel par l'adjonction de nouvelles gammes. Nous serions notamment intéressés par les modèles Beauson et nous souhaiterions, à cet effet, recevoir votre catalogue ainsi que vos conditions de vente et de règlement.

Demande de droits exclusifs

Vos produits ne sont pas encore représentés dans notre ville et si nous décidons de les proposer à la vente, nous souhaiterions obtenir un contrat d'exclusivité pour le secteur.

Formule de politesse appropriée

Dans l'attente d'une réponse positive de votre part, je vous prie de croire, Madame / Monsieur, à l'assurance de ma parfaite considération.

55

Dear Sir/Madam

Background information and specific details

We have recently extended our radio and television department and are thinking of adding new ranges to our present stocks. We are particularly interested in your BELLTONE radio and television models and should be glad if you would send us your trade catalogue and terms of sale and payment.

Request for sole distribution rights

Your products are not yet offered by any other dealer in this town, and if we decide to introduce them we should like to request sole distribution rights in this area.

Suitable close

I hope to hear from you soon.

Yours faithfully

b) Le refus

Dans cette réponse, le fournisseur refuse avec tact la demande. Le refus n'est pas explicité longuement, mais exprimé implicitement dans le troisième paragraphe.

56

Cher Monsieur,

Remercier — Nous vous remercions pour votre courrier nous demandant des renseignements sur notre gamme de radios et de téléviseurs Beauson.

Joindre le catalogue et donner des détails supplémentaires — Cette gamme n'est plus à notre catalogue et a été remplacée par la gamme Clairson. Vous verrez dans le catalogue joint que les nouveaux modèles ont un design moderne et sont dotés des dernières améliorations techniques. Bien que plus onéreux que les modèles précédents, les Clairson ont reçu un accueil favorable du public et nous enregistrons de bonnes ventes dans de nombreuses régions.

Réaction à la demande d'exclusivité — Soucieux de maîtriser nos coûts de production, je suis sûr que vous comprendrez que nous devons augmenter nos ventes en assurant la distribution de nos produits dans le plus grand nombre de points de vente possible. Les distributeurs des autres régions se déclarent satisfaits de ce mode de fonctionnement qui semble-t-il marche très bien.

Exprimer des espoirs pour l'avenir — J'espère que nous recevrons prochainement votre commande et je serai très heureux de vous inclure dans la liste de nos distributeurs agréés si tel était votre choix.

Veuillez croire, cher Monsieur, à l'assurance de ma parfaite considération.

57

Dear Mr Sanderson

Thank you — Thank you for your letter of 8 April enquiring about our BELLTONE radio and television products.

Enclose catalogue and give further details — This range has been discontinued and replaced by the CLAIRTONE. You will see from the enclosed catalogue that the new models are attractively designed and include the latest technical improvements. Although rather more expensive than their predecessors, the CLAIRTONE models have already been well received and good sales are being reported regularly from many areas.

Response to request for
sole distribution rights

As part of our efforts to keep down manufacturing costs, I am sure you will understand that we must increase sales by distributing through as many outlets as possible. Dealers in other areas appear to be well satisfied with their sales under this arrangement, and it appears to be working very well.

Express a hope
for the future

I hope we can look forward to receiving your orders soon, and will be glad too to include your name in our list of approved dealers, with your permission.

Yours sincerely

Demande de conditions de paiement spéciales

a) La demande

58

Madame / Monsieur,

Nous souhaiterions recevoir votre dernier catalogue de cycles ainsi que vos tarifs. Nous serions intéressés à la fois par vos modèles pour femmes, hommes et enfants.

Nous avons le plus grand magasin de cycles de la ville dans une région où le cyclisme est très populaire et avons d'autres points de vente dans cinq autres villes aux alentours. Si la qualité et les prix de vos produits sont satisfaisants, nous prévoyons de vous passer des commandes régulières pour des quantités relativement importantes.

Compte tenu de ce contexte, pourriez-vous nous indiquer si vous nous consentiriez une remise particulière ? Ce qui nous permettrait de maintenir les bas prix qui ont toujours été à la base de notre succès. En contrepartie, nous serions disposés à nous engager sur des commandes annuelles minimales pour des quantités à convenir ensemble.

Merci de reprendre contact avec moi au cas où une telle proposition pourrait vous intéresser.

Veuillez croire, Madame / Monsieur, à l'expression de mes sentiments les meilleurs.

59

Dear Sir or Madam

Please send us your current catalogue and price list for bicycles. We are interested in models for both men and women, and also for children.

We are the leading bicycle dealers in this city where cycling is popular, and have branches in five neighbouring towns. If the quality of your products is satisfactory and the prices are reasonable, we expect to place regular orders for fairly large numbers.

In the circumstances please indicate whether you will allow us a special discount. This would enable us to maintain the low selling prices which have been an important reason for the growth of our business. In return we would be prepared to place orders for a guaranteed annual minimum number of bicycles, the figure to be mutually agreed.

If you wish to discuss this please contact me.

Yours faithfully

b) La réponse

Dans sa réponse, le fournisseur se montre prudent en proposant une remise quantitative.

60

Chère Madame,

Je vous remercie de l'intérêt que vous manifestez pour nos produits dans votre courrier du 18 juillet. A votre demande, nous vous faisons parvenir notre catalogue et nos tarifs accompagnés de nos conditions de vente et de paiement.

Nous avons étudié votre proposition d'engagement sur un minimum de commandes en échange d'une remise spéciale. Toutefois, après un examen attentif, nous préférerions vous proposer une remise quantitative en fonction du barème suivant.

Sur des achats représentant un total annuel :
- de 1 000 à moins de 3 000 €   3 %
- de 3 000 à moins de 7 000 €   4 %
- au-dessus de 7 000 €   5 %

Aucune remise spéciale annuelle ne serait prévue pour des achats inférieurs à 1 000 €.

Je pense qu'un accord de ce type pourrait être plus satisfaisant pour nos deux sociétés.

Les commandes seront bien sûr soumises à l'obtention des références habituelles dans la profession.

Dans l'attente de votre réaction à cette proposition, je vous prie de croire, chère Madame, à l'assurance de ma parfaite considération.

61

Dear Ms Denning

I was glad to learn from your letter of 18 July of your interest in our products. As requested our catalogue and price list are enclosed, together with details of our conditions of sale and terms of payment.

We have considered your proposal to place orders for a guaranteed minimum number of machines in return for a special allowance. However after careful consideration we feel it would be better to offer you a special allowance on the following sliding scale basis :

On purchases exceeding an annual total of :
  £1,000 but not exceeding £3,000 3 %
  £3,000 but not exceeding £7,500 4 %
  £5,000 and above   5 %

No special allowance could be given on annual total purchases below £1,000. I feel that an arrangement on these lines would be more satisfactory to both our companies.

Orders will be subject to the usual trade references.

Please let me know if you accept this proposal.
Yours sincerely

Refus de conditions spéciales

Par ce courrier, le fournisseur refuse avec tact une demande de réduction de prix. Il fait à la place une contre-proposition.

62

Cher Monsieur,

Nous avons étudié avec soin votre lettre du 18 décembre.

En raison de notre longue relation commerciale, nous aurions bien voulu pouvoir accéder à votre demande de réduction de prix sur nos vêtements de loisirs. Mais nos propres frais généraux ont beaucoup augmenté cette dernière année, aussi ne pourrions nous vous consentir la réduction de 15 % que vous demandez qu'en abaissant considérablement nos exigences de qualité. Et c'est là une décision que nous ne sommes pas prêts à prendre.

A la place de la réduction de 15 % sur nos vêtements de loisirs, nous vous proposons une réduction de 5 % sur tous nos produits pour des commandes de plus de 8 000 €. Sur des commandes de cet ordre, nous serions en mesure d'accorder une telle réduction sans avoir à abaisser la qualité.

Espérant que cette proposition vous agréera et que nous pourrons poursuivre notre fidèle collaboration, nous vous prions de croire, cher Monsieur, à l'expression de nos salutations distinguées.

63

Dear Mr Ellis

We have carefully considered your letter of 18 December.

As our firms have done business with each other for many years, we should like to grant your request to lower the prices of our sportswear. However our own overheads have risen sharply in the past 12 months, and to reduce prices by the 15 % you mention could not be done without considerably lowering our standards of quality. This is something we are not prepared to do.

Instead of a 15 % reduction on sportswear we suggest a reduction of 5 % on all our products for orders of £800 or more. On orders of this size we could make such a reduction without lowering our standards.

I hope that you will agree to this suggestion and look forward to continuing to receive regular orders from you.

Yours sincerely

Les formules utiles en français et en anglais

Les demandes

Ouvertures

1. Nous serions intéressés par vos... dont nous avons vu la publicité récemment dans...

1. We are interested in... as advertised recently in...

2. Nous avons reçu des demandes de renseignements sur vos...

2. We have received an enquiry for your...

3. J'ai été très intéressé par votre publicité pour...

3. I was interested to see your advertisement for...

4. J'ai appris que vous étiez fabricant (ou distributeur) de... et je souhaiterais recevoir votre dernier catalogue.

4. I understand you are manu facturers of (dealers in)... and should like to receive your current catalogue.

Clôtures

1. Veuillez également inclure dans votre réponse toute précision sur les conditions de livraison.

1. When replying please also include delivery details.

2. Pourriez-vous également nous indiquer si vous détenez ces articles en stock car nous en avons un besoin urgent ?

2. Please also state whether you can supply the goods from stock as we need them urgently.

3. Si vous pouvez nous fournir les articles dont nous avons besoin, nous pourrions vous passer des commandes régulières pour de grandes quantités.

3. If you can supply suitable goods, we may place regular orders for large quantities.

Les réponses aux demandes

Ouvertures

1. Nous vous remercions pour votre courrier du...
A votre demande, nous vous adressons...

1. Thank you for your letter of...
As requested we enclose...

2. Suite à votre demande, nous vous faisons parvenir séparément...

2. In reply to your enquiry of... we are sending by separate post...

3. Je vous remercie de l'intérêt que vous portez à nos...

3. I was pleased to learn... that you are interested in our...

4. Nous vous remercions de votre demande du... concernant...

4. Thank you for your enquiry dated... regarding...

Clôtures

1. En espérant recevoir prochainement une commande d'essai de votre part...

1. We look forward to receiving a trial order from you soon.

2. Nous restons à votre disposition pour toute information complémentaire que vous pourriez souhaiter.

2. We shall be pleased to send you any further information you may need.

3. Soyez assuré que nous traiterons toutes vos commandes avec le plus grand soin.

3. Any orders you place with us will have our prompt attention.

4. N'hésitez pas à me contacter au cas où vous auriez besoin de précisions complémentaires.

4. Please let me know if you need any further details.

6

Les demandes de prix, de devis et les appels d'offres

La terminologie

Les demandes de prix courantes

Les propositions de prix sous condition

Les offres de prix sous forme de tableaux

Les devis et cahiers des charges

Les soumissions

Les offres de prix non acceptées ou modifiées

Les lettres de relance

Les formules utiles en français et en anglais

Une offre de prix est un engagement à livrer des marchandises selon des conditions prévues. L'acheteur potentiel n'a aucune obligation d'acheter les biens pour lesquels il fait une demande de prix et les fournisseurs ne risquent généralement pas leur réputation à établir des offres de prix pour des biens qu'ils ne peuvent ou n'ont pas l'intention de fournir.

Une offre de prix correcte devrait comporter les éléments suivants :

- Une formule de remerciements pour la demande.
- Des précisions sur les prix, les remises et les conditions de règlement.
- Une information claire sur ce que recouvre le prix, par exemple l'emballage, le transport et l'assurance.
- Un engagement sur la date de livraison.
- La période de validité de l'offre.
- Une formule exprimant le souhait que l'offre sera acceptée.

La terminologie

Lorsque l'acheteur demande un prix, il doit veiller à bien préciser s'il souhaite que celui-ci couvre les frais annexes tels que le transport et l'assurance.

En l'absence de précision, si le fournisseur ne les inclut pas dans son prix, de sérieux litiges peuvent naître notamment lorsque ces frais sont lourds comme dans le cas de transactions internationales.

Les principaux termes utilisés dans les offres de prix figurent ci-dessous.

Port payé :
> le prix indiqué comprend la livraison jusque dans les locaux de l'acheteur.

Port dû :
> signifie que c'est à l'acheteur d'acquitter les frais de livraison.

Sur place, départ usine, ex usine, ex entrepôt :
> l'acheteur doit acquitter tous les frais de manutention à partir du moment où les biens quittent l'usine ou l'entrepôt du vendeur.

Franco de rail :
> le prix couvre les frais de transport jusqu'à la gare ferroviaire la plus proche ainsi que le chargement sur le camion.

Franco long du bord :
> le prix couvre les coûts d'utilisation de péniche et d'allège pour amener la marchandise jusqu'au navire mais ne comprend pas le coût de chargement sur le navire.

Fab franco à bord :
> le prix comprend le coût d'embarquement de la marchandise sur le navire et l'acheteur prend en charge tous les frais à partir du franchissement du bastingage.

Ex navire :
> le prix indiqué comprend la livraison de la marchandise au navire, soit au moyen de péniches ou de barges, soit sur le quai si le navire est suffisamment proche.

Les demandes de prix courantes

Demande de prix pour du papier d'impression

a) La demande

Cette demande remplit toutes les conditions d'une bonne demande de prix. Elle :
- Énonce clairement et précisément ce qui est attendu.
- Explique l'utilisation qui sera faite du papier et aide ainsi le fournisseur à donner un prix pour le papier le plus adapté.
- Précise les quantités souhaitées, ce qui est essentiel en raison de l'impact du volume sur le prix.
- Indique le moment de livraison souhaité – élément important de tout contrat d'achat de marchandises.
- Précise ce que doit recouvrir le prix – en l'occurrence « une livraison dans nos locaux ».

64

Monsieur,

Nous aurons bientôt besoin de 200 rames de papier blanc de première qualité pour des annonces de mise aux enchères et pour l'impression d'affiches en général. Il nous faut du papier qui conserve sa blancheur même après avoir été placardé sur les murs ou les panneaux d'affichage.

Pourriez-vous nous adresser quelques échantillons ainsi qu'une offre de prix comprenant la livraison dans nos locaux sous quatre semaines à compter de la commande ?

Avec nos remerciements.

65

Dear Sir,

We will soon be requiring 200 reams of good quality white poster paper suitable for auction bills and poster work generally. We require paper which will retain its white appearance after pasting on walls and hoardings.

Please let us have some samples and a quotation, including delivery at our works within 4 weeks of our order.

Yours faithfully

b) L'offre de prix

La réponse du fournisseur doit être rapide et aussi professionnelle en s'assurant que tous les points de la demande ont été couverts.

66

Cher Monsieur,

Nous vous remercions de votre courrier qui nous est parvenu hier. A votre demande, nous vous adressons différents échantillons de papier pouvant convenir pour l'impression d'affiches.

Nous avons le plaisir de vous proposer :
- le papier d'impression de qualité A1 blanc à 22 € le kg,
- le papier d'impression de qualité A2 blanc à 21 € le kg,
- le papier d'impression de qualité A3 blanc à 21 € kg.

Ces prix comprennent la livraison dans vos locaux.

Tous ces papiers sont de première qualité et conviennent à l'impression d'affiches. Nous vous garantissons qu'ils ne se décoloreront pas au collage.

Nous pouvons vous livrer dans la semaine qui suit votre commande.

En espérant que les échantillons et les prix vous conviendront, nous vous prions de croire, cher Monsieur, en l'assurance de notre parfaite considération.

67

Dear Mr Keenan

Thank you for your enquiry of yesterday. As requested we enclose samples of different qualities of paper suitable for poster work.

We are pleased to quote as follows:
A1 quality Printing Paper white £2.21 per kg
A2 quality Printing Paper white £2.15 per kg
A3 quality Printing Paper white £2.10 per kg

These prices include delivery at your works.

All these papers are of good quality and quite suitable for poster work. We guarantee that they will not discolour when pasted.

We can promise delivery within one week from receiving your order, and hope you will find both samples and prices satisfactory.
Yours sincerely

Demande de prix pour de la vaisselle

Vous trouverez ci-dessous un autre exemple de demande de prix bien formulée. Elle exprime précisément ce qui est attendu et comprend les principaux points concernant les remises, l'emballage, la livraison et les conditions de règlement.

a) La demande

68

> Messieurs,
>
> Vous nous avez déjà livré de la vaisselle en porcelaine et nous souhaiterions
> à présent obtenir un prix pour les articles listés ci-dessous fabriqués par la Poterie
> artisanale des Baux de Provence. Le motif que nous souhaiterions est celui qui porte
> la référence 59 dans votre catalogue de 2007. Il s'agit du modèle Cyprès en vert.
> - 300 tasses à thé et soucoupes,
> - 300 assiettes à dessert,
> - 40 théières d'un litre.
>
> Vos prix devront couvrir l'emballage et la livraison à l'adresse figurant ci-dessus.
>
> Vous voudrez bien indiquer dans votre courrier les remises prévues, les conditions
> de règlement et la première date de livraison possible.
>
> Avec nos remerciements.

69

> Dear Sir
>
> You have previously supplied us with crockery and we should be glad if you
> would now quote for the items named below, manufactured by the the
> Ridgeway Pottery Company of Hanley. The pattern we require is listed in your
> 2007 catalogue as 'number 59 Conway Spot (Green)'.
>
> 300 Teacups and Saucers
> 300 Tea Plates
> 40 1-litre Teapots
>
> Prices quoted should include packing and delivery to the above address.
>
> When replying please state discounts allowable, terms of payment and
> earliest possible date of delivery.
>
> Yours faithfully

b) L'offre de prix

70

Cher Monsieur,

MODÈLE CYPRÈS (VERT) A BORDS DORÉS

Nous vous remercions de votre courrier du 18 avril, nous demandant une nouvelle livraison de vaisselle.

Nous avons le plaisir de vous proposer les prix suivants :

Tasses	83 € le cent
Soucoupes	76 € le cent
Assiettes à dessert	76 € le cent
Théières d'un litre	4 € pièce.

Ces prix comprennent l'emballage et la livraison. Toutefois, pour les caisses, nous vous retiendrons des frais assortis d'une faculté de retour avec remboursement si elles nous reviennent en bon état.

La marchandise est en stock et nous vous consentirons une remise de 5 % pour les articles commandés par 100 unités ou plus. Nous vous accorderons une remise supplémentaire de 2 % sur l'ensemble des articles pour un règlement comptant intervenant dans le mois qui suit la facture.

Souhaitant que ces conditions vous agréent, nous vous prions de croire, cher Monsieur, à l'expression de nos salutations distinguées.

71

Dear Mr Clarke

CONWAY SPOT (GREEN) GILT RIMS

Thank you for your enquiry of 18 April for a further supply of our crockery. We are pleased to quote as follows :

Teacups	£83.75 per hundred
Tea Saucers	£76.00 per hundred
Tea Plates	£76.00 per hundred
Teapots, 1-litre	£4.20 each

These prices include packing and delivery, but a charge is made for crates with an allowance for their return in good condition.

Delivery can be made from stock and we will allow you a discount of 5% on items ordered in quantities of 100 or more. There would be an additional cash discount of 2% on total cost of payment within one month from date of invoice.

We hope that you will find these terms satisfactory.

Yours sincerely

Les propositions de prix sous condition

De nombreuses propositions de prix sont établies sous réserve de certaines conditions d'acceptation. Ces conditions varient en fonction des circonstances et des secteurs.

Elles peuvent concerner un délai pendant lequel la proposition doit être acceptée ou des articles en quantités limitées dont la fourniture ne pourra être renouvelée.

Lorsque le fournisseur établit une offre de prix pour des articles en quantités limitées sous réserve des stocks disponibles au moment de la commande, il doit l'exprimer clairement.

Des exemples de formules adaptées seraient :

- Cette offre est faite sous réserve des stocks disponibles au moment de la réception de la commande.
- Cette offre est soumise à acceptation sous huitaine.
- Les prix indiqués ne sont applicables qu'aux commandes reçues au plus tard le 31 mars.
- Les articles commandés sur le catalogue 20.. seront servis jusqu'à épuisement des stocks.
- Pour acceptation sous quinzaine.

Demande de prix émanant d'acheteurs étrangers

a) La demande

72

> Messieurs,
>
> Nous avons reçu récemment de nombreuses demandes pour vos imperméables légers et nous pensons que nous pourrions vous assurer des commandes régulières à condition que vos prix soient compétitifs.
>
> D'après le descriptif de votre catalogue, nous pensons que la gamme Aquatite conviendrait particulièrement à notre région. Pourriez-nous établir une offre de prix pour des imperméables hommes et femmes en tailles petite et moyenne rendus CAF Tamatave.
>
> Si vos prix sont acceptables, nous pourrions vous passer une première commande de 400 imperméables, 100 de chaque type. Nous souhaiterions une expédition dans le mois qui suit la commande.
>
> Veuillez croire, Messieurs, à l'expression de nos sincères salutations.

73

> Dear Sirs
>
> We have recently received a number of requests for your lightweight raincoats and believe that we could place regular orders with you provided your prices are competitive.
>
> From the description in your catalogue we feel that your AQUATITE range would be most suitable for this region. Please let me have a quotation for men's and women's coats in both small and medium sizes, delivered *cif Alexandria*.
>
> If your prices are right, we shall place a first order for 400 raincoats, namely 100 of each of the 4 qualities. Shipment would be required within 4 weeks of order.
>
> Yours faithfully

b) L'offre de prix

La réponse du fabricant est un bon exemple du style moderne dans la correspondance commerciale. Le ton est convivial et le vocabulaire simple et clair. Le signataire y manifeste sa connaissance des problèmes liés à la vie sous les tropiques (l'allusion à la condensation) et fournit des renseignements qui devraient lui ramener une vente (la mention des « commandes renouvelées » et « traitement spécial »).

Il est intéressant de remarquer également que les frais d'assurance et de fret figurent séparément du prix de la marchandise. Ce qui est pratique pour calculer la remise et informe précisément l'acheteur sur le prix des marchandises elles-mêmes. À noter également la formule « Pour acceptation sous un mois ». Par cette mention, le vendeur s'engage à fournir la marchandise au prix indiqué pendant une durée limitée dans le temps.

La tentative du fournisseur d'intéresser son client à d'autres produits constitue une très bonne technique commerciale.

74

Chère Madame,

Remercier — Merci de votre courrier du 15 juin. C'est avec plaisir que nous y avons appris que vos clients s'intéressaient à nos imperméables.

Parler du succès du produit, notamment dans les pays tropicaux — Notre gamme Aquatite est particulièrement adaptée aux climats chauds. Au cours de l'année dernière, nous avons fourni cette gamme à des distributeurs de plusieurs pays tropicaux. Nous avons déjà enregistré le réachat de la part de certains d'entre eux.

Le réachat rassure sur la qualité — Cette gamme plaît non seulement en raison de sa légèreté mais également parce que la matière utilisée a été spécialement traitée pour éviter l'excès de condensation à l'intérieur du vêtement.

Donner les détails sur les prix —

- 100 Imperméables Aquatite hommes medium 170 €/pièce :	1 700 €
- 100 Imperméables Aquatite hommes small 160 €/pièce :	1 600 €
- 100 Imperméables Aquatite femmes medium 160 €/pièce :	1 600 €
- 100 Imperméables Aquatite femmes small 150 €/pièce :	1 500 €
	6 400 €
Remise de 33,33 %	2 133 €
Prix net	4 267 €
Fret Marseille / Tamatave	186 €
Assurance	122 €
TOTAL	4 575 €

Détails concernant les conditions, l'expédition et l'acceptation

Délai de paiement : 2,5 % de remise pour paiement dans le mois à compter de la date de facture.
Expédition : Dans les 3 ou 4 semaines suivant la commande
Pour acceptation sous un mois.

Parler des autres produits et joindre de la documentation

Nous pensons que vous pourriez être intéressés par certains de nos autres produits et nous vous joignons à cet effet des brochures descriptives ainsi que des dépliants publicitaires à remettre à vos clients.

En espérant recevoir votre commande prochainement, nous vous prions de croire, chère Madame, à l'assurance de notre parfaite considération.

75

Dear Mrs Barden

AQUATITE RAINWEAR

Thank you

Thank you for your letter of 15 June. I was pleased to learn about the enquiries you have received for our raincoats.

Discuss popularity of product with particular reference to tropical cimates

Mention of 'repeat orders' gives assurance of quality

Our AQUATITE range is particularly suitable for warm climates. During the past year we have supplied this range to dealers in several tropical countries. We have already received <u>repeat orders</u> from many of those dealers. This range is popular not only because of its light weight, but also because the material used has been specially treated to prevent excessive condensation on the inside surface.

We are pleased to quote as follows :

Specific details regarding prices

100 AQUATITE coats	men's	medium	£17.50 ea	1 750,00
100 AQUATITE coats	men's	small	£16.80 ea	1 680,00
100 AQUATITE coats	women's	medium	£16.00 ea	1 600,00
100 AQUATITE coats	women's	small	£15.40 ea	1 540,00
				6 570,00
less 33 1/3 % trade discount				2 190,00
Net price				4 380,00
Freight (London to Alexandria)				186,00
Insurance				122,50
TOTAL				4 688,50

Details regarding terms, shipment and acceptance

Terms : 2 1/2 % one month from date of invoice
Shipment : Within 3–4 weeks of receiving order
For acceptance within one month.

Refer to other products and enclose literature

We feel you may be interested in some of our other products, and enclose descriptive booklets and a supply of sales literature for issue to your customers.

We hope to receive your order soon.
Yours sincerely

Les offres de prix sous forme de tableaux

Les offres de prix sont très souvent présentées sous forme de tableaux ou rédigées sur des imprimés spéciaux. Ces offres sont généralement :

- claires, car les données sont présentées d'une façon facilement compréhensible.
- complètes, puisqu'il n'est pas possible d'oublier les informations essentielles.

Les offres sous forme de tableaux conviennent particulièrement lorsqu'il y a plus d'un article. Tout comme les offres sous forme d'imprimés, elles doivent être accompagnées d'une lettre qui :

- remercie pour la demande.
- vante les qualités des produits concernés.
- attire l'attention sur d'autres produits susceptibles d'intéresser l'acheteur.
- exprime l'espoir de recevoir une commande.

Traitées de cette façon, ces lettres créent une impression favorable et contribuent à mettre l'acheteur dans de bonnes dispositions.

Lettre d'accompagnement d'une offre de prix rédigée sur un imprimé spécial

a) La lettre d'accompagnement

76

Chère Madame,

Nous vous remercions de votre demande du 15 août. Vous trouverez joint notre proposition de prix pour des chaussures et des sacs en cuir. Tous ces articles sont en stock.

Ils sont fabriqués à partir d'un cuir de première qualité et sont disponibles dans une gamme de formes et de couleurs suffisamment large pour répondre aux besoins d'une boutique de mode telle que la vôtre.

Nous y avons également joint notre catalogue où vous trouverez des détails sur nos autres produits. Il s'agit des porte-monnaie et des gants de cuir décrits et illustrés dans les pages 18 à 25.

Le catalogue contient toutes les données essentielles sur nos produits mais si vous aviez d'autres questions, n'hésitez pas à nous les poser.

Veuillez croire, chère Madame, à l'expression de nos salutations distinguées.

b) L'offre de prix

Dans l'offre de prix illustrée en Figure 6.1, il faut noter les points suivants :

- Un numéro séquentiel lui a été attribué afin de faciliter les références ultérieures

- Le recours aux codes articles du catalogue identifie les produits avec précision et évite toute erreur. Les différentes formes et tailles portent également des codes différents.

- La mention « Bon pour acceptation sous trois semaines » protège le fournisseur contre l'éventualité que l'acheteur lui commande les articles plus tard, alors que les prix auraient peut-être augmenté.

- « 4 % sous un mois » indique qu'une remise de 4 % est consentie sur les articles proposés pour un paiement dans le mois. Pour un paiement effectué après le délai d'un mois mais avant l'échéance des deux mois, la remise est réduite à 2 %.

COMPAGNIE DES CUIRS
3, rue du Regard
75004 Paris
Téléphone 01 40 56 78 00

Offre de prix N° J85/234

Le 20 août 20..

Jourdan et compagnie
15, avenue des Erables
49000 Angers

Code	Article	Quantité	Prix unitaire
C 25	Chaussures hommes chevreau (bruns)	12 paires	55 €
	Chaussures hommes chevreau (noirs)	36 paires	55 €
C 27	Chaussures femmes vachette (différents coloris)	48 paires	54 €
C 42	Chaussures poulain	24 paires	54 €
S 212	Sacs dames modèle Empereur	36	56 €
S 221	Sacs dames modèle Paladin	36	58 €
S 229	Sacs dames modèle Aristocrate	12	60 €

Pour acceptation sous 3 semaines

LIVRAISON : Départ usine
CONDITIONS DE RÈGLEMENT : 4 % sous un mois, 2 % deux mois

SIGNATURE

Figure 6.1 – Imprimé pour offre de prix.

Les devis et cahiers des charges

Alors qu'une demande de prix concerne l'engagement de livrer des marchandises à un certain prix et sous certaines conditions, un devis constitue une proposition de réaliser un certain travail à un certain coût, généralement sur la base d'un cahier des charges.
Tout comme la demande de prix, le devis n'engage pas sur le plan juridique, aussi la personne qui l'établit n'est pas obligée d'accepter toutes les commandes qui seraient passées à sa suite.

Devis pour l'installation d'un chauffage central

a) La demande

Dans cette demande, le signataire joint un cahier des charges décrivant dans le détail le travail à accomplir et les matériaux à utiliser. Ce qui fournit une base au devis de l'entrepreneur. Le plan comprend un croquis rapide (à l'échelle) montrant la position souhaitée pour les radiateurs.

78

Messieurs,

Pourriez-vous nous établir un devis pour l'installation du chauffage central dans ma villa située 1, rue des Pâquerettes, à Houlgate. Vous trouverez joint un plan de la villa illustrant l'emplacement souhaité pour les radiateurs ainsi qu'un cahier des charges donnant d'autres précisions notamment sur les matériaux à utiliser.

Comme vous pourrez le voir dans le cahier des charges, je souhaite un travail de tout premier ordre utilisant les meilleurs matériaux. Toutefois, le coût reste, bien sûr, un sujet de préoccupation. Les travaux devront être terminés au plus tard le 31 août.

Merci d'indiquer dans votre réponse une date ferme pour l'achèvement des travaux.

En vous remerciant de votre réponse rapide, je vous prie de croire, Messieurs, à l'expression de mes salutations distinguées.

---

b) Le cahier des charges

Cahier des charges concernant l'installation du chauffage central au 1, rue des Pâquerettes à Houlgate :

1. Installation du tout dernier modèle de chauffage central à petites tubulures à effectuer à partir des meilleurs tuyaux de cuivre de

15 mm, équipé d'une pompe électrique de modèle Everest de puissance suffisante et placée en sous- sol pour éviter les pertes de chaleur.

2. La chaudière existante devra être remplacée par une chaudière à gaz automatique de type Ver luisant N° 52 de 15,2 kW et complétée d'un détecteur de gaz, d'un système de sécurité en cas d'extinction de la flamme et d'une chaudière à eau à thermostat.

3. Installation d'un minuteur de type Randall 103 permettant un allumage automatique programmé du chauffage à certaines heures.

4. Le ballon d'eau chaude existant devra être remplacé par un chauffe-eau permettant de fournir de l'eau chaude aux robinets indépendamment du chauffage.

5. Sept radiateurs plats de marque Acova ou analogue à placer en dessous des cinq fenêtres des chambres et dans l'entrée et la cuisine, selon le plan joint ainsi qu'un radiateur porte-serviettes dans la salle de bains. Les radiateurs et le porte-serviettes doivent être conformes au plan joint à mon courrier du 5 juillet.

6. Chaque radiateur doit être réglable individuellement, pivotant pour permettre le nettoyage et peint en beige clair avec une sous couche de minium.

7. Le système doit prévoir un puits de vidange pour éviter les poches d'air.

8. L'ensemble du travail doit être effectué en sous-sol pour ne pas avoir à découper ni soulever les planchers qui sont assemblés à rainures et languettes.

9. Isolation du toit à l'aide d'un revêtement de fibre de verre de 80 mm.

J. Hart

c) Le devis de l'entrepreneur

L'entrepreneur calcule son coût à partir des informations communiquées et envoie un devis avec une lettre d'accompagnement.

Cette lettre devrait contenir les éléments suivants :

- Faire référence au travail satisfaisant réalisé ailleurs qui inspirera confiance au client.

- S'engager sur une date d'achèvement des travaux.

- Prévoir une clause d'indexation sur les salaires et les prix permettant à l'entrepreneur d'ajuster son devis au cas où des augmentations imprévues viendraient à accroître ses coûts et à diminuer ses profits.

- Exprimer l'espoir que le devis sera accepté.

Dans la lettre qui suit, on remarquera que l'entrepreneur tente d'inspirer confiance en faisant allusion au travail réalisé ailleurs et en proposant d'organiser une visite pour le client s'il le souhaite.

79

Cher Monsieur,

INSTALLATION DU CHAUFFAGE CENTRAL
AU 1, RUE DES PÂQUERETTES À HOULGATE

Remercier — Nous vous remercions de votre courrier du 6 juillet ainsi que du cahier des charges et du plan joint pour l'installation d'un chauffage central au gaz à l'adresse ci-dessus.

Donner le prix et les remises — Nous serions heureux d'entreprendre ce travail pour la somme de 3 114 € en prévoyant une remise de 2,5 % pour paiement dans le mois qui suit l'établissement de notre facture.

Prévoir une date d'achèvement — Nous pouvons nous engager à terminer le travail pour le 31 août si nous recevons votre accord d'ici la fin du mois.

La clause protège l'entrepreneur contre une hausse inopinée — Veuillez noter que le prix indiqué est basé sur le coût actuel des matériaux et de la main-d'œuvre. Si ces frais devaient augmenter nous serions contraints d'accroître nos prix en conséquence.

La référence à un travail satisfaisant effectué ailleurs donne confiance — Nous avons déjà installé des systèmes de chauffage analogues dans votre région et notre réputation en matière de travail soigné n'est plus à faire. Nous pourrions vous montrer l'une de nos installations les plus récentes avant que vous preniez votre décision.

Souhaitant que nos prix vous conviennent et que vous nous confirmiez prochainement votre décision, nous vous prions de croire, cher Monsieur, à l'assurance de nos sentiments dévoués.

Les soumissions

Une soumission est généralement faite à l'issue d'un appel d'offres publique. Elle recouvre une offre de fourniture de certains biens spécifiques ou la réalisation de certains travaux à des prix et des conditions précisés dans la soumission. Une soumission n'engage juridiquement son auteur qu'à partir du moment où elle est acceptée, et peut jusque-là être retirée. Généralement, la soumission est établie sur les formulaires de celui qui lance l'appel d'offres qui prévoit le cas échéant un cahier des charges et en détaille les conditions.

Un appel d'offres public

La mairie de Villeneuve
Hôtel de Ville
99210 Villeneuve

Un appel d'offres est lancé pour la fourniture d'environ 2 000 tonnes du meilleur coke métallurgique pour la centrale de La Colline pour l'année 20.., à livrer à la demande.

Les soumissions doivent être établies sur les formulaires spéciaux délivrés par la mairie et parvenir au secrétaire de mairie avant le vendredi 30 juin à midi.

La mairie ne s'engage nullement à accepter le moins-disant ou l'une quelconque des soumissions présentées.

B. Bardot
Secrétaire de mairie

Lettre de l'entrepreneur accompagnant la soumission

Une fois le formulaire adéquat rempli, il doit être déposé avec une lettre d'accompagnement officielle.

80

CONFIDENTIEL

> Monsieur le Secrétaire de Mairie
> Mairie de Villeneuve
> 99210 Villeneuve

Cher Monsieur,

SOUMISSION POUR DU COKE MÉTALLURGIQUE

Après avoir pris connaissance des termes et des conditions du formulaire officiel fourni par vos soins, je vous adresse ma soumission pour la fourniture de coke à la Centrale de la Colline pour 20..

Souhaitant que celle-ci soit acceptée, je vous prie de croire, cher Monsieur, à l'assurance de mes sentiments dévoués.

81

CONFIDENTIAL

Clerk to the Council
County Hall
PRESTON
PR1 2RL

Dear Mr Braden

TENDER FOR FURNACE COKE

Having read the terms and conditions in the official form supplied by you, I enclose my tender for the supply of coke to the Bamford power station during 20—. I hope to learn that it has been accepted.
Yours sincerely

Un appel d'offres restreint

Un appel d'offres destiné seulement aux membres d'une organisation ou d'un groupe particulier est appelé appel d'offres restreint. Cet exemple a été tiré du Monde du 27 mars 1999.

VILLE DE NICE

AVIS D'APPEL PUBLIC À LA CONCURRENCE

IDENTIFICATION DE L'ORGANISME QUI PASSE LE MARCHÉ :
VILLE DE NICE - MAIRIE - 06364 NICE CEDEX 4
TEL. : 04 97 13 23 47

PROCÉDURE DE PASSATION :
APPEL D'OFFRE RESTREINT aboutissant à la passation de Marchés de Définition

OBJET DU MARCHÉ :
Marchés de Définition relatifs à la réalisation d'une nouvelle Mairie sur le site de la Gare du Sud.

LIEU D'EXÉCUTION :
Sur le site de la Gare du Sud - Nice.

CARACTÉRISTIQUES PRINCIPALES :
Les marchés ont pour objet d'appréhender précisément l'ensemble des problématiques liées à l'intégration du nouvel Hôtel de Ville dans le quartier de la Libération, dont le plan sera fourni aux candidats retenus
Un marché de Maîtrise d'œuvre qui fera suite à ces marchés, pourra être attribué, sans nouvelle mise en compétition à l'auteur de la solution retenue.

Formation des Équipes :
Le présent appel d'offres est ouvert à tout architecte ou groupement d'architectes, obligatoirement associé au moins à un urbaniste, un BET structure fluide, etc.,un économiste et un paysagiste, justifiant d'une expérience de conception et de réalisation d'un grand équipement public structurant de plus de 10 000 m^2 SHON, achevé depuis moins de cinq ans, ou en cours de réalisation.

Le mandataire de l'équipe devra obligatoirement être un architecte et la forme juridique du groupement devra être précisée.

Délai :
Le délai d'exécution est de 6 mois à compter de l'Ordre de Service n°1, il est fixe et global.

**NOMBRE LIMITE DE CANDIDATS POUVANT ÊTRE ADMIS
A PRÉSENTER UNE OFFRE :**
HUIT Candidats au plus seront admis à participer à la deuxième phase.

DATE LIMITE DE RÉCEPTION DES CANDIDATURES :
4 Mai 1999 à 16 Heures, Terme de rigueur.

Adresse où elles doivent être transmises :
Les plis devront être expédiés par poste recommandé avec accusé de réception ou déposés contre récépissé à l'adresse suivante :

VILLE DE NICE - MAIRIE - 06364 NICE CEDEX 4
Administration et Finances
Service des Appels d'Offres et Marchés
Mairie Annexe - 3, rue de la Terrasse - 4e étage

Ils devront obligatoirement porter en mention extérieure l'objet de l'affaire et être rédigés en langue FRANÇAISE.

JUSTIFICATIONS A PRODUIRE QUANT AUX QUALITÉS ET CAPACITÉS DU CANDIDAT :

Le dossier à remettre par les candidats, pour l'acte de candidature, comprendra les pièces suivantes datées et signées par eux :

- Déclaration à souscrire DC4, DC5, DC6, ainsi qu'impérativement les attestations délivrées par les organismes compétents (ou DC7)
- Une attestation sur l'honneur du Candidat indiquant qu'il n'a pas fait l'objet, au cours des cinq dernières années, d'une condamnation inscrite au bulletin n°2 du casier judiciaire pour les infractions visées aux articles L 324-9, L 324-10, L341-6, L 125-1 et L 125-3 du Code du Travail.

- Une attestation sur l'honneur indiquant son intention ou non de faire appel, pour l'exécution des prestations objet du marché, à des salariés de nationalité étrangère, dans l'affirmative, certifiant que ces salariés sont ou seront autorisés à exercer une activité professionnelle en France.

Le défaut de production de ces documents entraînera le rejet de l'offre du candidat.

- Les références dans le domaine concerné par le présent marché.
- Cinq diapositives, au plus, de projets réalisés ou en cours de réalisation.
- Une présentation des projets réalisés, ou en cours de réalisation, en 10 pages maximum, format A4, comportant en copie le tirage des cinq diapositives référencées (pas plus de 2 feuilles) et les références des publications éventuelles.
- Les moyens qui seront affectés, en personnel et matériel pour l'exécution du marché.

CRITÈRES DE JUGEMENT DES CANDIDATURES :
La sélection des candidatures sera effectuée conformément aux articles 299 et 299 bis du Code des Marchés Publics.

Outre l'examen des garanties professionnelles et financières présentées par les candidats, un poids particulier sera accordé :

1. aux références sur des opérations similaires
2. aux autres références
3. à la composition de l'équipe

LE RÈGLEMENT DU CONCOURS ET LES RENSEIGNEMENTS D'ORDRE TECHNIQUE PEUVENT ÊTRE OBTENUS AUPRÈS DE :

MAIRIE DE NICE
MISSION QUARTIER DE LA LIBÉRATION
Monsieur LOTIGIE
Tél. : 04 97 13 37 24

DATE D'ENVOI DE L'AVIS A LA PUBLICATION :
le 23 Mars 1999.

83

STATE ORGANISATION FOR ENGINEERING INDUSTRIES
P O BOX 3093 BAGHDAD IRAQ

TENDER NO 1977
FOR THE SUPPLY OF 16,145 TONNES
OF
ALUMINIUM AND ALUMINIUM ALLOY INGOTS,
BILLETS AND SLABS

1 The SOEI invites tenderers who are registered in the Chamber of Commerce and hold a Certificate of Income Tax of this year, as well as a certificate issued by the Registrar of Commercial Agencies confirming that he is licensed by the Director General of Registration and Supervision of Companies, to participate in the above tender. General terms and conditions together with specifications and quantities sheets can be obtained from the Planning and Financial Control Department at the 3rd floor of this Organisation against payment of one Iraqi Dinar for each copy.

2 All offers are to be put in the tender box of this Organisation, Commercial Affairs Department, 4th floor, marked with the name and number of the tender at or before 1200 hours on Saturday 31 January 20—.

3 Offers should be accompanied by preliminary guarantee issued by the Rafidain Bank, equal to not less than 5 per cent of the C & F value of the offer.

4 Any offer submitted after the closing date of the tender, or which does not comply with the above terms, will not be accepted.

5 This Organisation does not bind itself to accept the lowest or any other offer.

6 Foreign companies who have no local agents in Iraq shall be exempted from the conditions stated in item number 1 above.

ALI AL-HAMDANI (ENGINEER)
PRESIDENT

Les offres de prix non acceptées ou modifiées

Lorsqu'un acheteur refuse une soumission ou toute autre offre, il est recommandé d'écrire et de remercier le fournisseur d'avoir pris la peine de participer et expliquer les raisons du rejet. La lettre de refus devrait exprimer :
- Des remerciements pour l'offre soumise.
- Des regrets pour n'avoir pu l'accepter.
- Les raisons du refus.
- Une contre-proposition éventuelle.
- Une allusion à d'autres occasions de faire des affaires ensemble.

L'acheteur rejette la soumission du fournisseur

84

Cher Monsieur,

Nous vous remercions de votre soumission du 19 février pour du carton paille.

Nous vous sommes reconnaissants du mal que vous vous êtes donné pour participer à cet appel d'offres. Mais nous regrettons de vous faire savoir que vos prix étant bien supérieurs à ceux de vos concurrents, nous ne pouvons pas vous passer une commande immédiate.

Nous conservons toutefois vos coordonnées au cas où nous aurions besoin d'autres produits à l'avenir.

Veuillez croire, cher Monsieur, à l'assurance de notre parfaite considération.

85

Dear Mr Walton

Thank you for your quotation dated 19 February for strawboards.

I appreciate your trouble in this matter but as your prices are very much higher than those I have been quoted by other dealers, I regret I cannot give you an immediate order.

I shall bear your company in mind when I require other products in the future.
Yours sincerely

Le fournisseur accède à la demande de meilleures conditions

a) La demande

86

Chère Madame,

Remercier —— Je vous remercie pour votre courrier du 18 août et pour les échantillons de sous-vêtements en coton que vous avez bien voulu me faire parvenir.

Faire allusion à la bonne qualité mais exprimer votre préoccupation sur les prix —— Je reconnais la qualité de ces vêtements mais malheureusement vos prix sont parmi les plus hauts du marché, même pour des articles de cette qualité. Si je devais accepter les prix que vous indiquez, je ne disposerais plus que d'une toute petite marge sur mes ventes puisque dans ce secteur l'essentiel de la demande porte sur les articles de la gamme moyenne.

Répéter votre impression concernant la qualité et le souhait d'aboutir —— J'aime beaucoup la qualité de vos articles et je serais très heureux de pouvoir faire affaire avec vous.

Demander une remise spéciale —— Je me permets de suggérer que vous fassiez une certaine remise sur les prix indiqués pour que je puisse lancer vos produits auprès de ma clientèle. Sinon, je me verrais malheureusement contraint de décliner votre offre actuelle.

Dans l'attente d'une réponse favorable de votre part, je vous prie de croire, chère Madame, à l'expression de mes salutations distinguées.

87

Dear Ms Hansen

Thank you —— Thank you for your letter of 18 August and for the samples of cotton underwear you very kindly sent to me.

Mention good quality but express concern at high prices leaving small profit —— I appreciate the good quality of these garments, but unfortunately your prices appear to be on the high side even for garments of this quality. To accept the prices you quote would leave me with only a small profit on my sales since this is an area in which the principal demand is for articles in the medium price range.

Repeat feelings regarding quality and desire to do business. Request special allowance —— I like the quality of your goods and would welcome the opportunity to do business with you. May I suggest that perhaps you could make some allowance on your quoted prices which would help to introduce your goods to my customers. If you cannot do so, then I must regretfully decline your offer as it stands.

I hope to hear from you soon.
Yours sincerely

b) La réponse

88

Accuser réception du courrier — Cher Monsieur,

Répondre à la question sur les prix —

Confirmer que les prix sont raisonnables —

Proposer une remise —

Je suis désolé d'apprendre que vous trouvez nos prix trop élevés.

Nous faisons tout ce qui est en notre pouvoir pour maintenir nos prix aussi bas que possible sans sacrifier la qualité. Dans ce souci, nous sommes constamment en train d'expérimenter de nouveaux modes de production.

Etant donné la qualité des produits que nous proposons, nous ne pensons pas que les prix indiqués soient excessifs.

Toutefois, pour tenir compte de la nature particulière de votre activité, nous serions disposés à vous consentir une remise exceptionnelle de 4 % sur une première commande de 1 000 €. Cette ristourne vous est accordée pour que nous puissions essayer de travailler ensemble, mais je dois ajouter que c'est le maximum de ce que nous pouvons faire pour vous aider.

En espérant que cette modification de notre offre de prix vous permettra de passer une première commande, je vous prie de croire, cher Monsieur, à l'assurance de ma parfaite considération.

89

Acknowledge letter — Dear Mr Daniels

Respond to query regarding high prices —

Give assurance that prices are reasonable —

Special discount on first order will be appreciated by new customer —

I am sorry to learn from your letter of 23 August that you find our prices too high. We do our best to keep prices as low as possible without sacrificing quality. To this end we are constantly investigating new methods of manufacture.

Considering the quality of the goods offered we do not feel that the prices we quoted are at all excessive. However, bearing in mind the special character of your trade, we are prepared to offer you a special discount of 4% on a first order for £1000. This allowance is made because we should like to do business with you if possible, but I must stress that it is the furthest we can go to help you.

I hope this revised offer will enable you to place an order.

Yours sincerely

Les lettres de relance

Lorsqu'un acheteur a fait une demande de prix mais qu'il n'a ni passé commande ni accusé réception de l'offre de prix, il est naturel que le fournisseur se pose des questions. Un fournisseur dynamique prévoira de faire passer un représentant ou d'adresser une lettre de relance si la demande provient de loin.

Lettre de relance du fournisseur

C'est une lettre de relance efficace rédigée sur un ton qui montre que le fournisseur a réellement envie de coopérer, et dans un style direct et concret. Elle tient compte de l'intérêt de l'acheteur en lui offrant un choix de solutions et en se terminant sur un engagement rassurant de bons services.

Chère Madame,

Restés sans nouvelles de vous depuis que nous vous avons adressé notre catalogue de systèmes de classement, nous nous demandons si vous souhaitez des renseignements complémentaires avant de décider de passer votre commande.

Le système moderne de classement latéral offre d'énormes avantages de faible encombrement dès lors que l'on cherche à gagner de la place. Toutefois, si telle n'est pas votre préoccupation, notre système de classement à dossiers suspendus doté d'une partie supérieure plane peut mieux vous convenir. L'aspect net et ordonné de ses tiroirs de rangement ainsi que la facilité et la rapidité avec laquelle le classement est effectué sont entre autres deux de ses caractéristiques appréciées des utilisateurs.

Souhaitez-vous recevoir la visite d'un représentant qui parlera de vos besoins avec vous ? Jean Robin a conseillé plus d'une grande entreprise moderne sur son aménagement et serait en mesure de vous recommander le système qui correspond le mieux à vos propres besoins. Cela ne vous engage bien sûr en rien.

Mais peut-être préféreriez-vous vous rendre dans nos magasins et voir par vous-même comment fonctionnent les différents systèmes ?

Soyez assurée, quelle que soit la formule que vous choisirez, que vous ferez l'objet de soins particuliers et bénéficierez du meilleur conseil possible.

Veuillez croire, Chère Madame, à l'expression de nos salutations distinguées.

Lettre pour tenter de récupérer un client

Aucune entreprise performante ne peut se permettre de perdre ses fidèles clients. Des vérifications doivent être faites régulièrement pour identifier les clients dont les commandes ont eu tendance à baisser et l'envoi de lettres de relance doit être envisagé en conséquence.

91

> Monsieur,
>
> Nous notons avec regret que nous n'avons plus reçu de commande de votre part depuis un certain temps. Nous espérons que ceci n'est pas dû à une insatisfaction liée à nos services ou à la qualité de nos produits. Si tel était le cas, nous apprécierions que vous nous en parliez. Nous avons le souci de satisfaire pleinement nos clients lors de leurs contacts avec nous. Si c'est un changement d'activité qui motive cette absence de commande, nous serions peut-être en mesure de répondre à vos nouveaux besoins si vous nous communiquez la nature du changement dans votre stratégie.
>
> Comme nous n'avons pas été avisés du contraire, nous pensons que vous vendez toujours la même gamme d'articles de sports, aussi nous vous adressons notre dernier catalogue illustré. Nous pensons qu'il se compare avantageusement en gamme, en qualité et en prix, aux catalogues des autres fabricants. Nous profitons également de l'occasion pour vous informer que depuis notre dernière transaction nos conditions de vente se sont assouplies en raison de la levée du contrôle des changes et d'autres formalités officielles.
>
> Souhaitant que vous repreniez contact avec nous, nous vous prions de croire, Monsieur, à l'expression de nos sentiments dévoués.

92

> Dear Sirs
>
> We notice with regret that it is some considerable time since we last received an order from you. We hope this is in no way due to dissatisfaction with our service or with the quality of goods we have supplied. In either of these situations we should be grateful to hear from you. We are most anxious to ensure that customers obtain maximum satisfaction from their dealings with us. If the lack of orders from you is due to changes in the type of goods you handle, we may still be able to meet your needs if you will let us know in what directions your policy has changed.
>
> As we have not heard otherwise, we assume that you are selling the same range of sports goods, so a copy of our latest illustrated catalogue is enclosed. We feel this compares favourably in range, quality and price with the catalogues of other

manufacturers. At the same time we take the opportunity to mention that our terms are now much easier than previously, following the withdrawal of exchange control and other official measures since we last did business together.

I hope to hear from you soon.

Yours faithfully

Les formules utiles en français et en anglais

Les demandes de prix et de devis

Ouvertures

1. Veuillez nous faire parvenir vos prix pour la fourniture de...

2. Veuillez nous communiquer vos prix pour la fourniture de...

3. Nous souhaitons faire effectuer les travaux suivants et nous vous saurions gré de nous établir un devis.

1. Please quote for the supply of...

2. Please send me a quotation for the supply of...

3. We wish to have the following work carried out and should be glad if you would submit an estimate.

Clôtures

1. Comme il s'agit d'une affaire urgente, nous souhaiterions recevoir cette information pour la fin de la semaine.

2. Si vous êtes en mesure de nous consentir des prix compétitifs, nous pourrions vous passer une commande importante.

3. Si vos prix sont compétitifs par rapport à ceux de nos autres fournisseurs, nous pourrions passer commande sans tarder.

1. As the matter is urgent we should like this information by the end of this week.

2. If you can give us a competitive quotation, we expect to place a large order.

3. If your prices compare favourably with those of other suppliers, we shall send you an early order.

Les réponses aux demandes de prix

Ouvertures

1. Nous vous remercions pour votre courrier du…

1. Thank you for your letter of…

2. Nous vous remercions pour votre demande de… et nous avons le plaisir de vous adresser nos meilleurs prix :

2. We thank you for your enquiry of… and are pleased to quote as follows :

3. Conformément à votre demande de…, nous serons en mesure de vous livrer… au prix de…

3. With reference to your enquiry of…, we shall be glad to supply… at the price of…

4. Nous sommes au regret d'apprendre que vous trouvez les prix de nos… trop élevés.

4. We are sorry to learn that you find our quotation of… too high.

Clôtures

1. Souhaitant que nos prix vous conviennent, nous espérons recevoir une commande de votre part.

1. We trust you will find our quotation satisfactory and look forward to receiving your order.

2. Nous attendons votre commande dont le traitement rapide fera l'objet de tous nos soins.

2. We shall be pleased to receive your order, which will have our prompt and careful attention.

3. Comme les prix que nous vous avons consentis sont particulièrement bas et risquent d'augmenter, nous ne saurions trop vous recommander de passer votre commande sans tarder.

3. As the prices quoted are exceptionally low and likely to rise, we would advise you to place your order without delay.

4. Comme ces articles sont en quantités limitées, nous vous suggérons de passer votre commande immédiatement.

4. As our stocks of these goods are limited, we suggest you place an order immediately.

7

Les commandes
et leur traitement

Passer commande

Les commandes courantes

Accuser réception des commandes

Refuser des commandes

Les contre-propositions des fournisseurs

L'emballage et l'expédition

Les formules utiles en français et en anglais

Passer commande

Les bons de commande imprimés

La plupart des entreprises disposent de bons de commande imprimés (voir Figure 7.1) qui offrent quelques avantages : ceux-ci sont numérotés et il est facile de s'y référer, ils comportent des rubriques pré-imprimées, ce qui garantit qu'aucune information importante ne sera oubliée.

Les conditions générales de vente sont imprimées au verso de certains bons de commande. Il doit y être fait allusion au recto sinon elles n'engagent pas juridiquement le fournisseur.

Les lettres de commande

Les petites entreprises qui n'ont pas de bons de commandes imprimés passent leurs commandes sous forme de lettres.

Lorsqu'une commande est passée dans le cadre d'une lettre, il faut s'assurer de sa précision et de sa clarté en y incluant :

- Une description précise et complète des marchandises requises.
- Les codes articles.
- Les quantités.
- Les prix.
- Les conditions de livraison (lieu, date, mode de transport, franco de port ou port dû, etc.).
- Les conditions de paiement convenues lors des négociations préliminaires.

La position juridique des parties

Selon la législation, la commande de l'acheteur n'est qu'une proposition d'achat. La transaction n'engage les parties que lorsqu'il y a eu accord sur la chose et le prix. Les parties sont alors tenues juridiquement d'honorer leur engagement.

a) Les obligations de l'acheteur

Lorsque l'accord s'applique, l'acheteur est tenu par la loi :

- D'accepter les marchandises fournies pour autant qu'elles correspondent à la commande.
- De payer les marchandises au moment de la livraison ou dans les délais consentis par le fournisseur.
- De vérifier les marchandises aussitôt que possible (l'absence de contestation rapide auprès du fournisseur équivaut à une acceptation).

93

Intérieurs
12, rue Voltaire
67210 Obernai
Tél. 03 88 24 24 24
Fax 03 88 24 24 20

Cde N° 237 du 7 juillet 20..

Textiles des Vosges
124, route d'Alsace
88400 Gérardmer

Veuillez nous livrer

Quantité	Marchandises	Code article	Prix
25	Draps (1,06 m) bleu	75	5 € pièce
25	Draps (1,20 m) rose	82	5 € pièce
50	Taies d'oreiller bleu	117	2 € pièce
50	Taies d'oreiller rose	121	2 € pièce

Signature

Figure 7.1 – Bon de commande

b) Les obligations du fournisseur

Le fournisseur est tenu par la loi de :

- Fournir au moment prévu les marchandises exactes qui ont été commandées.
- Garantir que les marchandises sont exemptes de défauts dont l'acheteur aurait pu ne pas être au courant au moment de l'achat.

Si des marchandises défectueuses ont été livrées, l'acheteur peut soit demander une réduction de prix, soit le remplacement des marchandises ou encore l'annulation de la commande. Des dommages et intérêts peuvent éventuellement être réclamés.

Les commandes courantes

Les commandes courantes peuvent être courtes et formelles mais doivent comporter les principaux éléments concernant la marchandise, ainsi que les conditions de livraison et de règlement. Lorsque la commande comporte deux articles ou plus, ceux-ci doivent apparaître séparément pour en faciliter le traitement ultérieur.

Confirmation d'une commande téléphonique

94

> Messieurs,
>
> Nous confirmons notre commande téléphonique de ce matin pour :
> > 3 logiciels Excel
> > Prix 100 € l'unité moins la remise de 40 %
> > En port dû.
>
> Nous en avons un besoin urgent. Nous avons bien noté que vous en disposez en stock et que vous prévoyez une livraison immédiate.
>
> Avec nos remerciements.

Commande sous forme de tableau

95

> Messieurs,
>
> Veuillez honorer notre commande pour les livres suivants aux conditions habituelles entre nous de 25 % de remise sur les prix publics.
>
> | Nombre d'exemplaires | Titre | Auteur | Prix public |
> |---|---|---|---|
> | 50 | Modèles de lettres d'affaires | Shirley Taylor | 16 € |
> | 40 | Modèles de lettres d'accompagnement | Paul Jacques | 12 € |
>
> Comptant sur vous pour une livraison rapide, nous vous prions de croire à l'expression de nos sentiments les meilleurs.

Commande à la suite d'une demande de prix

Messieurs,

Nous vous remercions pour votre offre de prix du 4 juin.
Nous vous prions de bien vouloir nous livrer :
100 rames de papier d'impression blanc qualité A2, à 21 € le kg,
livraison comprise.

La livraison devra intervenir avant la fin du mois.

Avec nos remerciements.

Lettre d'accompagnement d'un bon de commande

Lorsque le bon de commande est envoyé avec une lettre d'accompagnement (comme illustré dans la Figure 7.1) toutes les précisions étant données sur le bon de commande, seules les explications complémentaires figurent sur la lettre d'accompagnement.

Messieurs,

Nous vous remercions pour votre offre de prix du 5 juillet. Vous trouverez ci-joint notre commande N° 237 pour 4 articles.

Tous ces articles sont attendus d'urgence par nos clients, aussi espérons-nous une livraison immédiate.

Avec nos remerciements.

Accuser réception des commandes

Lorsqu'une commande ne peut être honorée immédiatement, il est nécessaire d'en accuser réception sur-le-champ. Pour des commandes courantes, un accusé de réception imprimé ou une carte peut suffire, mais une courte lettre annonçant la date de livraison prévisible permet de mettre le client dans de bonnes dispositions à votre égard. Si les marchandises commandées ne pourront jamais être livrées, vous devez écrire au client pour en donner les raisons et lui offrir le cas échéant des solutions de rechange.

Accusé de réception formel d'une commande courante (par fax ou e-mail)

98

> Monsieur,
>
> Nous vous remercions de votre commande 237 pour des couvre-lits.
>
> Tous les articles étant en stock, ils seront livrés dans vos locaux par notre propre transporteur demain.
>
> Nous espérons que ces articles vous donneront entière satisfaction et que nous aurons le plaisir de vous servir à nouveau dans l'avenir.

99

> Thank you for your order number 237 for bed coverings.
>
> As all items were in stock, they will be delivered to you tomorrow by our own transport.
>
> We hope you will find these goods satisfactory and that we may have the pleasure of further orders from you.

Accusé de réception d'une première commande

Les premières commandes, celles qui émanent de nouveaux clients, devraient sans aucun doute faire l'objet d'une lettre en accusant réception.

100

Messieurs,

Remercier —— Nous avons eu le plaisir de recevoir votre commande du 18 juin pour des imprimés de coton et de vous compter ainsi parmi nos nouveaux clients.

Confirmer prix et —— conditions de livraison Nous vous confirmons la livraison des imprimés aux prix indiqués dans votre courrier.

Garantir la satisfaction —— La livraison sera effectuée par nos propres transporteurs en début de semaine prochaine. Nous sommes certains que cette marchandise vous donnera entière satisfaction et que vous en apprécierez l'excellent rapport qualité/prix.

Évoquer d'autres —— produits et joindre le catalogue Comme vous ne connaissez peut-être pas la totalité de la gamme de nos produits, nous vous faisons parvenir notre catalogue.

Terminer par un souhait —— pour l'avenir Nous espérons que le traitement de cette première commande sera suivi d'autres et marquera le début d'une relation fructueuse entre nous.

Veuillez croire, Messieurs, à l'assurance de nos sentiments dévoués.

Accusé de réception d'une commande annonçant un retard de livraison

Lorsque les articles commandés ne peuvent être livrés immédiatement, un courrier devra être rédigé pour excuser et expliquer le retard. Le courrier devra également s'engager si possible sur une date de livraison et exprimer l'espoir que le client ne sera pas trop gêné par ce retard.

a) Les raisons du retard : une défaillance de la production

101

Messieurs,

Nous vous remercions de votre commande de rasoirs électriques en date du 15 mars. Nous sommes au regret de ne pouvoir vous les livrer immédiatement en raison de l'incendie intervenu dans notre usine.

Nous faisons tout ce qui est en notre pouvoir pour reprendre la production et nous espérons sincèrement être en mesure de vous les livrer d'ici la fin du mois.

Nous vous prions de nous excuser pour ce retard et souhaitons que celui-ci ne vous pose pas trop de problèmes.

Veuillez croire, Messieurs, à l'assurance de nos sentiments dévoués.

b) Les raisons du retard : une rupture de stock

102

Messieurs,

Nous vous remercions pour votre commande du 20 janvier dernier.

Nous sommes au regret de vous faire savoir que pour le modèle que vous avez commandé nous sommes actuellement en rupture de stock en raison de la prolongation de la saison froide qui a accru considérablement la demande. Le fabricant nous a toutefois promis une nouvelle livraison d'ici la fin du mois et s'il vous est possible de patienter jusque-là, nous pourrions alors vous livrer rapidement.

Vous nous voyez désolés de ne pouvoir honorer votre commande immédiatement. Nous espérons que vous nous confirmerez qu'une livraison au début du mois prochain ne vous causera pas trop de gêne.

Veuillez croire, Messieurs, à l'assurance de nos sentiments dévoués.

103

Dear

We were pleased to receive your order of 20 January.

Unfortunately we regret that we are at present out of stock of the model you ordered. This is due to the prolonged cold weather which has increased demand considerably. The manufacturers have, however, promised us a further supply by the end of this month and if you could wait until then we would fulfil your order promptly.

We are sorry not to be able to meet your present order immediately, but hope to hear from you soon that delivery at the beginning of next month will not inconvenience you unduly.

Yours sincerely

c) Les raisons du retard : une grève des transports

104

Messieurs,

Concerne votre commande N° 531

Nous déplorons qu'une grève des transporteurs à Marseille soit la cause du retard d'un grand nombre de nos expéditions. Et malheureusement les marchandises correspondant à votre commande du 25 juin font partie des chargements en souffrance.

Pour faire en sorte que ces marchandises vous parviennent à temps, nous les avons expédiées trois jours plus tôt que prévu par train sur Marseille pour apprendre aujourd'hui qu'elles se trouvent toujours bloquées à la gare dans l'attente d'un transport jusqu'aux docks.

Nous sommes en pourparlers avec des transporteurs privés pour les acheminer jusqu'au port à temps pour le départ du Prince des Mers qui doit appareiller pour Tanger le 2 août.

Nous vous prions de nous excuser pour ce retard. Nous espérons que vous comprendrez qu'il est dû à des circonstances bien indépendantes de notre volonté.

Veuillez croire, Messieurs, à l'assurance de nos sentiments dévoués.

105

Dear

YOUR ORDER NUMBER 531

Much to our regret a strike of transport workers in Liverpool is causing some delay in the despatch of a number of our consignments. The goods in your order dated 25 June are among those held up.

To ensure the goods reached you on time we sent them by rail to Liverpool 3 days ahead of schedule. However we now learn that they are still at the station awaiting transport to the docks.

We are making private arrangements to get them to the docks in time for shipment by SS Arabian Prince, which is due to sail for Alexandria on 2 August.

Please accept our apologies for this delay. We hope you will understand that it is due entirely to circumstances outside our control.

Yours sincerely

Refuser des commandes

Parfois, les circonstances exigent que le fournisseur refuse la commande de l'acheteur :

- Le fournisseur n'est pas satisfait des termes et des conditions de l'acheteur.
- La solvabilité de l'acheteur est suspecte.
- La marchandise n'est pas disponible.

Les lettres signifiant refus d'une commande doivent faire l'objet du plus grand soin, de façon à ne pas porter préjudice aux bonnes relations commerciales ni aux transactions à venir.

Le fournisseur refuse une réduction de prix

Lorsqu'un fournisseur ne peut répondre favorablement à une demande de réduction de prix, la réponse doit être argumentée.

106

Messieurs,

Nous avons étudié avec attention votre contre-proposition du 15 août à notre offre de sous-vêtements en laine, mais nous sommes au regret de ne pouvoir l'accepter.

Les prix indiqués dans notre courrier du 13 août ne nous laissaient déjà qu'une marge infime. Ils se révèlent inférieurs à ceux de la concurrence pour une qualité analogue.

La laine utilisée pour la fabrication de notre gamme Thermaline subit un traitement spécial breveté qui l'empêche de rétrécir et renforce sa solidité. Notre place de premier fournisseur de sous-vêtements en laine du pays est à elle seule une preuve de la qualité de nos produits.

Nous souhaitons que vous puissiez y réfléchir. Toutefois, même si vous continuez à penser que vous ne pouvez accepter notre offre, nous espérons que cela ne vous empêchera pas de nous contacter de nouveau à l'avenir.

Nous examinerons toujours avec le plus grand intérêt toute proposition susceptible de déboucher sur une coopération.

Veuillez croire, Messieurs, à l'assurance de notre parfaite considération.

107

Dear

We have carefully considered your counter-proposal of 15 August to our offer of woollen underwear, but regret that we cannot accept it.

The prices quoted in our letter of 13 August leave us with only the smallest of margins. They are in fact lower than those of our competitors for goods of similar quality.

The wool used in the manufacture of our THERMALINE range undergoes a special patented process which prevents shrinkage and increases durability. The fact that we are the largest suppliers of woollen underwear in this country is in itself evidence of the good value of our products.

We hope you will give further thought to this matter, but if you then still feel you cannot accept our offer we hope it will not prevent you from contacting us on some future occasion.

We will always be happy to consider carefully any proposals likely to lead to business between us.

Yours sincerely

Le fournisseur refuse les conditions de livraison de l'acheteur

Lorsque les conditions de livraison ne peuvent être assurées, le fournisseur devrait manifester un réel désir d'aider les clients en difficulté.

108

Cher Monsieur,

Votre commande N° R 345

Remercier. Indiquer que la date de livraison ne peut être respectée — Nous vous remercions pour votre commande du 2 novembre pour 24 téléviseurs Atlantis. Toutefois, étant donné vos impératifs de livraison avant Noël, nous sommes profondément navrés de ne pouvoir vous les livrer cette fois.

Donner d'autres informations sur la demande et la façon dont les commandes sont gérées — Les fabricants de ce modèle ont beaucoup de mal à faire face à la demande actuelle pour ce téléviseur qui connaît un immense succès. Nous avons passé une commande de 100 appareils il y un mois de cela et il nous a été répondu que les commandes étaient gérées par ordre de priorité absolu et que la nôtre ne serait pas servie avant fin janvier.

Suggérer que le client essaie un autre distributeur sera sûrement apprécié et mettra le client dans de bonnes dispositions à votre égard

J'ai compris d'après notre conversation téléphonique de ce matin que vos clients ne voulaient pas envisager d'autres modèles. Dans ces conditions, souhaitant que vous puissiez satisfaire votre besoin auprès d'un autre fournisseur, je peux vous suggérer de contacter Téléservices à Angers. Ils détiennent d'habitude des stocks importants et pourraient éventuellement vous aider en l'occurrence.

Veuillez croire, Cher Monsieur, à l'expression de nos sentiments les meilleurs.

Le fournisseur refuse de prolonger les délais de paiement

Si le client n'a pas réglé sa facture précédente, le fournisseur doit faire preuve de beaucoup de tact pour lui refuser une nouvelle commande. Rien ne peut offenser davantage un client que d'insinuer qu'il ne serait pas digne de foi. Dans ce courrier, le signataire évite soigneusement toute idée de méfiance et évoque des difficultés internes pour expliquer son refus d'accorder un nouveau crédit.

109

Cher Monsieur,

Nous vous remercions de votre commande du 15 avril pour une nouvelle fourniture de lecteurs de CD.

Toutefois, en raison de nos difficultés actuelles, nous avons dû prendre des mesures pour que les crédits clients soient maintenus à l'intérieur de certaines limites. Ce n'est qu'ainsi que nous pourrons faire face à nos propres engagements.

Le solde de votre compte montre à l'heure actuelle un déficit de 1 000 €. Nous comptons sur vous pour l'apurer avant que nous puissions vous consentir de nouveaux crédits pour les livraisons à venir.

En l'occurrence, nous vous serions reconnaissants de nous adresser un chèque correspondant, disons, à la moitié de cette somme. Nous pourrions alors prévoir de vous livrer la marchandise commandée récemment en l'inscrivant à votre compte.

Veuillez croire, cher Monsieur, à l'assurance de notre parfaite considération.

Les contre-propositions des fournisseurs

Lorsqu'un fournisseur reçoit une commande qu'il ne peut honorer pour une raison quelconque, différentes solutions s'offrent à lui.

1. Livrer un produit de remplacement. Il faut toutefois avant d'adopter cette solution se livrer à une réflexion sérieuse car le client risque d'être ennuyé de recevoir un article autre que celui qu'il a commandé. Il est recommandé de n'envoyer un produit de remplacement que lorsque le client est bien connu ou s'il y a une urgence évidente. Ces produits de substitution doivent être envoyés à l'essai, le fournisseur acceptant de prendre en charge les frais d'envoi à l'aller et au retour.

2. Faire une contre-proposition.

3. Refuser la commande.

Le fournisseur envoie un produit de remplacement

110

Messieurs,

Nous vous remercions de votre courrier du 10 avril accompagné de votre commande comportant un certain nombre d'articles couverts par notre offre de prix RS 980.

Tous les articles commandés sont disponibles sauf les 25 housses de coussin couleur fraise écrasée. Elles ont toutes été vendues depuis notre offre de prix et le fabricant nous a informés qu'il faudrait attendre trois semaines pour qu'ils soient de nouveau en mesure de nous les fournir.

Comme vous nous avez indiqué que tous les articles étaient urgents, nous avons pris sur nous de les remplacer par des housses de coussin rose fuchsia de même modèle et de même qualité que celles que vous aviez commandées. Elles sont jolies, de couleur tonique et connaissent un franc succès auprès de nos autres clients. Nous espérons qu'elles vous plairont mais si tel n'était pas le cas, n'hésitez pas à nous les renvoyer à nos frais. Nous nous ferons un plaisir de vous les échanger ou de vous établir un avoir.

Tous les articles sont prévus dans notre tournée de livraison demain. Souhaitant qu'ils vous conviennent, nous vous prions de croire, Messieurs, à l'expression de nos salutations distinguées.

111

Dear

We were pleased to receive your letter of 10 April together with your order for a number of items included in our quotation reference RS980.

All the items ordered are in stock except for the 25 cushion covers in strawberry pink. Stocks of these have been sold out since our quotation, and the manufacturers inform us that it will be another 4 weeks before they can send replacements.

As you state that delivery of all items is a matter of urgency, we have substituted cushion covers in a fuschia pink, identical in design and quality with those ordered. They are attractive and rich-looking, and very popular with our other customers. We hope you will find them satisfactory. If not, please return them at our expense. We shall be glad either to exchange them or to arrange credit.

All items will be on our delivery schedule tomorrow. We hope you will be pleased with them.

Yours sincerely

Le fournisseur fait une contre-proposition

En faisant une contre-proposition, le fournisseur doit déployer tout son savoir-faire pour décrocher une vente. En somme, l'acheteur se voit proposer une marchandise qu'il n'a pas demandée. Il est donc recommandé que le produit de remplacement soit au moins d'aussi bonne qualité que l'article commandé.

112

Messieurs,

Remercier — Nous vous remercions de votre courrier du 12 mai par lequel vous nous commandez 800 mètres de soie moirée d'un mètre de large.

Répondre à la demande en regrettant que le matériau ne soit plus disponible — Nous sommes au regret de vous faire savoir que nous ne fournissons plus ce type de soie. La mode change constamment et au cours de ces dernières années la demande pour la soie moirée a tellement régressé que nous n'en produisons plus.

Evoquer un produit de remplacement et rassurer sur la qualité et la fiabilité — Nous pouvons vous proposer à la place notre nouvelle soie artificielle Gossamer. Il s'agit d'un tissé fin, solide et infroissable doté d'une très belle brillance. Le très grand nombre de commandes que nous recevons régulièrement des principaux distributeurs et fabricants de prêt-à-porter prouve clairement la grande popularité de ce tissu.

Inclure des indications de prix — Au prix très attractif de 3 € le mètre, ce tissu est bien moins cher que la soie tout en ayant une apparence tout aussi flatteuse.

Parler d'autres produits, des échantillons expédiés, de la livraison — Nous fabriquons également d'autres étoffes qui pourraient vous intéresser et nous vous adressons séparément une gamme complète d'échantillons. Tous ces tissus se vendent fort bien dans différents pays et sont en stock. Si vous décidiez de nous en commander, nous pourrions vous les livrer sous huitaine.

N'hésitez pas à me contacter pour tout renseignement complémentaire.

Veuillez croire, Messieurs, à l'expression de nos salutations distinguées.

113

Dear

Thank you — Thank you for your letter of 12 May ordering 800 metres of 100 cm wide watered silk.

Respond to the enquiry with regret that the material is no longer available — We regret to say that we can no longer supply this silk. Fashions constantly change and in recent years the demand for watered silks has fallen to such an extent that we no longer produce them.

Mention a replacement material and give assurance of quality and reliability — In their place we can offer our new GOSSAMER brand of rayon. This is a finely woven, hard-wearing, non-creasable material with a most attractive lustre. The large number of repeat orders we regularly receive from leading distributors and dress manufacturers is clear evidence of the widespread popularity of this brand. At the low price of only

Include price information — £3.20 per metre, this rayon is much cheaper than silk and its appearance is just as attractive.

Mention other products/ samples sent separately. Give delivery details — We also manufacture other cloths in which you may be interested and are sending a complete range of patterns by separate post. All these cloths are selling very well in many countries and can be supplied from stock. If you decide to place an order we can meet it within one week.

Please contact me if you have any queries.

Yours sincerely

L'emballage et l'expédition

Lorsque la marchandise a été expédiée, l'acheteur devrait en être averti, soit par un avis, soit par un courrier énumérant ce qui a été envoyé, ainsi que le mode de transport utilisé. Le client est alors prévenu que la marchandise est en route et peut prendre les mesures nécessaires pour la recevoir.

Demande d'ordre d'expédition

114

Messieurs,

Nous avons le plaisir de vous confirmer que les micro-ordinateurs Olivetti KXR193 que vous avez commandés le 15 octobre dernier sont à présent prêts à être expédiés.

Lors de la passation de commande, vous aviez insisté sur l'urgence de la livraison et j'ai le plaisir de vous annoncer qu'en raison des efforts que nous avons faits, nous avons été en mesure de gagner quelques jours sur la date prévue.

Nous sommes dans l'attente de vos instructions pour les acheminer et dès réception nous vous adresserons notre bordereau d'expédition.

Veuillez croire, Messieurs, à l'expression de nos sentiments les meilleurs.

Notification que la marchandise est prête à l'envoi

115

Messieurs,

Nous avons le plaisir de vous informer que tous les livres que vous avez commandés le 3 avril ont été emballés et sont prêts à l'envoi.
Les colis attendent d'être enlevés à notre entrepôt. Il s'agit de deux caisses de 100 kg chacune.

Nous avons déjà pris des contacts avec Delmas, nos transitaires pour une expédition sur Hanoi. Dès que nous aurons reçu leur relevé de frais, nous demanderons que les documents d'expédition vous soient adressés via la Société Générale et remis contre l'acceptation de notre traite, comme convenu.

Souhaitant avoir le plaisir de travailler de nouveau avec vous à l'avenir, nous vous prions de croire, Messieurs, à l'assurance de notre parfaite considération.

116

Dear

We are pleased to confirm that all the books which you ordered on 3 April are packed and ready for despatch.

The consignment awaits collection at our warehouse and consists of two cases, each weighing about 100 kg.

Arrangements for shipment, cif Singapore, have already been made with W Watson & Co Ltd, our forwarding agents. As soon as we receive their statement of charges, we will arrange for shipping documents to be sent to you through Barclays Bank against our draft for acceptance, as agreed.

We look forward to further business with you.

Yours sincerely

Avis d'expédition de la marchandise

117

Messieurs,

Commande N° S 524

Les tapis en mohair que vous avez commandés ont été emballés dans quatre caisses spéciales à garniture imperméable. Ils seront enlevés demain par la SNCF pour envoi par train de passagers et devraient vous parvenir d'ici vendredi.

Nous sommes certains qu'à réception de cet envoi vous conviendrez avec nous que nous vendons les meilleurs tapis en mohair de ce type.

Espérant avoir de nouveau l'occasion de vous servir à l'avenir, nous vous prions de croire, Messieurs, à l'expression de nos salutations distinguées.

118

Dear

ORDER NUMBER S 524

The mohair rugs you ordered on 5 January have been packed in four special water-proof-lined cases. They will be collected tomorrow by British Rail for consignment by passenger train and should reach you by Friday.

We feel sure you will find the consignment supports our claim to sell the best rugs of their kind and hope we may look forward to further orders from you.

Yours sincerely

Avis d'avarie dans le transport

Il est du devoir de l'acheteur d'enlever la marchandise chez le fournisseur. À moins que le contrat ne comprenne la livraison, la compagnie ferroviaire ou le transporteur sont considérés comme les agents de l'acheteur. L'acheteur est donc responsable de tout dommage ou retard qui pourrait survenir à la marchandise après que le transporteur l'ait enlevée.

119

> Messieurs,
>
> **Commande N° S 524**
>
> Nous sommes au regret de devoir vous informer que sur les quatre caisses de tapis de mohair expédiées le 28 janvier, une a été endommagée. La garniture imperméable a été sérieusement déchirée et il nous faudra faire nettoyer sept tapis avant de pouvoir les proposer à la vente.
>
> Pourriez-vous faire le nécessaire pour qu'ils nous soient remplacés immédiatement en les mettant sur notre compte.
>
> Nous sommes conscients que notre responsabilité est engagée et nous avons déjà entrepris des démarches pour obtenir une indemnisation auprès des autorités ferroviaires.
>
> Veuillez croire, Messieurs, à l'expression de nos salutations distinguées.

120

> Dear
>
> ORDER NUMBER S 524
>
> We regret to inform you that of the four cases of mohair rugs which were despatched on 28 January, one was delivered damaged. The waterproof lining was badly torn and it will be necessary to send seven of the rugs for cleaning before we can offer them for sale.
>
> Will you therefore please arrange to send replacements immediately and charge them to our account.
>
> We realise that the responsibility for damage is ours and have already taken up the matter of compensation with the railway authorities.
>
> Yours sincerely

Avis de non livraison de la marchandise

Lorsque la marchandise n'arrive pas comme convenu, évitez d'en accuser le fournisseur car il se peut que ce ne soit pas de sa faute. Votre courrier devrait se contenter de relater les faits et de demander des explications.

121

Messieurs,

Commande N° S 524

Vous nous avez écrit le 28 janvier dernier pour nous informer que les tapis en mohair correspondant au numéro de commande en référence avaient été expédiés.

Nous attendions cette marchandise la semaine dernière et sur la foi de votre bordereau d'expédition nous en avons promis la livraison immédiate à de nombreux clients. Comme la marchandise ne nous est toujours pas parvenue, nous avons l'impression de leur avoir fait faux bond.

La livraison de ces tapis étant devenue à présent urgente, pourriez-vous faire les démarches auprès de la SNCF pour savoir ce qu'il est advenu de ces colis et nous informer de la date à laquelle nous pouvons espérer être livrés ?

Nous lançons bien sûr également une enquête de notre côté.

Veuillez croire, Messieurs, à l'expression de nos sentiments les meilleurs.

122

Dear

ORDER NUMBER S 524

You wrote to us on 28 January informing us that the mohair rugs supplied to the above order were being despatched.

We expected these goods a week ago and on the faith of your notification of despatch promised immediate delivery to a number of our customers. As the goods have not yet reached us, we naturally feel our customers have been let down.

Delivery of the rugs is now a matter of urgency. Please find out from British Rail what has happened to the consignment and let us know when we may expect delivery.

We are of course making our own enquiries at this end.

Yours sincerely

Réclamation au transporteur concernant la non livraison

Dès réception de l'avis de non livraison, le fournisseur devrait immédiatement se tourner vers les transporteurs, par téléphone, courrier ou fax. Dans le cas du fax, il ne faut pas laisser transparaître l'agacement que l'on ressent naturellement mais s'en tenir aux faits et exiger une enquête immédiate sur la situation.

123

Messieurs,

Nous regrettons de vous faire savoir que les colis de tapis en mohair adressés à Monsieur Hart, 2, avenue Montebello à Maisons-Lafitte, ne lui sont toujours pas parvenus.

Ces colis ont été enlevés par votre transporteur le 28 janvier pour expédition par train de passagers et auraient dû être livrés le 1er février. Nous avons en notre possession le bon d'enlèvement N° 3542 de votre transporteur.

Comme notre client a un besoin urgent de cette marchandise, nous vous demandons de procéder à une enquête pour connaître les causes du retard et la nouvelle date de livraison prévue.

En vous remerciant d'accorder la plus grande urgence à cette affaire, nous vous prions de croire, Messieurs, à l'expression de nos salutations distinguées.

124

Dear

We regret to report that a consignment of mohair rugs addressed to W Hart & Co, 25–27 Gordon Avenue, Warrington, has not yet reached them.

These cases were collected by your carrier on 28 January for consignment by passenger train and should have been delivered by 1 February. We hold your carrier's receipt number 3542.

As our customer is urgently in need of these goods, we must ask you to make enquiries and let us know the cause of the delay and when delivery will be made.

Please treat this matter as one of extreme urgency.

Yours sincerely

Les formules utiles en français et en anglais

Passer commande

Ouvertures

1. Nous vous remercions pour votre offre de prix du...

1. Thank you for your quotation of...

2. Nous avons bien reçu votre proposition de prix du... et nous vous adressons en confirmation notre bon de commande.

2. We have received your quotation of... and enclose our official order form.

3. Nous vous prions de bien vouloir livrer les articles suivants le plus rapidement possible en les mettant sur notre compte :

3. Please supply the following items as quickly as possible and charge to our account :

Clôtures

1. Nous vous serions reconnaissants de livrer rapidement ces articles car nous en avons un besoin urgent.

1. Prompt delivery would be appreciated as the goods are needed urgently.

2. Nous vous remercions d'accuser réception de cette commande en nous confirmant que vous serez en mesure d'assurer une livraison pour le...

2. Please acknowledge receipt of this order and confirm that you will be able to deliver by...

3. Nous souhaitons recevoir votre avis d'expédition par retour de courrier.

3. We hope to receive your advice of delivery by return of post.

Accuser réception des commandes

Ouvertures

1. Nous vous remercions de votre commande en date du...

1. Thank you for your order dated...

2. Nous vous remercions de votre commande N°...
La marchandise vous sera expédiée le...

2. We thank you for your order number...
and will despatch the goods by...

3. Nous sommes au regret de vous informer que les articles commandés le...
ne pourront vous être livrés.

3. We are sorry to inform you that the goods ordered on... cannot be supplied.

Clôtures

1. Nous espérons que la marchandise vous est parvenue sans encombre et que vous en serez satisfait.

1. We hope the goods reach you safely and that you will be pleased with them.

2. Nous espérons que la marchandise vous donnera entière satisfaction et que vous nous confierez de nouvelles commandes à l'avenir.

2. We hope you will find the goods satisfactory and look forward to receiving your further orders.

3. Nous avons le plaisir de vous informer que cette marchandise a été expédiée aujourd'hui (sera expédiée dans... / peut à présent être enlevée à...).

3. We are pleased to say that these goods have been despatched today (will be despatched in... / are now awaiting collection at...).

8

Facturation
et règlement

Factures et rectifications

Les factures pro forma

Les notes de débit et avoirs

Les relevés de compte

Les modifications des conditions de règlement

Les modes de paiement

Les formules utiles en français et en anglais

Le paiement des sommes dues pour les produits ou services fournis constitue le stade ultime de la transaction commerciale.

Dans le commerce de détail, le règlement se fait normalement au comptant tandis que dans le commerce de gros et le commerce extérieur, il est de règle d'accorder des délais de paiement.

Factures et rectifications

Lorsque la marchandise bénéficie de délais de paiement, le fournisseur adresse une facture à l'acheteur pour :

- Lui indiquer la somme due.
- Lui donner la possibilité de vérifier la marchandise livrée.
- Lui permettre de l'inscrire dans la main courante des achats.

À réception, la facture doit être soigneusement vérifiée non seulement pour la conformité de la marchandise mais également pour s'assurer que les prix et les calculs sont exacts.

Les factures accompagnent parfois la marchandise, mais le plus souvent elles sont envoyées séparément.

Tout acheteur qui ne fait pas partie des clients habituels devra régler sa facture immédiatement.

Les clients habituels bénéficient de délais de paiement et les factures sont portées à leur compte.

Les paiements sont alors effectués ultérieurement sur la base d'un relevé adressé par le fournisseur tous les mois ou à intervalles réguliers.

Un modèle de facture est présenté en Figure 8.1.

Les factures *pro forma*

Le terme *pro forma* signifie pour des raisons formelles.
Une facture *pro forma* est établie :

- Pour accompagner la marchandise livrée à l'essai ou en dépôt.
- Pour servir d'offre de prix officielle.
- Pour demander le règlement à l'avance de la marchandise.
- Commandée par un client inconnu ou mauvais payeur.
- Pour être présentée à la douane, lorsque la valeur des biens exportés doit être déclarée.

Les factures *pro forma* ne sont ni comptabilisées ni inscrites au compte des destinataires.

Facture avec lettre d'accompagnement

Il n'est généralement pas nécessaire que la facture soit accompagnée d'une lettre, notamment lorsqu'elle est envoyée avec la marchandise. Si la facture est adressée séparément, une lettre courte mais polie peut l'accompagner.

125

Jean Gardel et fils
3, quai de Paris
69009 Lyon
Tél. 04 72 83 20 20

Magasin Le Prétexte
60, rue Bazin
49000 Angers

Votre commande N° AW 25
Date : 18 août 20..
Facture N° B 832

Quantité	Articles	Prix unitaire	Total en euros
10	Chemises polyester small	15	150
21	Chemises polyester medium	16	336
12	Chemises polyester large	17	204
Total			690
TVA (19,6 %)			123,48
1 caisse consignée			17,02
Remise 2,5 % sous un mois			830,50

Sauf erreur ou omission

RCS N ...

Figure 8.1 – La facture.

La facture informe l'acheteur sur le montant à payer pour la marchandise fournie à crédit.

TVA : Taxe sur les biens et services acquittée auprès des contributions indirectes.

Sauf erreur ou omission : Cette formule préserve les droits du fournisseur au cas où ce document comporterait une erreur.

a) Pour un client occasionnel

126

> Madame/Monsieur,
>
> **Votre commande N° AW 25**
>
> Nous avons le plaisir de vous adresser notre facture B 832 pour les chemises en polyester commandées le 13 août.
>
> La marchandise étant disponible, elle vous sera expédiée dès que nous serons en possession de votre règlement de 830,50 €.
>
> Dans cette attente, nous vous prions de croire, Madame/Monsieur, à l'expression de nos sentiments distingués.

b) Pour un client habituel

127

> Madame ou Monsieur,
>
> **Votre commande N° AW 25**
>
> Vous trouverez jointe notre facture B 832 correspondant aux chemises commandées le 18 août.
>
> Ces chemises ont été emballées et sont prêtes à vous être expédiées par train franco de port. Elles devraient vous parvenir dans quelques jours.
>
> Veuillez croire, Madame ou Monsieur, à l'assurance de notre parfaite considération.

Les notes de débit et avoirs

Si le fournisseur a insuffisamment facturé l'acheteur, une note de débit peut être envoyée pour le montant du moins-perçu. Une note de débit est par nature une facture complémentaire.

Si le fournisseur a trop perçu, il envoie un avoir à l'acheteur. Des avoirs sont également établis aux clients qui retournent la marchandise (lorsqu'elle ne convient pas) ou des éléments d'emballages consignés sur lesquels ils sont remboursés. Les avoirs sont généralement imprimés en rouge pour les distinguer des factures et des notes de débit.

Des exemples de notes de débit et d'avoirs sont illustrés en Figures 8.2 et 8.3.

Jean Gardel et fils
3, quai de Paris
69009 Lyon
Tél. 04 72 83 20 20

NOTE DE DÉBIT

Magasin Le Prétexte
60, rue Bazin
49000 Angers

Date : 22 août 20…
Note de débit N° D 75

Date	Concerne	Prix en euros
18.08	21 Chemises polyester medium figurant sur la facture B 832 à 15 € pièce au lieu de 16 € Moins perçu	21

RCS N°…

Figure 8.2 – Note de débit.

Une note de débit est adressée par le fournisseur à l'acheteur qui a été sous-facturé lors de l'établissement de la facture initiale.

129

Jean Gardel et fils
3, quai de Paris
69009 Lyon
Tél. 04 72 83 20 20

Magasin Le Prétexte
60, rue Bazin
49000 Angers

AVOIR

Date : 25 août 20…
Avoir N° A 521

Date	Concerne	Prix en euros
18.08	Retour d'une caisse consignée sur votre facture N° B 832	17,02

RCS N°…

Figure 8.3 – Avoir.

Un avoir est envoyé par le fournisseur à l'acheteur qui a été sur-facturé dans la facture initiale ou pour reconnaître et ouvrir un crédit pour la marchandise qui a été retournée par l'acheteur. Il est généralement imprimé en rouge.

Le fournisseur envoie une note de débit

130

Monsieur / Madame,

Nous regrettons de devoir vous informer qu'une regrettable erreur s'est glissée dans votre facture B 832 du 18 août.

Le prix exact des chemises de polyester est de 16 € et non de 15 € comme indiqué par erreur. Nous vous adressons en conséquence une note de débit de 21 € correspondant à la différence.

Cette erreur est due à une mauvaise saisie et nous regrettons qu'elle n'ait pu être décelée avant l'envoi de votre facture.

Veuillez croire, Monsieur / Madame, à l'assurance de notre parfaite considération.

131

Dear Sir / Madam

I regret to have to inform you that an unfortunate error has been discovered in our invoice number B 832 of 18 August.

The correct charge for polyester shirts, medium, is £16.70 and not £16.00 as stated. We are therefore enclosing a debit note for the amount undercharged, namely £14.70.

This mistake is due to an input error and we are sorry it was not noticed before the invoice was sent.

Yours faithfully

L'acheteur réclame un avoir

Il est courant pour un acheteur qui a remarqué qu'on l'avait trop facturé d'envoyer une note de débit au fournisseur pour servir de réclamation pour le trop-perçu. Si le fournisseur est d'accord sur la réclamation, il émettra alors un avoir en faveur de l'acheteur.

a) Retour de caisses consignées

132

Messieurs,

Nous vous avons fait retour par train aujourd'hui d'une caisse d'emballage vide figurant pour 17,02 € sur votre facture B 832 du 18 août.

Vous trouverez jointe une note de débit du même montant.

Dans l'attente de votre avoir en retour, veuillez croire, Messieurs, à l'expression de nos sentiments distingués.

b) Taux de remise erroné

133

Messieurs,

Votre facture N° 2370 en date du 10 septembre affiche une remise de 33,33 % au lieu des 40 % accordés dans votre courrier du 5 août en raison du volume exceptionnel de la commande.

Calculé sur un total brut de 15 000 €, le différentiel sur la remise est exactement de 1 000 €. Nous vous remercions de bien vouloir rectifier la facture et nous la renvoyer pour règlement immédiat.

Veuillez croire, Messieurs, à l'expression de nos salutations distinguées.

134

Dear Sirs

Your invoice number 2370 dated 10 September allows a trade discount of only 33 1/3 % instead of the 40 % to which you agreed in your letter of 5 August because of the unusually large order.

Calculated on the invoice gross total of £1,500 the difference in discount is exactly £100. If you will please adjust your charge we shall be glad to pass the invoice for immediate payment

Yours faithfully

Le fournisseur refuse la demande d'avoir

a) La demande du détaillant

135

Madame / Monsieur,

Le 1er septembre dernier, nous vous avons retourné par colis postal un magnéto-phone, Modèle EK 76 numéro de série 048617, sur un lot de 12 livrés le 5 août et figurant sur votre facture N° 5624 en date du 2 août.

Le client qui s'est porté acquéreur de cet appareil s'est plaint de son fonctionnement. C'est la raison pour laquelle nous vous l'avons retourné après nous être assurés que la plainte était justifiée.

Nous n'avons pas reçu d'accusé de réception de cet appareil ni du courrier que nous vous avons adressé le 1er septembre. Il se peut que vous ayez entrepris des démarches pour nous en obtenir le remplacement. Si tel était le cas et si le remplace-ment ne devait pas intervenir immédiatement, pourriez-vous nous adresser un avoir correspondant au montant du magnétophone retourné, soit 270 € ?

Dans l'attente d'une réponse de votre part, nous vous prions de croire, Madame / Monsieur, à l'expression de nos salutations distinguées.

136

Dear Sir or Madam

On 1 September we returned to you by parcel post one cassette tape recorder, Model EK76, Serial Number 048617, one of a consignment of 12 delivered on 5 August and charged on your invoice number 5624 dated 2 August.

The customer who bought this recorder complained about its performance. It was for this reason that we returned it to you after satisfying ourselves that the complaint was justified.

We have received no acknowledgement of the returned recorder or of the letter we sent to you on 1 September. It may be that you are trying to obtain a replacement for us. If this is the case and a replacement is not immediately available, please send us a credit note for the invoiced cost of the returned recorder, namely £175.

We hope to hear from you soon.

Yours faithfully

b) La réponse du fournisseur

137

Messieurs,

Nous sommes au regret d'apprendre par votre courrier du 16 septembre que vous avez eu à nous retourner un des magnétophones qui vous ont été livrés et facturés sur la facture N° 5624.

Nous avons bien reçu votre lettre du 1er septembre mais malheureusement nous ne trouvons pas trace du magnétophone retourné. Si vous pouviez nous décrire le type d'emballage dans lequel il se trouvait et nous indiquer précisément la façon dont il était adressé et le mode de livraison utilisé, cela pourrait nous aider. Dès réception de ces informations, nous procéderons à une enquête approfondie.

Entre-temps, vous comprendrez aisément que nous ne puissions ni remplacer l'appareil ni vous établir l'avoir que vous réclamez. Si vous pouvez attendre environ dix jours, nous pourrions vous envoyer un autre magnétophone mais nous serions contraints de l'imputer à votre compte au cas où nos recherches demeureraient infructueuses.

Veuillez croire, Messieurs, à l'assurance de notre parfaite considération.

138

Dear

We are sorry to learn from your letter of 16 September of the need to return one of the recorders supplied to you and charged on our invoice number 5624.

We received your letter of 1 September but regret that we have no trace of the returned recorder. It would help if you could describe the kind of container in which it was packed and state exactly how it was addressed and the method of delivery used. As soon as we receive this information we will make a thorough investigation.

Meanwhile I am sure you will understand that we cannot either provide a free replacement or grant the credit you request. If you could wait for about 10 days, we could replace the tape recorder but would have to charge it to your account if our further enquiries should prove unsuccessful.

Yours sincerely

Les relevés de compte

Un relevé (voir Figure 8.4) constitue une demande de paiement. Il récapitule les transactions entre l'acheteur et le vendeur au cours de la période couverte, généralement un mois. Il débute par le solde éventuellement dû au début de la période. Les montants des factures et des notes de débit émises sont ensuite listés et tout avoir ou tout paiement effectué par l'acheteur en sont déduits. Le solde final indique la somme à payer à la date du relevé.

Les relevés comme les factures sont généralement envoyés sans lettre d'accompagnement. Si lettre d'accompagnement il y a, celle-ci devra être courte et neutre.

Jean Gardel et fils
3, quai de Paris
69009 Lyon
Tél. 04 72 83 20 20

RELEVÉ

Magasin Le Prétexte
60, rue Bazin
49000 Angers

Date : 31 août 20..

Date	Concerne	Débit en euros	Crédit en euros	Solde en euros
01.08	Solde antérieur			1 155,30
18.08	Facture B 832	8 275,30		9 430,60
20.08	Chèque reçu		5 000	4 430,60
22.08	Note de débit D75	147		4 577,60
25.08	Avoir A52		132,50	4 445,10

Sauf erreur ou omission

RCS N°...

Figure 8.4 – Relevé.

Un relevé est une demande de paiement adressée à intervalles réguliers par le fournisseur aux acheteurs. Il récapitule toutes les opérations de la période couverte et permet à l'acheteur de vérifier les détails communiqués. Toute erreur découverte et reconnue sera rectifiée au moyen d'une note de débit ou d'un avoir.

140

JOHN G GARTSIDE & CO LTD
Albion Works, Thomas Street
Manchester M60 2QA
Telephone 0161-980-2132

STATEMENT

Johnson Tools & Co Ltd   Date 31 August 20—
112 Kingsway
LIVERPOOL
L20 6HJ

Date	Details	Debit	Credit	Balance
		£	£	£
1.8.—	Account rendered			115.53
18.8.—	Invoice B 832	827.53		943.06
20.8.—	Cheque received		500.00	443.06
22.8.—	Debit Note D 75	14.70		457.76
25.8.—	Credit Note C 52		13.25	444.51

E & OE   Registered in England No 523807

Relevé avec lettre d'accompagnement

141

Messieurs,

Vous trouverez joint notre relevé couvrant toutes les transactions du mois d'août. Si votre règlement intervient sous quinzaine, vous pouvez en déduire la remise habituelle de 2,5 %.

Veuillez croire, Messieurs, à l'assurance de nos sentiments les meilleurs.

Le fournisseur signale un relevé incomplètement réglé

142

Messieurs,

Vous trouverez joint notre relevé de septembre 20.. représentant un montant global de 8 205,70 €.

Le solde antérieur figurant ici correspond à la somme non couverte par le chèque reçu en règlement de notre relevé d'août qui s'élevait à 5 602,70 €. Toutefois, le chèque a été libellé pour 5 002,70 €, ce qui laisse un solde impayé de 600 € reporté ici.

Nous vous serions reconnaissants de bien vouloir nous régler rapidement la totalité de la somme à présent due.

Veuillez croire, Messieurs, à l'expression de nos sentiments distingués.

143

Dear Sirs

We are enclosing our September statement totalling £820.57.

The opening balance brought forward is the amount left uncovered by the cheque received from you against our August statement which totalled £560.27. The cheque received from you, however, was drawn for £500.27 only, leaving the unpaid balance of £60 brought forward.

We should appreciate early settlement of the total amount now due.

Yours faithfully

La réponse de l'acheteur

144

> Messieurs,
>
> Nous avons bien reçu votre courrier du 15 octobre accompagnant votre relevé de septembre.
>
> Nous vous prions de nous excuser pour les 600 € manquant à notre règlement du mois d'août. Le chiffre n'était pas clairement imprimé et nous avons mal lu la somme due, la prenant pour 5 002,70 € au lieu de 5 602,70 €.
>
> Vous trouverez ci-joint notre chèque de 8 205,70 € correspondant à la totalité de la somme du relevé du mois de septembre.
>
> Veuillez croire, Messieurs, à l'assurance de notre parfaite considération.

145

> Dear Sirs
>
> We have received your letter of 15 October enclosing September's statement.
>
> We apologise for the underpayment of £60 on your August statement. This was due to a misreading of the amount due. The final figure was not very clearly printed and we mistakenly read it as £500.27 instead of £560.27.
>
> Our cheque for £820.57, the total amount on the September statement, is enclosed.
>
> Yours faithfully

Le fournisseur reconnaît une erreur dans le relevé

a) La notification de l'acheteur

146

> Messieurs,
>
> En vérifiant notre relevé de juillet, nous nous sommes aperçus des erreurs suivantes :
>
> 1) la somme de 141 euros pour le retour de la caisse vide qui faisait l'objet de votre avoir N° 621 du 5 juillet n'y figure pas;
>
> 2) la facture N° W825 pour 1 273,20 euros a été débitée deux fois, une première fois le 11 juillet et une seconde fois le 21 juillet.
>
> Nous déduisons donc la somme de 1 414,20 euros du solde figurant sur votre relevé et vous adressons un chèque de 3 545 euros correspondant au règlement intégral de la somme due.
>
> Veuillez croire, Messieurs, à l'expression de nos sentiments les meilleurs.

147

Dear Sirs

On checking your statement for July we notice the following errors:

1 The sum of £14.10 for the return of empty packing cases, covered by your credit note number 621 dated 5 July, has not been entered.

2 Invoice Number W825 for £127.32 has been debited twice – once on 11 July and again on 21 July.

We are, therefore, deducting the sum of £141.42 from the balance shown on your statement, and enclose our cheque for £354.50 in full settlement.

Yours faithfully

b) L'accusé de réception du fournisseur

148

Messieurs,

Nous vous remercions pour votre courrier du 10 août comportant votre chèque de 3 545 euros en règlement intégral de la somme due sur le relevé de juillet.

Nous approuvons votre déduction de 1 414,20 euros et nous vous prions de nous excuser pour les erreurs qui se sont glissées dans notre relevé.

En vous réitérant nos excuses pour la gêne occasionnée, nous vous prions de croire, Messieurs, à l'assurance de nos sentiments les meilleurs.

149

Dear Sirs

Thank you for your letter of 10 August enclosing your cheque for £354.50 in full settlement of the amount due against our July statement.

We confirm your deduction of £141.42 and apologise for the errors in the statement. Please accept our apologies for the inconvenience caused.

Yours faithfully

Les modifications des conditions de règlement

Lorsque le client doit régler la marchandise à la livraison ou avant livraison, on parle de paiement « sur facture ».

Les clients dignes de confiance peuvent se voir accorder des « ouvertures de comptes » en fonction desquelles les factures sont imputées à leur compte. Les règlements interviennent alors sur la base de relevés adressés par le fournisseur.

Lorsque l'acheteur ressent le besoin d'obtenir un délai de paiement supplémentaire, ses motifs doivent être suffisamment convaincants pour que le fournisseur accepte qu'il s'agisse de difficultés purement ponctuelles et que le règlement interviendra plus tard.

Le client demande un report d'échéance (et l'obtient)

a) La demande du client

150	
	Messieurs,
Accuser réception du courrier fournisseur	Nous avons bien reçu votre courrier du 6 août nous rappelant que le règlement de la somme figurant sur votre relevé de juin aurait dû intervenir depuis longtemps.
Expliquer les raisons du non-paiement	Nous avions l'impression que le paiement n'était dû qu'à la fin d'août, époque à laquelle nous n'aurions eu aucune difficulté à vous régler. Toutefois, il semblerait que nous nous soyons trompés sur vos conditions de règlement.
Demander des délais et rassurer	Dans l'état actuel des choses, nous vous serions reconnaissants de nous accorder un délai supplémentaire de trois semaines. Nos difficultés actuelles sont purement ponctuelles. Et avant la fin du mois nous devons recevoir un certain nombre de règlements qui nous sont dus par des clients habituels qui paient notamment rapidement.
Exprimer des regrets	Nous sommes au regret d'avoir à vous faire cette demande et nous espérons que vous serez en mesure de nous l'accorder.
	Veuillez croire, Messieurs, à l'expression de notre parfaite considération.

151

Acknowledge supplier's letter

Explain why payment has not been made

Request deferred payment and give assurance

Express regret

Dear Sirs

We have received your letter of 6 August reminding us that payment of the amount owing on your June statement is overdue.

We were under the impression that payment was not due until the end of August when we would have had no difficulty in settling your account. However it seems that we misunderstood your terms of payment.

In the circumstances we should be grateful if you could allow us to defer payment for a further 3 weeks. Our present difficulty is purely temporary. Before the end of the month payments are due to us from a number of our regular customers who are notably prompt payers.

We very much regret having to make this request and hope you will be able to grant it.

Yours faithfully

b) La réponse du fournisseur

152

Répondre à la demande de différé de paiement

Expliquer les raisons motivant la décision

Rappeler les conditions à venir

Cher Monsieur,

Après avoir étudié avec le plus grand soin votre lettre du 8 août, nous avons le plaisir de vous accorder un différé de paiement jusqu'à fin août.

Cette demande vous est accordée exceptionnellement en raison de la rapidité avec laquelle vous avez toujours réglé vos factures par le passé. Nous souhaitons vivement que, lors des prochaines transactions avec vous, nous puissions nous en tenir à nos conditions de règlement qui, nous vous le rappelons, sont les suivantes :

- Remise de 2,5 % pour paiement dans les dix jours
- Somme due intégralement pour un paiement dans le mois.

Veuillez croire, Cher Monsieur, à l'assurance de nos sentiments les meilleurs.

153

> Dear Mr Jensen
>
> Having carefully considered your letter of 8 August, we have decided to allow you to defer payment of your account to the end of August.
>
> This request is granted as an exceptional measure only because of the promptness with which you have settled your accounts in the past. We sincerely hope that in future dealings you will be able to keep to our terms of payment. We take this opportunity to remind you that they are as follows:
>
> 21⁄2% discount for payment within 10 days
> Net cash for payment within one month
>
> Yours sincerely

Le client demande un report d'échéance (refusé)

a) La demande du client

154

> Cher Monsieur,
>
> Je vous remercie pour votre courrier du 23 juillet me demandant un règlement immédiat des 6 870 euros dus sur votre facture N° AV 54.
>
> Lorsque nous vous avons écrit en vous promettant de vous régler en totalité avant le 16 juillet, nous étions sincèrement convaincus de pouvoir le faire. Toutefois, nous avons malheureusement été confrontés à une demande imprévue et exceptionnellement lourde au début de ce mois.
>
> Nous vous adressons donc un chèque de 2 000 euros d'acompte en vous demandant de bien vouloir nous accorder un délai supplémentaire pour le règlement du solde.
>
> Nous sommes pleinement confiants de pouvoir vous régler la totalité de votre facture d'ici fin août. Nous vous serions particulièrement reconnaissants si vous acceptiez de nous accorder ce délai.
>
> Veuillez croire, Cher Monsieur, à l'assurance de notre parfaite considération.

155

Dear Mr Wilson

Thank you for your letter of 23 July asking for immediate payment of the £687 due on your invoice number AV54.

When we wrote promising to pay you in full by 16 July, we fully expected to be able to do so. However we were unfortunately called upon to meet an unforeseen and unusually heavy demand earlier this month.

We are therefore enclosing a cheque for £200 on account, and ask you to be good enough to allow us a further few weeks in which to settle the balance. We fully expect to be able to settle your account in full by the end of August. If you would grant this deferment, we should be most grateful.

Yours sincerely

b) La réponse du fournisseur

En refusant de telles demandes, les fournisseurs ont plutôt intérêt à mettre en avant les avantages qu'a le client à payer ces factures à temps plutôt que d'évoquer leurs propres difficultés en exigeant un paiement rapide. Le client, après tout, s'intéresse surtout à ce qui le touche de près.

156

Chère Madame,

Remercier — Nous vous remercions de votre courrier du 25 juillet accompagnant un chèque d'acompte de 2 000 euros et nous demandant un différé de paiement pour le solde.

Exprimer avec tact que la somme est insuffisante et la demande de crédit déraisonnable — Comme votre règlement est dû depuis plus de deux mois, le montant de votre chèque nous apparaît nettement insuffisant. Il n'est pas très raisonnable de votre part d'espérer que nous attendrons un mois supplémentaire pour recevoir le solde, notamment dans la mesure où nous vous avons facturé la marchandise à un prix exceptionnellement bas qui vous a été signalé à l'époque.

Employer un ton ferme, mais sans offenser le client — Nous compatissons à vos difficultés, mais devons-nous vous rappeler qu'il est dans l'intérêt à long terme du client de régler ses factures rapidement à la fois pour bénéficier de remises et se construire une réputation de fiabilité financière ?

Exprimer clairement la demande de paiement — En l'occurrence, nous souhaitons dans votre propre intérêt que vous fassiez le nécessaire pour apurer votre compte sans plus tarder. Nous espérons recevoir votre chèque correspondant au solde de votre compte dans les tout prochains jours.

Veuillez croire, chère Madame, à l'expression de nos sentiments distingués.

157

Dear Mrs Billingham

Thank you —— Thank you for your letter of 25 July sending us a cheque for £200 on account and asking for an extension of time in which to pay the balance.

Tactfully state that payment is insufficient and delay quite unreasonable. Tone is important in this letter which is firm but expressed in a style which would not offend —— As your account is now more than 2 months overdue we find your present cheque quite insufficient. It is hardly reasonable to expect us to wait a further month for the balance, particularly as we invoiced the goods at a specially low price which was mentioned to you at the time.

Express sympathy but explain why prompt payment is desirable —— We sympathise with your difficulties but need hardly remind you that it is in our customers' long-term interests to pay their accounts promptly so as to qualify for discounts and at the same time build a reputation for financial reliability.

The request for immediate payment is worded appropriately —— In the circumstances we hope that in your own interests you will make arrangements to clear your account without further delay. We look forward to receiving your cheque for the balance on your account within the next few days.

Yours sincerely

Le fournisseur s'interroge sur le paiement partiel

Lorsqu'un débiteur effectue un règlement à partir d'un relevé, il doit toujours indiquer s'il s'agit d'un acompte ou d'un règlement intégral, sinon cela peut donner lieu à des lettres comme celle-ci.

158

Messieurs,

Nous vous remercions de votre courrier du 10 octobre accompagné d'un chèque de 586,70 €. Conformément à votre demande, vous trouverez notre reçu joint.

Comme vous ne mentionnez pas s'il s'agit d'un acompte, nous nous demandons si au lieu des 586,70 € vous n'aviez pas l'intention de faire un chèque de 886,70 € correspondant au solde de votre compte tel qu'il apparaît sur notre relevé de septembre.

Quoi qu'il en soit, nous espérons recevoir le solde impayé de 300 € dans les tout prochains jours.

Veuillez croire, Messieurs, à l'assurance de nos sentiments les meilleurs.

Le fournisseur s'oppose à la déduction d'une remise

159

Messieurs,

Nous avons bien reçu votre courrier du 15 octobre accompagné d'un chèque de 2 925 euros en règlement intégral de notre relevé de mai.

Nous sommes au regret de vous faire savoir que nous ne pouvons accepter ce règlement comme apurant en totalité le montant de 3 000 euros figurant sur le relevé.
En effet, nos conditions de paiement ne prévoient une remise de 2,5 % que pour les règlements intervenant sous dix jours alors que votre paiement a dépassé l'échéance de plus d'un mois.

Le solde restant à payer est donc de 75 euros. Toutefois, pour vous éviter d'avoir à effectuer un règlement séparé, nous inclurons cette somme dans votre prochain paiement et nous établirons notre relevé de juillet en conséquence.

Nous vous prions de croire, Messieurs, à l'assurance de notre parfaite considération.

Les modes de paiement

De nombreux moyens de paiement peuvent être utilisés pour effectuer les règlements.
Le mode à choisir est fonction de l'accord entre les deux parties concernées.

1. Espèces (pièces et billets)

2. Paiements par La Poste

a) Les mandats poste ou les mandats internationaux

Ces mandats sont payables dans de nombreux pays. Les règlements sont effectués dans la devise du pays du paiement au cours du jour. Ils sont utilisés pour de petits montants.

Les mandats autres que les mandats télégraphiques sont réservés à l'étranger pour des montants plus importants. Ce mode de paiement est utilisé par ceux qui n'ont pas de compte bancaire ou de compte chèque postal. Une personne envoyant un mandat poste doit en demander un reçu car il n'y a pas d'autre preuve du paiement.

b) Les virements postaux

Le mot « Giro » est couramment utilisé par les services postaux en Europe occidentale et au Japon. Si on exclut les transactions en espèces, le virement postal est le moyen le plus utilisé. Quiconque peut faire un virement ou en recevoir un, qu'il soit ou non détenteur d'un compte chèque postal.

c) Le contre remboursement

Dans cette formule, l'acheteur règle la marchandise au moment où elle lui est remise par le transporteur (y compris La Poste). Ainsi, le fournisseur est-il certain d'être payé par des clients inconnus.

3. Paiements au travers des banques

a) Le commerce intérieur

• Les chèques

Un chèque bancaire est toujours payable à la demande. Il est de loin le mode de règlement le plus courant pour les transactions à crédit sur le marché intérieur des pays qui ont un système bancaire développé. Il peut également être utilisé pour régler des dettes à l'étranger.

Un reçu est certes la meilleure preuve de paiement mais il n'est pas le seul. Le chèque qui a transité par une banque avant d'être retourné au client peut également faire office de reçu. Lorsque le paiement est fait par chèque, un reçu séparé n'est donc pas nécessaire mais le payeur peut juridiquement en exiger un s'il le souhaite.

• Les virements

Le système des virements bancaires est analogue à celui des virements postaux. Le payeur remplit un bordereau de virement pour chaque règlement individuel et les récapitule sur une liste qui est transmise (en double) au banquier accompagnée des bordereaux individuels et du chèque global. Le banquier se charge alors de la répartition des bordereaux aux différentes banques concernées et leurs comptes sont alors crédités.

Les bénéficiaires reçoivent les bordereaux de paiement de leur banque. Un avis de paiement supplémentaire du payeur n'est donc pas nécessaire mais certains payeurs ont pris l'habitude de le faire.

• Les traites

Une traite bancaire est un document acquis d'une banque. La succursale de la banque sur laquelle elle est tirée doit régler à la demande le montant indiqué à la personne mentionnée sur la traite (le bénéficiaire).

Les traites bancaires sont particulièrement adaptées aux règlements importants dans des situations où le créditeur hésiterait à accepter un chèque en paiement. Comme les chèques, elles sont barrées pour plus de sécurité.

b) Le commerce international

Le commerce international peut avoir recours aux virements bancaires (par courrier, télégramme et fax), aux lettres de change et aux billets à ordre, aux effets commerciaux de banque (crédits documentaires lorsqu'une traite documentaire est utilisée), aux traites bancaires et aux lettres de crédit.

Le fournisseur demande au client de choisir ses conditions de paiement

160

Messieurs,

Nous vous remercions de votre courrier du 3 avril. Toutefois, vous n'y mentionnez pas si vous souhaitez que la transaction se fasse au comptant ou à crédit.

Dans notre courrier du 20 mars dernier, nous vous expliquions que nous étions tout à fait prêts à consentir des délais de paiement à ceux qui ne souhaitaient pas payer comptant et à accorder des remises intéressantes à ceux qui paient comptant.

Lorsque les clients passent leurs commandes ils doivent nous indiquer s'ils souhaitent un paiement comptant ou à crédit, mais sans doute n'avons-nous pas été suffisamment clairs.

Veuillez donc nous indiquer la formule qui vous convient le mieux afin que nous préparions votre facture en conséquence.

Nous vous prions de croire, Messieurs, à l'expression de nos sentiments les meilleurs.

Les formulaires incluant le paiement (et les accusés de réception)

Toutes les activités professionnelles comportent un certain volume de correspondance de simple routine. Les lettres qui accompagnent les paiements ou accusent réception d'un paiement sont de ce type. Elles se présentent le plus souvent sous une forme standard qui convient en toutes circonstances et sont connues sous le terme de lettres pré-imprimées.

Dans ce cas, un certain nombre de ces lettres pré-imprimées sont préparées en laissant des espaces vierges pour y insérer différents types de données variables telles que les références, les noms et adresses, les dates, les montants, etc.

Bien sûr, l'aspect personnel assuré par les lettres individuelles disparaît dans ces cas. Toutefois, de nombreuses entreprises utilisent les facultés d'insertion de l'informatique pour sortir des lettres pré-imprimées personnalisées qui ressemblent à des lettres individuelles.

a) Lettre pré-imprimée du payeur

161

Madame / Monsieur,

Nous avons le plaisir de vous adresser notre chèque (effet, traite etc.) de... euros correspondant au règlement intégral (partiel) de votre relevé (facture) en date du...

Nous vous remercions de bien vouloir nous en accuser réception.

Veuillez croire, Messieurs, à l'expression de nos salutations distinguées.

162

Dear Sir or Madam

We have pleasure in enclosing our cheque (bill/draft/etc.) for £... in full settlement (part settlement) of your statement (invoice) dated ...

Please send us your official receipt.

Yours faithfully

b) Lettre pré-imprimée servant d'accusé de réception

163

Messieurs,

Nous vous remercions pour votre courrier du... accompagné d'un chèque (effet, traite, etc.) de... euros correspondant au règlement intégral (partiel) de notre relevé (facture) en date du...

Vous trouverez ci-joint notre accusé de réception.

Veuillez croire, Messieurs, à l'expression de nos salutations distinguées.

164

Dear

Thank you for your letter of ... enclosing cheque (bill/draft/etc.) for £... in full settlement (part payment) of our statement of account (invoice) dated ...

We enclose our official receipt.

Yours sincerely

Lettre informant le fournisseur d'un paiement par virement

165

Messieurs,

Un virement a été effectué sur votre compte à la Société Générale, rue de l'Eglise à Boulogne, en règlement des montants dus pour la marchandise fournie le 2 mai et figurant sur votre facture N° 1524.

Nous vous prions de croire, Messieurs, à l'expression de notre parfaite considération.

Lettre informant le fournisseur d'un paiement par traite bancaire

166

Messieurs,

Veuillez trouver ci-joint notre traite bancaire portant la mention Payable uniquement au bénéficiaire, tirée sur la BNP à Dakar pour la somme de 6 727,20 €.

Cette traite correspond au paiement intégral de votre relevé au 31 mai.

Nous vous remercions de nous en accuser bonne réception.

Veuillez croire, Messieurs, à l'assurance de notre parfaite considération.

Le fournisseur expédie la marchandise contre remboursement

167

Madame / Monsieur,

Nous vous remercions pour votre commande d'une caméra modèle X 50. Ce modèle est une version améliorée de notre fameux X 40 et a déjà rencontré les faveurs du public.

Nous sommes certains que vous en serez satisfait. Au prix de 135,50 €, nous pensons qu'il représente le meilleur rapport qualité/prix sur le marché des appareils de ce type.

Votre appareil vous sera expédié aujourd'hui par colis postal recommandé sous forme de livraison contre remboursement de la somme de 140 €. Cette somme comprend une participation aux frais d'emballage, d'affranchissement postal et du contre remboursement.

Selon notre garantie, vous avez droit à un remboursement intégral si vous n'êtes pas pleinement satisfait. Il vous suffit pour cela de nous retourner l'appareil par colis postal recommandé sous huitaine.

Veuillez croire, Madame / Monsieur, à l'assurance de notre parfaite considération.

Les formules utiles en français et en anglais

Les paiements parvenus à échéance

Ouvertures

1. Vous trouverez joint notre relevé couvrant le trimestre échu

2. Nous vous prions de trouver joint notre relevé au 31... faisant apparaître un solde de... euros

3. Nous regrettons que vous ayez dû nous retourner notre facture N°... pour rectification

4. Nous sommes au regret de devoir vous demander un report d'échéance pour votre relevé de janvier.

---

1. Enclosed is our statement for the quarter ended...

2. We enclose our statement to 31... showing a balance of £...

3. We are sorry it was necessary to return our invoice number... for correction.

4. We very much regret having to ask for an extension of credit on your January statement.

Clôtures

1. Veuillez nous adresser un avoir pour le trop-perçu

2. Dès que vous aurez effectué les rectifications nécessaires, nous procéderons au règlement immédiat de ce compte

3. Nous vous réitérons nos excuses pour cette erreur et nous vous prions de trouver joint notre avoir pour le trop-perçu.

---

1. Please let us have your credit note for the amount of this overcharge.

2. Please make the necessary adjustment and we will settle the account immediately.

3. We apologise again for this error and enclose our credit note for the overcharge.

Les règlements effectués

Ouvertures

1. Nous vous adressons un chèque de... euros en règlement de la marchandise expédiée le...

2. Nous vous prions de trouver ci-joint notre chèque du... en règlement de votre facture N°...

3. Nous accusons réception de votre chèque de... euros et vous en remercions

4. Nous vous remercions de votre chèque de... euros correspondant au règlement partiel de votre relevé.

1. We enclose our cheque for £... in payment for goods supplied on...

2. We enclose our cheque for... in payment of your invoice number...

3. We acknowledge with thanks your cheque for £...

4. We thank you for your cheque for £... in part payment of your account.

Clôtures

1. Nous espérons recevoir la somme due d'ici la fin du mois.

2. Nous vous saurions gré de bien vouloir nous adresser votre chèque immédiatement.

3. Comme le paiement que vous nous devez est arrivé à échéance il y a déjà un certain temps, nous sommes contraints de vous demander un chèque par retour de courrier.

1. We hope to receive the amount due by the end of this month.

2. We should be obliged if you would send us your cheque immediately.

3. As the amount owing is considerably overdue, we must ask you to send us your cheque by return.

9

Les lettres de demande de règlement

Le ton

Les retards de paiement

Les lettres de recouvrement de créances

Les premiers rappels

Les deuxièmes rappels

Les troisièmes rappels

Les derniers rappels

Check-list

Les formules utiles en français et en anglais

Le ton

Lorsqu'un client ne paie pas rapidement, c'est toujours ennuyeux pour le fournisseur, mais il ne doit pas pour autant le laisser transparaître dans sa correspondance.

Il est parfois préférable de ne pas écrire du tout et, si possible, de rendre visite au client ou de le joindre au téléphone pour le convaincre d'effectuer au moins un règlement partiel d'acompte. Dans les cas litigieux, il peut même être recommandé d'accepter un règlement partiel plutôt que de recourir à des procédures judiciaires qui se révéleront à la fois une perte d'argent et de temps.

Il peut y avoir plusieurs bonnes raisons à ce qu'un client ne paie pas ses factures en temps et en heure et certaines d'entre elles méritent la compassion. Mais il y a toujours un client trop pressé d'inventer des prétextes et qui doit être surveillé. Chaque cas doit être traité individuellement.

Le style et le ton de la lettre doivent dépendre d'un certain nombre de facteurs tels que l'ancienneté de la dette, du caractère habituel ou non du retard de paiement et de l'importance du client. Toutefois, aucun courrier ne doit manquer aux règles élémentaires de courtoisie et même le dernier rappel brandissant la menace de poursuites judiciaires doit être écrit « à regret ».

Les retards de paiement

Lorsqu'il est nécessaire de faire une lettre pour expliquer les difficultés qu'on rencontre à respecter les échéances et qu'on doit demander un différé de paiement, le plan suivant peut être utile :

1. Mentionner le compte qui ne peut être réglé immédiatement
2. Déplorer l'incapacité dans laquelle on se trouve de payer et en donner les raisons
3. Suggérer un report d'échéance
4. Exprimer l'espoir que la suggestion sera retenue.

Le client explique son incapacité à faire face à ses échéances

Ce courrier émane d'un client habituel et sérieux. Il exprime une demande raisonnable et tout fournisseur qui la refuserait courrait le risque de le perdre. Si le fournisseur la refuse, le client peut fort bien régler la somme en litige mais pourrait alors commencer à s'adresser à un concurrent. En l'occurrence, le fournisseur pourrait bien avoir perdu de nombreuses futures commandes intéressantes.

168

Messieurs,

Votre facture N° 527 pour 15 160 euros en date du 20 juillet arrive à échéance à la fin du mois.

Malheureusement, nous avons été victimes d'un incendie qui s'est déclaré dans notre service Expédition la semaine dernière, détruisant un chargement important qui devait être livré à un client payant comptant. Nous avons fait une déclaration à l'assurance mais il est peu probable que celle-ci aboutisse avant trois ou quatre semaines. D'ici là nous devrons faire face à de sérieuses difficultés financières.

L'objet de mon courrier est donc de vous demander un report d'échéance de votre facture jusqu'à fin septembre.

Comme vous le savez, j'ai toujours ponctuellement réglé mes factures et je suis au regret de devoir vous faire cette requête aujourd'hui. J'espère que vous serez en mesure de me l'accorder.

Veuillez croire, Messieurs, à l'assurance de mes sentiments les meilleurs.

Le client explique son retard de paiement

169

Messieurs,

En réponse à votre courrier du 4 juillet dernier, je vous adresse un chèque de 11 825,70 € correspondant au règlement intégral de votre facture W 563 et vous prie de m'excuser pour ce retard.

J'ai été souffrant et absent du bureau ces derniers temps et je n'avais pas laissé d'instruction permettant le règlement de votre facture. Ce n'est qu'en reprenant mon travail hier que je me suis aperçu de ma négligence.

Je ne voudrais surtout pas que vous imaginiez que ce manquement était intentionnel.

En vous réitérant mes excuses, je vous prie de croire, Messieurs, à l'assurance de ma parfaite considération.

Les lettres de recouvrement de créances

Lors du recouvrement des créances, il convient de respecter les étapes suivantes :

1. L'envoi d'un premier relevé de fin de mois
2. Un deuxième envoi de relevé de fin de mois accompagné de commentaires
3. Une première lettre de rappel officielle
4. Une deuxième et une troisième lettres
5. Une dernière lettre de rappel informant que des poursuites judiciaires vont être entreprises en cas de non-paiement avant une certaine date qui doit être précisée.

Un client dont l'échéance est légèrement dépassée sera à juste titre offensé de recevoir une lettre personnelle à ce sujet.

C'est pourquoi les deux premières relances prennent la forme d'un relevé mensuel. Même lorsque le deuxième relevé porte les mentions « Deuxième rappel » ou « Echéance dépassée », veuillez payer, ou encore « Pour règlement immédiat », il est peu probable que le client se sente vexé pour autant.

Les premiers rappels

Il n'est pas recommandé de faire une lettre avant que le client n'ait eu l'occasion de payer sur ces relevés impersonnels. Les lettres qui exigent le règlement de factures échues, connues sous le terme de lettres de rappel, visent à persuader le client de payer tout en maintenant les bonnes relations commerciales.

Il est très facile de vexer le client, aussi ces lettres doivent-elles être rédigées avec tact et retenue. Il se peut également que le fournisseur soit fautif, comme dans le cas d'un paiement reçu et non enregistré ou d'une marchandise livrée ou d'un service rendu qui n'auraient pas été satisfaisants.

La lettre de rappel imprimée

Une première lettre de rappel peut être imprimée sous forme de lettre type comme dans l'exemple joint où les données individuelles sont adaptées (ou les détails mis en mémoire en informatique) de façon à personnaliser la lettre.

170

> Madame / Monsieur,
>
> Numéro du compte…
>
> Si nous nous en référons à nos livres, il semblerait que le compte figurant ci-dessus en date du… n'ait pas encore été réglé.
>
> Le relevé joint fait état d'un solde débiteur de… euros
>
> Comptant sur un règlement rapide de votre part, nous vous prions de croire, Madame / Monsieur, à l'expression de nos salutations distinguées.

172

> Dear Sir / Madam
>
> ACCOUNT NUMBER …
>
> According to our records the above account dated … has not been settled.
>
> The enclosed statement shows the amount owing to be £…
>
> We hope to receive an early settlement of this account.
> Yours faithfully

La lettre de rappel personnalisée

Une lettre personnalisée peut être plus appropriée qu'une lettre type dans certains cas. Elle doit alors être adressée nominativement à un haut responsable ayant de l'ancienneté dans l'entreprise et porter la mention Confidentiel.

a) À un bon payeur

172

Cher Monsieur,

Numéro de compte 6251

Comme vous nous avez jusqu'ici habitués au règlement ponctuel de vos factures, nous nous interrogeons sur les raisons qui ont pu motiver le non-paiement de celle-ci dont l'échéance est dépassée depuis un mois.

Au cas où vous n'auriez pas reçu le relevé qui vous a été envoyé au 31 mai, faisant état d'un solde débiteur de 1 056,70 €, nous vous en adressons copie.

Souhaitant que vous le régliez rapidement, nous vous prions de croire, cher Monsieur, à l'assurance de notre parfaite considération.

b) À un nouveau client

173

Madame / Monsieur,

Numéro de compte 5768

Nous regrettons de devoir vous informer que nous n'avons toujours pas reçu le règlement du solde de 1056,70 € restant dû sur notre relevé de décembre. Celui-ci vous a été adressé le 2 janvier et vous en trouverez une copie jointe.

Nous devons vous rappeler que nous vous avons consenti des prix exceptionnelle-ment bas qui tenaient compte d'un paiement rapide.

Il se peut que le non-paiement soit dû à une négligence, aussi nous vous deman-dons de bien vouloir nous adresser un chèque dans les tout prochains jours.

Dans cette attente, veuillez croire, Madame / Monsieur, à l'expression de nos salu-tations distinguées.

c) A un client qui a envoyé un règlement partiel

174

Messieurs,

Nous vous remercions de votre lettre du 8 mars qui accompagnait votre chèque de 5 000 euros correspondant au règlement partiel du solde figurant sur notre relevé de février.

Votre règlement laisse un solde impayé de 8 256,20 €. Notre politique commerciale consistant à travailler avec de petites marges, nous regrettons de ne pouvoir vous accorder de facilité de paiement.

Nous sommes certains que vous ne trouverez donc pas déraisonnable que nous vous demandions un règlement immédiat de ce montant.

Dans cette attente, nous vous prions d'agréer, Messieurs, l'expression de nos salutations distinguées.

Rappel adressé à un client qui a déjà payé

Il est toujours recommandé d'adopter une démarche prudente car il se peut que le client ne soit pas en faute, comme lorsque le règlement s'est perdu ou lorsque le fournisseur l'a reçu mais ne l'a pas enregistré.

a) La demande de paiement

175

Madame / Monsieur,

Numéro de compte S 542

D'après nos livres, votre facture pour les couverts qui vous ont été livrés le 21 octobre n'a pas été réglée.

Nous vous joignons un relevé détaillé faisant état d'un solde débiteur de 3 106,20 € pour lequel nous souhaitons un règlement rapide.

Veuillez croire, Madame / Monsieur, à l'expression de nos salutations distinguées.

176

Dear Sir / Madam

ACCOUNT NUMBER S542

According to our records our account for cutlery supplied to you on
21 October has not been paid.

We enclose a detailed statement showing the amount owing to be £ 310.62 and
hope you will make an early settlement.

Yours faithfully

b) La réponse du client

177

Messieurs,

Votre compte S 542

J'ai été surpris par votre courrier du 8 décembre mentionnant que vous n'avez pas
encore reçu mon règlement pour le compte référencé ci-dessus.

Or notre chèque (N° 065821) tiré sur la BNP de Lille pour 3 106,20 € vous a été
posté le 3 novembre. Comme il semble que ce chèque se soit perdu, j'ai fait opposi-
tion auprès de ma banque et vous trouverez joint un nouveau chèque pour le même
montant.

Veuillez croire, Messieurs, à l'expression de mes salutations distinguées.

178

Dear

YOUR ACCOUNT NUMBER S542

I was surprised to receive your letter of 8 December stating that you had not received payment of the above account.

In fact our cheque (number 065821, drawn on Barclays Bank, Blackpool) for £310.62
was posted to you on 3 November. As this cheque appears to have gone astray,
I have instructed the bank not to pay on it. A replacement cheque for the same
amount is enclosed.

Yours sincerely

Les deuxièmes rappels

Si le premier rappel ne donne pas de résultat, une deuxième lettre devrait être envoyée environ dix jours plus tard. Celle-ci devra être plus ferme tout en restant polie. Rien ne doit être dit qui puisse créer du désagrément ou de la rancune. Il s'agit d'obtenir la coopération du client et cela ne se fera pas en le contrariant.

Ces lettres portant la mention Confidentiel devront être adressées à un haut responsable ayant de l'ancienneté dans l'entreprise. Elles peuvent comprendre les éléments suivants :

1. Évoquer la première lettre de rappel
2. Considérer qu'un événement exceptionnel est la cause du retard dans le paiement
3. Suggérer adroitement qu'une explication serait la bienvenue
4. Demander que le règlement soit effectué.

Modèles de lettres

a) Deuxième rappel faisant suite à 172

179

Cher Monsieur,

Numéro de compte 6251

N'ayant toujours pas reçu de réponse à notre courrier du 5 juillet vous demandant le règlement du compte ci-dessus, nous vous rappelons de nouveau que le montant encore dû s'élève à 1 056,70 €.

Nous ne doutons qu'il y ait de bonnes raisons à ce retard et nous souhaiterions en obtenir l'explication accompagnée de votre règlement.

Veuillez croire, Cher Monsieur, à l'expression de nos sentiments les meilleurs.

b) Deuxième rappel faisant suite à 173

180

Madame / Monsieur,

Numéro de compte 5768

Nous vous avons écrit le 18 février pour vous rappeler que notre relevé de décembre, qui vous a été expédié le 2 janvier, affichait un solde de 1 056,70 € en notre faveur qui aurait dû être réglé le 31 janvier.

Cette échéance est à présent dépassée depuis plus d'un mois et nous vous demandons en conséquence soit de nous adresser votre règlement dans les tous prochains jours soit au moins de nous fournir une explication à ce retard.

Une réponse rapide de votre part nous obligerait.

Veuillez croire, Madame / Monsieur, à l'expression de nos salutations distinguées.

c) Deuxième rappel faisant suite à 174

181

Messieurs,

Nous n'avons toujours pas entendu parler de vous depuis que nous vous avons écrit le 10 mars dernier au sujet d'un solde impayé de 8 256,20 € sur votre compte. En raison de votre ponctualité à régler nos factures dans le passé nous n'avons pas jusqu'ici fait pression pour en obtenir le règlement.

Nos conditions de paiement pour les clients habituels tels que vous prévoient une remise de 3 % pour un règlement dans le mois et nous espérons que vous ne tarderez pas plus longtemps à nous régler, sinon nous nous verrions contraints de revoir ces conditions.

Dans l'état actuel des choses, nous attendons votre chèque pour le montant dû dans les tous prochains jours.

Veuillez croire, Messieurs, à l'expression de nos salutations distinguées.

Les troisièmes rappels

Si le règlement n'est toujours pas intervenu et aucune explication n'a été donnée, une troisième lettre s'impose. Une telle lettre doit montrer que des mesures seront prises si nécessaire pour obtenir le règlement. Ces mesures varient selon les circonstances.

Les troisièmes rappels devraient suivre le schéma suivant :

1. Passer en revue les efforts successifs qui ont été faits pour obtenir le règlement
2. Donner une dernière chance en fixant une date limite acceptable
3. Indiquer qu'on a envie d'être juste et raisonnable
4. Faire état des mesures qui seront prises si le troisième rappel reste sans effet
5. Déplorer qu'une nouvelle lettre soit nécessaire.

Modèles de lettres

a) Troisième rappel faisant suite à 172

182

Cher Monsieur,

Numéro de compte 6251

Il ne semble pas que nous ayons reçu de réponses à nos deux demandes précédentes des 5 et 16 juillet en vue du règlement de la somme de 1 056,70 € restant due sur ce compte.

Nous sommes au regret de vous faire savoir que nous sommes rendus à un stade où nous devons exiger un paiement immédiat. Nous ne souhaitons pas l'impossible mais si votre règlement n'intervient pas avant le 7 août vous nous mettrez dans l'obligation de confier votre dossier aux spécialistes de ces questions.

Espérant vraiment qu'une telle décision ne sera pas nécessaire, nous vous prions de croire, Cher Monsieur, à l'expression de nos salutations distinguées.

b) Troisième rappel faisant suite à 173

183

Même au troisième rappel, une attaque frontale du client n'est pas de mise : une certaine retenue s'impose

Des termes comme « extrême obligeance » et d'« autre choix » atténuent le choc

Offrir une dernière chance au client d'apurer le compte

Préciser une date limite

Madame / Monsieur,

Nous ne comprenons absolument pas pourquoi nous n'avons toujours pas entendu parler de vous à la suite de nos deux courriers des 18 février et 2 mars au sujet du solde de 1 056,70 € restant à payer sur notre relevé de décembre. Nous avions espéré que vous nous donneriez au moins une explication au non-paiement.

Je suis sûr que vous serez d'accord pour dire que nous avons fait preuve d'une extrême obligeance en la matière. Si vous ne répondez toujours pas à ces premières demandes de règlement, nous n'aurons d'autre choix que de prendre les mesures qui s'imposent pour recouvrer la somme due.

Nous tenons beaucoup à ne rien faire qui puisse porter atteinte à votre crédibilité et à votre réputation. Aussi, même à ce stade avancé sommes-nous disposés à vous offrir une nouvelle occasion de régler le problème.

En l'occurrence, nous vous donnons jusqu'à la fin du mois pour apurer votre compte.

Veuillez croire, Madame / Monsieur, à l'expression de nos salutations distinguées.

c) Troisième rappel faisant suite à 174

184

Messieurs,

Nous sommes à la fois surpris et déçus de n'avoir pas entendu parler de vous à la suite de nos deux courriers des 10 et 23 mars vous rappelant que le solde de 8 256,20 € de notre relevé de février restait toujours impayé.

Ce manquement à vos obligations en l'absence de toute explication est d'autant plus chagrinant que nous avons entretenu de très bonnes relations depuis de nombreuses années.

Au stade actuel, nous devons vous informer qu'à moins que nous ayons de vos nouvelles sous dix jours, nous serons contraints d'envisager de prendre des mesures pour en obtenir le paiement.

Veuillez croire, Messieurs, à l'expression de nos salutations distinguées.

Les derniers rappels

Si les trois lettres de rappel sont restées sans effet, on peut penser que le client soit ne peut pas effectuer le règlement, soit ne va pas le faire. Un bref avis des mesures qui vont être prises à son encontre doit alors être envoyé en guise de dernier avertissement.

Modèles de lettres

a) Dernier rappel faisant suite à 172

185

Cher Monsieur,

Nous sommes à la fois surpris et navrés de n'avoir reçu aucune réponse à la dernière lettre que nous vous avons encore envoyée le 28 juillet concernant le règlement de 1 056,70 € dont l'échéance est à présent bien lointaine.

Nous avons toujours eu de bonnes relations par le passé. Toutefois, nous ne pouvons permettre que cette somme reste indéfiniment impayée. Aussi, à moins que ce montant ne soit réglé ou qu'il nous soit fourni une explication satisfaisante avant la fin du mois, nous serons malheureusement contraints de mettre ce dossier dans les mains de nos avocats.

Veuillez croire, Cher Monsieur, à l'expression de nos salutations distinguées.

b) Dernier rappel faisant suite à 173

186

Madame / Monsieur,

Nous sommes déçus de n'avoir reçu aucune réponse de vous à la suite de notre courrier du 15 mars concernant le non-paiement du solde de 1 056,70 € restant dû sur notre relevé de décembre.

Comme nous avons toujours entretenu des relations commerciales à la fois agréables et amicales dans le passé, nous vous demandons une dernière fois de régler ce compte dans l'espoir qu'il ne nous sera pas nécessaire de transmettre l'affaire à notre agent de recouvrement.

Nous avons décidé de différer cette mesure de sept jours pour vous permettre d'effectuer le règlement ou du moins de nous fournir une explication.

Veuillez croire, Madame / Monsieur, à l'expression de nos salutations distinguées.

c) Dernier rappel faisant suite à 174

187

Messieurs,

Nous ne comprenons vraiment pas pourquoi nous n'avons toujours pas reçu de réponse à notre courrier du 7 avril, qui constituait notre troisième tentative de récupérer le règlement du solde de 8 266,20 € que vous nous devez toujours.

Nous pensons avoir manifesté suffisamment de patience et vous avoir traité avec courtoisie. Mais nous allons à présent bien à regret devoir prendre des mesures pour obtenir judiciairement ce paiement, aussi nos avocats seront-ils saisis de l'affaire.

Veuillez croire, Messieurs, à l'expression de nos salutations distinguées.

Check-list

❑ Utiliser un ton ferme mais compréhensif.

❑ Rappeler à quelle date le paiement devait intervenir.

❑ Mentionner la somme due.

❑ Annoncer les éventuelles pénalités.

❑ Prévoir une période de grâce.

❑ Fixer une nouvelle date limite.

❑ Énoncer les conséquences.

Les formules utiles en français et en anglais

Premiers rappels

Ouvertures

1. Nous notons que votre compte qui devait être réglé le… est toujours impayé.

1. We notice that your account which was due for payment on…, is still outstanding.

2. Nous voudrions attirer votre attention sur notre facture N°… de… euros qui n'est toujours pas payée.

2. We wish to draw your attention to our invoice number… for £… which remains unpaid.

3. Nous devons vous rappeler que nous n'avons toujours pas reçu le règlement du solde de notre relevé de… s'élevant à… euros dont le paiement est échu depuis plus d'un mois.

3. We must remind you that we have not yet received the balance of our… statement amounting to £…, payment of which is now more than a month overdue.

Clôtures

1. Nous espérons recevoir votre chèque par retour de courrier.

1. We hope to receive your cheque by return.

2. Nous attendons votre règlement dans les tout prochains jours.

2. We look forward to your payment within the next few days.

3. Comme notre relevé a pu se perdre, nous vous en adressons copie et nous vous serions reconnaissants d'en demander le paiement immédiat.

3. As our statement may have gone astray, we enclose a copy and shall be glad if you will pass it for payment immediately.

Deuxièmes rappels

Ouvertures

1. Il ne semble pas que nous ayons eu de réponse à notre demande de paiement du… concernant la somme de… euros due sur notre facture… en date du…

1. We do not appear to have had any reply to our request of… for settlement of £… due on our invoice… dated…

2. Nous regrettons de n'avoir pas reçu de réponse à notre lettre du…

2. We regret not having received a reply to our letter of…

3. Nous sommes dans l'incapacité de comprendre pourquoi nous n'avons toujours pas reçu de réponse à notre lettre du… vous demandant le paiement de notre relevé de… pour la somme de… euros.

3. We are at a loss to understand why we have received no reply to our letter of… requesting settlement of our… statement in the sum of £…

Clôtures

1. Nous comptons sur vous pour régler cette affaire sans plus tarder.

1. We trust you will attend to this matter without further delay.

2. Nous devons vous demander de régler cette somme par retour de courrier.

2. We must ask you to settle this account by return.

3. Nous regrettons de devoir exiger un paiement immédiat de la somme restant due.

3. We regret that we must ask for immediate payment of the amount outstanding.

Troisièmes rappels

Ouvertures

1. Nous vous avons écrit le...
   et de nouveau le...
   au sujet de la somme restant
   due sur notre facture...

2. Nous n'avons reçu aucune
   réponse à nos demandes
   antérieures pour le paiement
   de notre relevé de...

3. Nous notons à la fois avec
   surprise et consternation que
   nous n'avons toujours pas
   reçu de réponses à nos deux
   rappels antérieurs pour le
   règlement de la somme que
   vous restez à nous devoir.

1. We wrote to you on...
   and again on... concerning
   the amount owing on our
   invoice number...

2. We have had no reply
   to our previous requests
   for payment of our...
   statement...

3. We note with surprise and
   disappointment that we
   have had no replies to our
   two previous applications for
   payment of your outstanding
   account.

Clôtures

1. À moins que nous recevions
   d'ici le... votre chèque
   correspondant au paiement
   intégral de la somme que vous
   restez à nous devoir, nous
   n'aurons guère d'autre choix
   que de confier à nos avocats le
   soin de la recouvrer auprès de
   vous.

2. À moins que nous recevions
   d'ici la fin du mois votre chèque
   correspondant au règlement
   intégral de la somme due,
   nous nous verrons contraints
   de prendre les mesures qui
   s'imposent pour en obtenir le
   recouvrement.

1. Unless we receive your
   cheque in full settlement
   by... we shall have no
   alternative but to instruct
   our solicitors to recover the
   amount due.

2. Unless we receive your
   cheque in full settlement by
   the end of this month, we
   shall be compelled to take
   further steps to enforce
   payment.

3. Nous espérons encore que vous réglerez ce compte sans tarder, vous épargnant ainsi les désagréments et les coûts considérables d'une procédure judiciaire.

3. We still hope you will settle this account without further delay and thus save yourself the inconvenience and considerable costs of legal action.

10

Réclamations et régularisations

Le traitement des réclamations

Les réclamations concernant la marchandise

Les réclamations concernant la livraison

L'annulation de commande

Check-list

Les formules utiles en français et en anglais

Le traitement des réclamations

Malgré toutes vos bonnes intentions et les efforts considérables que vous déployez constamment, il y aura forcément toujours des situations où vous devrez faire face à des réclamations ou même en faire vous-même.

Une réclamation s'impose dans de nombreux cas comme lors :

- De la réception de marchandise non conforme.
- D'un service médiocre.
- De la réception de marchandise de mauvaise qualité.
- D'une livraison tardive.
- De la réception de marchandise endommagée.
- De la facturation de prix différents de ceux convenus.

Faire une réclamation

Lorsque votre plainte est légitime, vous ressentez de la colère, mais vous devez faire preuve de retenue dans la rédaction de votre lettre, ne serait-ce que parce que le fournisseur n'est peut-être pas en faute.

Il est donc recommandé d'observer les principes suivants.

- Agir sans attendre sinon vous affaiblissez votre position et le fournisseur peut avoir du mal à enquêter sur les causes.
- Ne pas considérer automatiquement que c'est le fournisseur qui est coupable, il peut avoir une position parfaitement défendable.
- Limiter votre réclamation à l'énoncé des faits, suivi soit par une interrogation sur ce que le fournisseur propose de faire à ce sujet soit par une suggestion sur la façon dont le problème pourrait être réglé.
- Éviter toute grossièreté qui créerait une gêne et pourrait rendre le fournisseur peu enclin à résoudre le problème.

Gérer une réclamation

La plupart des fournisseurs souhaitent naturellement que les clients expriment tout motif d'insatisfaction. Cela vaut mieux que de perdre le client et de le voir passer à la concurrence. La réclamation donne également l'occasion d'enquêter, d'expliquer et de rectifier la situation. La bonne relation avec le client peut ainsi être préservée. À l'occasion des réclamations, le fournisseur peut également trouver des suggestions d'amélioration de ses produits et services.

Lorsque vous êtes confronté à des clients mécontents, gardez à l'esprit les règles suivantes :

- Le client a toujours raison. Même lorsque ce n'est pas le cas, l'hypothèse que le client peut avoir raison est un bon principe de départ.
- Accuser rapidement réception d'une réclamation. Si vous n'êtes pas en mesure d'y répondre complètement tout de suite, expliquez qu'une enquête est en cours et qu'une réponse plus complète suivra.
- Faire poliment comprendre au client – de manière à ne pas le vexer – que sa réclamation est déraisonnable, le cas échéant.
- Reconnaître franchement votre faute si elle est est évidente, exprimer vos regrets et promettre d'y porter remède.
- Ne jamais faire porter le tort sur un membre de votre personnel, après tout vous êtes responsable de ses agissements.
- Remercier le client de vous avoir informé de l'affaire.

Les réclamations concernant la marchandise

Marchandise non conforme

Si vous recevez de la marchandise qui ne correspond pas à ce que vous avez commandé, vous êtes alors en droit de la retourner au fournisseur à ses frais.

a) La réclamation

188

Messieurs,

N° de commande et date ——— Le 12 août dernier, je vous ai commandé 12 exemplaires de *J'élève mon enfant* de L. Perrin par mon bon de commande FT 567.

Motifs d'insatisfaction ——— En ouvrant mon colis reçu ce matin je me suis aperçu qu'il contenait 12 exemplaires de *J'attends un enfant* du même auteur. Je regrette de ne pouvoir conserver ces livres car j'en ai déjà un stock suffisant. Je vous les retourne donc par colis postal pour un remplacement immédiat car j'ai plusieurs clients qui attendent.

Mesures attendues ——— Je compte sur vous pour créditer mon compte du montant de la facture des exemplaires en retour en y incluant le remboursement des frais postaux encourus pour la somme de 27 €.

Veuillez croire, Messieurs, à l'expression de mes salutations distinguées.

189

Dear Sirs

Order number and date ——— On 12 August I ordered 12 copies of Background Music by H Lowery under my order number FT567.

Reasons for dissatisfaction ——— On opening the parcel received this morning I found that it contained 12 copies of History of Music by the same author. I regret that I cannot keep these books as I have an adequate stock already. I am therefore returning the books by parcel post for immediate replacement, as I have several customers waiting for them.

Action requested ——— I trust you will credit my account with the invoiced value of the returned copies including reimbursement for the postage cost of £17.90.

Yours faithfully

b) La réponse

190

Cher Monsieur,

Exprimer des regrets — J'ai été navré d'apprendre par votre courrier du 18 août qu'une erreur s'est glissée dans la préparation de votre commande.

Expliquer comment l'erreur s'est produite — Nous sommes sans conteste responsables de cette erreur et vous prions de nous excuser pour les désagréments occasionnés. Cet incident a été rendu possible par notre pénurie de main-d'œuvre au cours de cette période anormalement chargée et par le fait que les deux livres de Laurence Perrin ont des couvertures analogues.

Mesures prises pour réparer — Douze exemplaires des titres commandés vous ont été expédiés par colis postal aujourd'hui.

Votre compte sera crédité du montant des livres facturés et du coût d'affranchissement en retour.

Renouveler les excuses en guise de conclusion — En vous réitérant nos excuses pour cette erreur, nous vous prions de croire, cher Monsieur, à l'assurance de notre parfaite considération.

191

Dear Mr Ramsay

Express regret — I was sorry to learn from your letter of 18 August that a mistake occurred in dealing with your order.

Explain how the mistake occurred — This mistake is entirely our own and we apologise for the inconvenience it is causing you. This occurred because of staff shortage during this unusually busy season and also the fact that these 2 books by Lowery have identical bindings.

Action taken to rectify the matter — 12 copies of the correct title have been despatched by parcel post today.

Your account will be credited with the invoiced value of the books and cost of return postage. Our credit note is enclosed.

A closing apology — We apologise again for this mistake.
Yours sincerely

Les réclamations concernant la qualité

Un acheteur est en droit de refuser la marchandise lorsqu'elle ne correspond pas à la qualité ou à la nature de celle commandée. De plus, des livraisons après la date prévue peuvent être refusées même si la marchandise est conforme.

a) La réclamation

192

Messieurs,

Motifs d'insatisfaction — Nous avons reçu récemment un certain nombre de plaintes de nos clients au sujet de vos stylos. Ces stylos ne donnent visiblement pas satisfaction et dans certains cas, nous avons même dû les rembourser.

Donner d'autres détails — Ces stylos font partie d'un lot de 500 qui ont été fournis selon notre commande N° 8562 du 28 mars dernier. Nous avions passé cette commande sur la foi d'un spécimen remis par votre représentant. Nous avons nous-mêmes comparé le fonctionnement de cet échantillon avec celui d'un certain nombre de stylos de ce lot et nous ne pouvons que conclure que bon nombre d'entre eux sont défectueux – fuites et/ou pâtés en cours d'utilisation.
Les réclamations que nous avons reçues ne concernent que ce lot. Les stylos que vous nous aviez livrés auparavant avaient toujours donné satisfaction.

Mesures attendues — Nous souhaitons donc vous faire retour du solde d'invendus, qui s'élève à 377 stylos. Et nous vous demandons de les remplacer par des stylos de la qualité à laquelle nos précédentes transactions avec vous nous avaient habitués.

Clôture — Veuillez nous faire connaître vos instructions pour le retour des stylos défectueux. Nous vous prions de croire, Messieurs, à l'expression de nos salutations distinguées.

b) La réponse (acceptant la réclamation)

193

Messieurs,

Nous vous remercions pour votre courrier du 20 mars nous signalant les défauts des stylos que nous vous avons livrés lors de votre commande 8562. Nous en sommes très ennuyés et nous vous remercions de nous en avoir fait part.

Nous avons fait des essais avec un certain nombre de stylos issus du lot de production que vous mentionnez et nous convenons qu'ils ne sont pas parfaits. Ces défauts sont attribuables à un problème dans l'une des machines qui a maintenant été rectifiée.

Nous vous remercions de faire le nécessaire pour nous retourner le solde des 377 stylos et le coût de l'affranchissement vous sera remboursé le moment venu. Nous avons déjà donné l'ordre pour que 400 stylos vous soient expédiés pour remplacer le solde invendu. Les 23 stylos supplémentaires vous sont envoyés sans frais pour vous et vous permettront de remplacer gratuitement tout autre stylo pour lequel vous recevrez une réclamation.

Nous vous prions de nous excuser pour les ennuis occasionnés et de croire, Messieurs, à l'expression de nos salutations distinguées.

c) Autre réponse (rejetant la réclamation)

S'il est nécessaire de rejeter la réclamation, vous devez vous montrer compréhensif à l'égard de la position du client et expliquer soigneusement pourquoi vous devez agir ainsi.

194

Messieurs,

Nous avons été désolés d'apprendre par votre courrier du 10 mai dernier que vous rencontrez des problèmes avec les stylos que nous vous avons livrés conformément à votre commande 8562.

Tous nos stylos sont fabriqués de façon à avoir une forme et un fonctionnement identiques et nous ne comprenons pas comment ils peuvent avoir posé des problèmes à vos clients. Nous avons coutume de faire examiner chacun de nos stylos individuellement par notre service de contrôle qualité avant de les mettre en stock. Il semblerait toutefois d'après ce que vous nous dites qu'un certain nombre de stylos aient échappé à cet examen de routine.

Nous comprenons votre problème mais nous regrettons de ne pouvoir accepter votre suggestion de reprendre en totalité le solde invendu du lot concerné. En effet, cela ne nous semble pas nécessaire dans la mesure où le nombre de stylos défectueux ne peut être très important. Nous acceptons, par contre, de remplacer tout stylo jugé défectueux et nous sommes prêts à vous consentir sur ce lot une remise de 5 % pour vous dédommager des désagréments rencontrés.

Souhaitant que cette solution vous paraisse juste et raisonnable, nous vous prions de croire, Messieurs, à l'expression de notre parfaite considération.

Les réclamations concernant la quantité

a) Livraison de marchandise en trop

Lorsqu'un fournisseur livre plus que la quantité commandée, l'acheteur est en droit de refuser soit la totalité de la marchandise soit la quantité excédentaire. Ou encore, tous les articles peuvent être acceptés et l'excédent payé au même tarif. Dans cette lettre, l'acheteur refuse la quantité en trop mais n'est pas tenu de la retourner, il est de la responsabilité du fournisseur de la faire enlever.

195

> Messieurs,
>
> Merci de la rapidité avec laquelle vous nous avez livré le café commandé le 30 juillet.
>
> Toutefois nous en avons reçu 160 sacs au lieu des 120 demandés.
>
> Nos besoins actuels étant complètement couverts nous n'aurions pas l'utilisation des 40 sacs supplémentaires. Ces articles seront donc mis à votre disposition dans nos entrepôts en attendant vos instructions.
>
> Veuillez croire, Messieurs, à l'assurance de notre considération.

b) Livraison de marchandise en moins

Lorsque le fournisseur livre moins que la quantité commandée, le client ne peut être contraint d'accepter des livraisons échelonnées. Une livraison immédiate du solde peut être exigée.

196

> Madame / Monsieur,
>
> **Notre commande N° 861**
>
> Nous vous remercions de la rapidité avec laquelle vous nous avez livré le charbon que nous vous avons commandé le 20 mars. Bien que nous ayons demandé 5 tonnes conditionnées par sac de 50 kg, nous n'avons réceptionné que 80 sacs. Votre transporteur n'a pas été en mesure d'expliquer la différence et nous n'avons reçu aucune explication de votre part.
>
> Nous avons toujours besoin de l'intégralité de la quantité commandée et nous vous serions reconnaissants de faire le nécessaire pour que les 20 sacs restants nous soient livrés aussitôt que possible.
>
> Veuillez croire, Madame / Monsieur, à l'expression de nos sincères salutations.

Les réclamations au fabricant

a) La réclamation du client

Pour la lettre qui suit, le fournisseur avait conseillé à l'acheteur de prendre contact directement avec le fabricant au sujet de la marchandise défectueuse.

197

> Messieurs,
>
> J'ai acheté le 15 septembre dernier un de vos réveils Big Ben (à ressorts) chez Bijoux contemporains à Calais. Malheureusement, il ne m'a pas été possible de le faire fonctionner et je suis très déçue de mon achat.
>
> Le directeur de la bijouterie m'a conseillé de vous retourner le réveil pour que vous le remettiez en état. Vous le trouverez joint à cet effet.
>
> En vous remerciant de faire le nécessaire pour me le réparer et me le retourner aussitôt que possible, je vous prie de croire, Messieurs, à l'expression de mes salutations distinguées.

b) La réponse du fabricant

Dans sa réponse, le fabricant manifeste un réel intérêt pour la réclamation et fait tout ce qui lui est possible pour satisfaire la cliente. La courtoisie avec laquelle la réclamation est traitée contribue à créer une réputation de fiabilité et d'honnêteté.

198

> Chère Madame,
>
> Je vous remercie pour votre courrier du 20 septembre accompagné du réveil Big Ben défectueux.
>
> Vos commentaires sur son mauvais fonctionnement nous ont beaucoup intéressés et j'ai transmis le réveil à nos ingénieurs pour qu'ils l'examinent.
>
> Entre-temps, nous faisons le nécessaire pour vous en expédier un nouveau qui a été entièrement vérifié de façon à s'assurer de son bon fonctionnement. Il vous sera adressé dans les tous prochains jours.
>
> Je suis navré pour les ennuis et les désagréments occasionnés mais je suis certain que le nouveau réveil vous satisfera et vous assurera les services que vous êtes en droit d'attendre de nos produits.
>
> Veuillez croire, Chère Madame, à l'expression de notre parfaite considération.

Les réclamations concernant la livraison

Aucun fournisseur n'apprécie d'être accusé de négligence ou de désinvolture, ce qui est souvent implicite dans les réclamations sur l'emballage. Ces réclamations doivent être rédigées avec soin pour ne pas être vexantes. Il ne sert à rien de se montrer sarcastique ou insultant. Vous avez bien plus de chances d'arriver à vos fins en vous montrant courtois. Dites que vous regrettez d'avoir à vous plaindre mais que le désagrément est trop important pour ne pas être signalé.

Les réclamations concernant une marchandise endommagée

a) La réclamation

Le signataire de la lettre signale des dommages découverts après que le colis ait été vérifié. Toute suggestion attribuant les dégâts causés aux produits à un emballage défectueux est évitée avec tact.

199

Messieurs,

Introduction et détails sur le contexte — Nous vous avons commandé 160 compact disques le 3 janvier et nous avons été livrés hier. Malheureusement, 18 d'entre eux sont sérieusement endommagés.

Expliquer ce qui s'est passé après réception — Le colis contenant ces articles paraissait en parfaite condition et je l'ai accepté en signant la décharge du transporteur sans discussion. C'est en déballant les compact disques que les dégâts ont été découverts. Je ne peux qu'en conclure que leur état est dû à un manque de soin dans la manutention à un stade quelconque avant l'emballage.

Joindre une liste des articles endommagés et en demander le remplacement — Je vous adresse la liste des articles endommagés et je vous serai reconnaissant de bien vouloir les remplacer. Ils ont été mis de côté au cas où vous en auriez besoin comme justificatifs à votre réclamation auprès de votre fabricant.

Veuillez croire, Messieurs, à l'expression de nos sincères salutations.

200

Dear Sirs

OUR ORDER NUMBER R569

We ordered 160 compact discs on 3 January and they were delivered yesterday. I regret that 18 of them were badly scratched.

The package containing these goods appeared to be in perfect condition and I accepted and signed for it without question. It was on unpacking the compact discs when the damage was discovered; I can only assume that this was due to careless handling at some stage prior to packing.

I am enclosing a list of the damaged goods and shall be glad if you will replace them. They have been kept aside in case you need them to support a claim on your suppliers for compensation.

Yours faithfully

b) La réponse

Dans sa réponse, le fournisseur accède rapidement à la demande du client et manifeste un réel désir d'améliorer le service à la clientèle.

201

Messieurs,

Votre commande N° R 569

Accuser réception de la lettre et regretter les dégâts — Je suis navré d'apprendre par votre lettre du 10 janvier que certains des compact disques que nous vous avons livrés vous sont parvenus endommagés.

Donner des détails sur leur remplacement — La marchandise de remplacement vous a été expédiée par La Poste aujourd'hui. Il ne vous sera pas nécessaire de nous retourner la marchandise endommagée, vous pouvez la détruire.

Donner d'autres informations sur la suite qui y sera donnée — Malgré tout le soin apporté à l'emballage de nos produits, nous avons eu récemment de nombreuses réclamations. Pour éviter d'autres ennuis et désagréments à notre clientèle ainsi que des frais pour nous-mêmes, nous avons fait appel à un consultant en conditionnement dans l'espoir d'améliorer nos méthodes de manutention.

S'assurer de commandes futures — Nous regrettons que vous ayez dû nous écrire et nous souhaitons que les mesures en cours d'étude garantissent la sécurité de vos prochains envois.

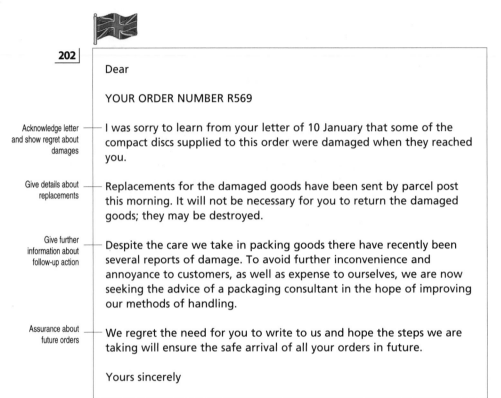

202

Dear

YOUR ORDER NUMBER R569

Acknowledge letter and show regret about damages — I was sorry to learn from your letter of 10 January that some of the compact discs supplied to this order were damaged when they reached you.

Give details about replacements — Replacements for the damaged goods have been sent by parcel post this morning. It will not be necessary for you to return the damaged goods; they may be destroyed.

Give further information about follow-up action — Despite the care we take in packing goods there have recently been several reports of damage. To avoid further inconvenience and annoyance to customers, as well as expense to ourselves, we are now seeking the advice of a packaging consultant in the hope of improving our methods of handling.

Assurance about future orders — We regret the need for you to write to us and hope the steps we are taking will ensure the safe arrival of all your orders in future.

Yours sincerely

Réclamation concernant un emballage défectueux

a) La réclamation

203

Messieurs,

Introduction sur les motifs de la lettre — Le tapis faisant l'objet de notre commande C 395 du 3 juillet nous a été livré par vos transporteurs ce matin.

Détails sur la réclamation — Nous avons remarqué qu'un des bords extérieurs de l'emballage avait été sérieusement abîmé, probablement en raison de la friction intervenue dans le transport. Lorsque le colis a été ouvert, nous n'avons pas été surpris de constater que le tapis lui-même était maculé et légèrement effiloché sur le bord.

Autres détails et questions sur les précautions à prendre — C'est ainsi la deuxième fois en trois semaines que nous avons eu des motifs de vous écrire sur le même sujet. Nous avons du mal à comprendre pourquoi il n'a pas été possible de prendre des précautions pour éviter les dommages constatés antérieurement.

Suggestions sur le traitement des commandes à venir

Bien que d'autres tapis nous aient été livrés en bon état, cette deuxième expérience malheureuse en si peu de temps semble indiquer que des précautions particulières devraient être prises pour lutter contre la friction lors du chargement des tapis sur vos véhicules de livraison. Nous espérons que vous y penserez lorsque vous aurez à traiter nos commandes à l'avenir.

Demande de concessions particulières

Etant donné l'état du tapis concerné, nous ne pouvons le présenter à la vente au prix normal, aussi nous nous proposons de réduire notre prix de vente de 10 %. Nous suggérons donc que vous nous accordiez une remise de 10 % sur le prix de la facture. Si vous étiez dans l'impossibilité de le faire, nous nous verrions contraints de vous retourner le tapis pour un échange standard.

Veuillez croire, Messieurs, à l'expression de nos salutations distinguées.

b) La réponse

204

Messieurs,

Exprimer des regrets pour l'insatisfaction du client

J'ai été navré d'apprendre par votre courrier du 16 août que le tapis qui vous a été livré selon votre commande C 395 a été endommagé lors de la livraison.

Expliquer le contexte de la réclamation

Notre responsable de l'emballage nous a informés que le tapis avait été emballé dans du gros papier kraft imperméable avant d'être enroulé dans une double épaisseur de toile de jute. Normalement, cela aurait dû lui assurer une protection suffisante. Toutefois, ce jour-là notre camionnette de livraison était remplie de tapis à livrer à d'autres clients et il est évident que des précautions particulières auraient été nécessaires en l'occurrence.

Mesures prises pour y remédier

Dorénavant, tous nos envois seront dotés d'emballages renforcés aux extrémités de façon à éviter tout nouveau dommage.

Confirmer la remise spéciale

Nous sommes conscients qu'il vous faut abaisser le prix de vente de ce tapis et nous vous accordons bien volontiers la remise de 10 % que vous suggérez.

Veuillez croire, Messieurs, à l'assurance de notre parfaite considération.

Les réclamations concernant la non livraison

a) La réclamation

205

Messieurs,

Le 25 septembre dernier, nous vous avons adressé notre commande RT 56 pour du papier à en-tête et des imprimés pour factures. Vous nous en avez accusé réception le 30 septembre. Ces faits remontent à trois semaines et nous n'avons pas encore reçu d'avis de livraison, aussi nous demandons-nous si la commande a depuis été oubliée.

Votre représentant nous avait promis une livraison rapide et cela a été un élément déterminant dans notre décision de vous passer commande.

Ce retard de livraison nous pose de gros problèmes. Et nous devons vous demander de traiter cette commande immédiatement sinon nous n'aurons d'autre choix que de l'annuler pour obtenir notre papier à lettre ailleurs.

Nous vous prions de croire, Messieurs, à l'expression de nos sentiments distingués.

206

Dear Sirs

On 25 September we placed our order number RT56 for printed headed notepaper and invoice forms. You acknowledged the order on 30 September. As that is some 3 weeks ago and we have not yet received advice of delivery, we are wondering whether the order has since been overlooked.

Your representative promised an early delivery and this was an important factor in persuading us to place this order with you.

The delay in delivery is causing considerable inconvenience. We must ask you to complete the order immediately, otherwise we shall have no option but to cancel it and obtain the stationery elsewhere.

Yours faithfully

b) La réponse

Seule une réponse très diplomatique permettra de garder dans de bonnes dispositions ce client qui visiblement se sent terriblement abandonné. Au moyen d'une lettre compréhensive et coopérative telle que celle de cet imprimeur, le client ne sentira plus de rancœur.

207

Cher Monsieur,

Nous vous remercions de votre courrier du 18 octobre. Nous comprenons fort bien votre mécontentement de n'avoir toujours pas reçu le papier à lettre que vous nous avez commandé le 25 septembre.

Les commandes de papier à lettre prennent en ce moment trois à quatre semaines pour être servies et notre représentant a reçu l'instruction de le faire savoir à nos clients. Apparemment, vous n'avez pas été informé que ce serait si long et je vous prie de nous excuser pour cette négligence.

Dès réception de votre lettre nous avons immédiatement lancé la commande. Le papier à lettre vous sera expédié d'ici demain par colis postal urgent qui devrait vous parvenir dans les 24 heures suivant la réception de ce courrier.

Nous regrettons ce malentendu et nous espérons que vous nous pardonnerez le retard ainsi occasionné.

Veuillez croire, cher Monsieur, à l'assurance de notre parfaite considération.

208

Dear Mr Sargeant

Thank you for your letter of 18 October. I quite understand your annoyance at not yet having received the stationery ordered on 25 September.

Orders for printed stationery are at present taking from 3 to 4 weeks for delivery, and our representatives have been instructed to make this clear to customers. Apparently you were not told that it would take so long, and I apologise for this oversight.

On receiving your letter we put your order in hand at once. The stationery will be sent from here tomorrow by express parcel post, and it should reach you within 24 hours of your receiving this letter.

It is very unfortunate that there should have been this misunderstanding but we hope you will forgive the delay which has been caused.

Yours sincerely

Les réclamations concernant les retards de livraison répétés

Ce courrier montre bien à quel point il est important de faire preuve de retenue en écrivant une lettre de réclamation et de ne pas préjuger de la faute du fournisseur.

a) La réclamation

209

Messieurs,

Nous vous avons commandé le 2 juillet six meubles de classement que vous vous étiez engagé à nous livrer dans la semaine. Et ce matin, nous ne les avions toujours pas reçus.

Malheureusement, nous avons déjà eu à subir des retards analogues plusieurs fois par le passé et leur fréquence accrue ces derniers mois nous contraint à vous faire savoir que nous ne pourrons plus continuer à travailler ensemble dans de telles conditions.

Nous avons pensé nécessaire de vous exprimer ce que nous ressentions car il n'est possible de communiquer des dates fiables à nos clients que si nous pouvons compter sur des engagements fermes de la part de nos fournisseurs.

Nous souhaitons que vous puissiez comprendre notre position en cette affaire et comptons sur vous pour assurer la livraison ponctuelle de nos commandes à l'avenir.

Veuillez croire, Messieurs, à l'expression de nos salutations distinguées.

b) La réponse

Dans sa réponse, le fournisseur explique en détail qu'il n'est pas responsable et que le client devrait lui conserver sa bienveillance.

210

Messieurs,

Votre courrier du 18 juillet faisant état de retards répétés dans nos livraisons nous a surpris. En l'absence de réclamations antérieures de votre part, nous avons toujours pensé que la marchandise que nous vous fournissions vous parvenait rapidement.

Nous avons l'habitude de livrer notre marchandise bien en avance sur les dates de livraisons prévues : les meubles de classement auxquels vous faites allusion ont quitté nos entrepôts le 5 juillet. Nous sommes très ennuyés de voir que nos efforts pour assurer nos livraisons en temps et heure sont déjoués par les retards pris dans le transport. Il se peut que d'autres clients soient également touchés et nous avons prévu de revoir entièrement la question avec nos transporteurs.

Nous vous remercions d'avoir attiré notre attention sur une situation qui nous avait complètement échappé avant votre intervention.

En vous priant d'accepter nos excuses pour la gêne qui vous a été occasionnée, nous voudrions vous assurer, Messieurs, de notre parfaite considération.

Les réclamations concernant les travaux inachevés

Ce courrier concerne l'incapacité d'un entrepreneur à terminer les travaux d'une villa neuve dans les délais auxquels il s'était engagé. La lettre de l'acquéreur est ferme mais exprimée en termes raisonnables. La réponse de l'entrepreneur est compréhensive, convaincante, professionnelle et coopérative.

a) La réclamation

211

Messieurs,

Villa sise au 1, rue de la Plage à Berck

Lorsque nous avons signé le contrat pour la construction de notre villa, vous aviez estimé que les travaux pourraient être achevés et que nous pourrions nous y installer « dans les six mois ». C'était il y a huit mois et les travaux ne sont même pas à moitié faits.

Ce retard non seulement me pose un problème à moi-même mais également à l'acquéreur de la maison que j'occupe actuellement et que je ne peux quitter avant que ma nouvelle villa ne soit construite.

Je vous demande instamment de faire diligence pour terminer ces travaux sans attendre. Merci de me communiquer la date à laquelle vous pensez terminer.

Je vous prie de croire, Messieurs, à l'expression de mes salutations distinguées.

b) La réponse

212

Cher Monsieur,

Villa sise 1, rue de la Plage à Berck

Je vous remercie de votre courrier du 18 juin. Nous sommes bien sûr conscients que la date prévue pour l'achèvement des travaux de votre villa est dépassée et nous voudrions vous dire tout de suite que nous nous rendons compte du désagrément que cela représente pour vous.

Nous voudrions toutefois vous rappeler que nous avons connu un hiver particulièrement rigoureux et que le travail sur le chantier n'a absolument pas été possible pendant les longues périodes où il a neigé abondamment. De plus, nous avons été en butte à une pénurie nationale de matériaux de construction, notamment de briques et de bois, dont la profession se remet à peine. S'il n'y avait pas eu ces deux impondérables, nous aurions pu respecter les délais de six mois de construction prévus.

Le beau temps étant revenu, les travaux avancent de façon satisfaisante. Et à moins que nous rencontrions de nouveaux aléas nous pouvons vous promettre que la villa sera terminée à la fin du mois d'août.

Veuillez croire, cher Monsieur, en l'assurance de nos sentiments dévoués.

Les réclamations concernant les frais de livraison

Certains clients sont toujours trop prompts à se plaindre lorsque la situation ne leur convient pas. D'autres, même mécontents, ne se plaignent jamais, mais retirent sans bruit leur clientèle pour la confier à d'autres fournisseurs. Ce courrier concerne ce deuxième cas.

a) La demande du fournisseur

213

Messieurs,

Nous sommes navrés de voir que nous n'avons plus reçu de commandes de votre part depuis le mois d'avril dernier. Comme vous ne nous avez jamais signalé de défauts dans notre marchandise ou manifesté de mécontentement sur la qualité de nos services, nous ne pouvons qu'en déduire que nous ne vous avons donné aucun motif d'insatisfaction. Si tel n'était pas le cas, nous vous serions reconnaissants de nous en faire part.

Si l'arrêt de vos commandes est motivé par la situation dépressive sur le marché, vous serez peut être intéressé d'apprendre que nos derniers tarifs affichent une baisse de 7,5 % sur toute l'épicerie. Vous en trouverez une copie jointe.

Si nous vous avons donné des motifs d'insatisfaction, nous espérons avoir la chance d'y remédier afin de reprendre nos bonnes relations commerciales.

Dans cette attente, nous vous prions de croire, Messieurs, à l'expression de nos sentiments dévoués.

b) La réponse du client (réclamation)

214

Messieurs,

Nous vous remercions pour votre lettre du 5 juillet. A votre demande, nous vous informons des raisons qui nous ont conduits à ne plus vous passer de commandes récemment : il s'agit d'une affaire qui nous a quelque peu indisposés.

Le 21 avril de l'an dernier, nous vous avons passé deux commandes, l'une pour 2 740 euros et l'autre pour 1 420 euros. À cette époque vos conditions de vente prévoyaient une livraison gratuite pour toute commande dépassant 3 000 €. Or, bien que vous nous ayez livré ces deux commandes ensemble, nous avons dû supporter les frais de transport.

Comme les commandes vous avaient été passées sur deux bons différents, nous reconnaissons que vous aviez parfaitement le droit de les traiter comme deux commandes séparées. Toutefois, pour des raisons de commodité, elles auraient tout aussi bien pu être traitées conjointement, dans la mesure où elles ont été passées et livrées en même temps. Le fait que vous en ayez décidé autrement nous est apparu comme une façon peu généreuse de traiter un bon client de longue date.

Maintenant que nous vous avons fourni cette explication, nous aimerions connaître vos commentaires.

Nous vous prions de croire, Messieurs, à l'expression de nos salutations distinguées.

c) La réponse du fournisseur

215

Messieurs,

Introduction adéquate — Nous vous remercions pour votre lettre du 8 juillet. Votre explication nous donne ainsi l'occasion de revenir sur un bien regrettable malentendu.

Explication détaillée des circonstances — Nous vous avons facturé des frais de port sur nos deux dernières factures parce que ces commandes ont été traitées par deux services différents, chacun n'étant pas au courant de la commande gérée par l'autre.

Détails rassurant le client que ceci ne se reproduirait plus — À cette époque, ces deux départements avaient chacun son propre service d'emballage et d'expédition. Depuis, ce travail a été repris par un département d'emballage et d'expédition centralisé de sorte qu'il est peu probable aujourd'hui qu'un tel malentendu puisse se reproduire.

Conclusion pleine de tact exprimant l'espoir d'un rétablissement des bonnes relations

Je souhaite que vous compreniez que ces frais vous ont été facturés bien involontairement et que vous acceptiez de nous renouveler votre confiance.

Veuillez croire, Messieurs, en l'assurance de notre parfaite considération.

Les réclamations concernant un service médiocre

Ce courrier concerne le cas d'un client qui n'a pas fait l'objet de l'attention qu'il méritait. En réponse à une demande téléphonique concernant un magnétophone abîmé, le fournisseur suggère que l'appareil lui soit retourné pour examen de façon à établir un devis pour sa réparation. Ce que fait le client qui n'en entend plus parler par la suite.

a) La lettre initiale du client

À la suite d'une conversation téléphonique avec le fournisseur, le client lui envoie le 28 juin une lettre de réclamation.

216

Cher Monsieur,

Magnétophone stéréo, modèle 660

L'introduction rappelle la communication téléphonique et les détails évoqués

Suite à notre conversation téléphonique de ce matin, je vous adresse mon magnétophone défectueux. J'ai bien noté que vous le ferez examiné et qu'un devis me sera fourni avant réparation.

Les défauts sont listés et numérotés pour plus de clarté

Les problèmes suivants ont été détectés :
1. Le magnétophone n'émet pas bien sur le haut-parleur de droite.
2. La distorsion du son semble indiquer que la tête de lecture doit être remplacée.
3. Le rembobinage semble défectueux.

Il se peut qu'un examen approfondi révèle d'autres dysfonctionnements.

La conclusion demande un devis immédiat

Il serait possible de gagner du temps si vous me communiquiez le montant du devis par téléphone car je souhaiterais que cette réparation intervienne rapidement et que le magnétophone me soit retourné aussi tôt que possible.

Je vous prie de croire, Cher Monsieur, à l'expression de mes salutations distinguées.

b) L'accusé de réception du fournisseur

Le 5 juillet, le fournisseur adresse l'imprimé N° WE 69376 accusant réception à la fois du courrier du 28 juin et du magnétophone mais ne joint pas le devis promis. Deux semaines plus tard, le 18 juillet, le client envoie une nouvelle lettre au fournisseur. Notez qu'au lieu d'insinuer que le devis n'aurait pas été établi, la lettre indique qu'il n'a pas encore été reçu.

217

Cher Monsieur,

Magnétophone stéréo, modèle 660

Le 28 juin dernier je vous ai adressé le magnétophone qui figure en référence pour que vous le vérifiiez et que vous m'établissiez un devis pour réparation. Comme c'était assez urgent je vous avais demandé un devis par téléphone.

Votre imprimé WE 69376 du 5 juillet accusait réception à la fois du magnétophone et de mon courrier, mais je n'ai jusqu'ici reçu aucun devis.

Si le devis n'a pas encore été expédié, je vous serais reconnaissant de me l'envoyer immédiatement pour que la réparation du magnétophone puisse être lancée sans tarder. Une réponse rapide de votre part m'obligerait.

Je vous prie de croire, Cher Monsieur, à l'expression de mes salutations distinguées.

---

c) Le devis reçu, le client adresse son règlement

Le 25 juillet, le client reçoit une fiche intitulée « Référence de travaux WE 69376 » demandant le paiement de la somme de 92,50 € avant que la réparation ne commence. Le 28 juillet, le client adresse un chèque de ce montant avec une lettre d'accompagnement.

218

Cher Monsieur,

Magnétophone stéréo, modèle 660

Je vous retourne votre fiche N° WE 69376 accompagnée d'un chèque de 92,50 € couvrant les frais de réparation du magnétophone figurant en référence.

Ce magnétophone est en votre possession depuis plus de quatre semaines et il me manque terriblement. J'espère que vous pourrez procéder à sa réparation immédiate et qu'il m'en sera fait retour dans les tout prochains jours.

Je vous prie d'agréer, Cher Monsieur, l'expression de mes salutations distinguées.

---

d) Le client reçoit une deuxième demande de paiement

Le client ne reçoit pas d'accusé de réception de son chèque. Par contre, le 14 août, il reçoit un imprimé l'informant que la réparation est achevée et lui demandant le paiement de la somme due.

e) Le client écrit à la direction

Le retard mis à lui retourner le magnétophone ainsi que la demande de paiement d'une somme déjà réglée ont, à juste titre, indisposé le client. Sa première réaction était d'adresser une lettre bien sentie à la direction. Mais au lieu de cela, il rédige un courrier plus apte à susciter la coopération pour rectifier une erreur sans doute bien innocente.

219

Chère Madame,

Magnétophone stéréo, modèle 660

Je suis navré de devoir vous écrire à vous personnellement au sujet du retard mis à me retourner le magnétophone figurant en référence que j'ai confié à votre entreprise le 28 juin. Voici les faits :

1. Le 28 juin, j'ai parlé à Monsieur Christian Bérard au sujet de mon magnétophone en panne. A la suite de cette conversation, je lui ai adressé le jour même un courrier accompagné de mon magnétophone en demandant un devis.
2. Le 5 juillet votre service après-vente m'a accusé réception de mon courrier et de mon magnétophone.
3. N'ayant toujours pas reçu de devis le 18 juillet j'ai adressé une relance à votre entreprise et le 25 juillet j'ai reçu une fiche de travaux (référence WE 69376) évaluant la réparation à 92,50 €.
4. Cette fiche vous a été retournée le 28 juillet accompagnée d'un chèque de ce montant et d'une lettre demandant que la réparation soit effectuée et que le magnétophone me soit retourné de façon urgente.

Je n'en ai plus entendu parler jusqu'à ce matin, où j'ai eu la surprise de recevoir un imprimé m'indiquant que le travail avait été fait et demandant le paiement de la somme due.

Je suis sûre que vous comprendrez mon agacement devant le temps qu'a pris cette procédure. Cela va faire deux mois que je vous ai adressé le magnétophone. Je souhaite que vous fassiez le nécessaire pour qu'il me soit retourné immédiatement.

Veuillez agréer, Chère Madame, l'expression de mes salutations distinguées.

f) Les excuses de la direction

Dans sa réponse, la direction reconnaît l'erreur. En faisant preuve de sincérité en la matière, elle contribue à rétablir la confiance et la bienveillance du client.

220

Cher Monsieur,

Magnétophone stéréo, modèle 660

J'ai été navrée d'apprendre par votre courrier du 14 août les problèmes que vous avez rencontrés lors de la réparation et du retour de votre magnétophone.

J'ai personnellement fait une enquête à ce sujet et je regrette que ce retard soit attribuable à l'absence pour maladie de l'employé qui s'occupait initialement de votre demande.

Je vous prie d'accepter mes excuses pour le désagrément causé. Le magnétophone vous a été expédié aujourd'hui par colis postal et j'espère qu'il vous parviendra rapidement et en bonnes conditions.

N'hésitez pas à me contacter si je peux vous être de quelque secours à l'avenir.

Veuillez croire, Cher Monsieur, à l'assurance de ma parfaite considération.

g) Le client remercie la direction

La relation épistolaire aurait pu prendre fin avec la lettre de la direction, mais le client a ressenti à juste titre qu'il serait courtois de remercier la direction pour sa rapide intervention.

221

Chère Madame,

Magnétophone stéréo, modèle 660

J'ai bien reçu votre lettre du 3 septembre et je vous remercie d'avoir traité cette affaire aussi rapidement. Je peux comprendre les circonstances qui ont conduit au retard que j'ai subi.

Mon magnétophone a été livré et semble bien fonctionner.

Veuillez croire, Chère Madame, à l'assurance de ma parfaite considération.

L'annulation de commande

Un acheteur est en droit d'annuler sa commande à n'importe quel moment avant confirmation par le fournisseur ou encore si :

- La marchandise livrée n'est pas conforme en nature ou en qualité – elle ne correspond pas à l'échantillon remis.
- La marchandise n'est pas livrée dans les délais – ou dans des délais raisonnables lorsqu'aucune date de livraison n'a été fixée.
- Les quantités livrées sont supérieures ou inférieures à la commande.
- La marchandise arrive endommagée – mais seulement lorsque le transport est de la responsabilité du fournisseur.

À moins que le contrat ne stipule le contraire, il est de la responsabilité de l'acheteur d'enlever la marchandise des locaux du fournisseur et de la transporter. C'est le cas lorsque la marchandise est vendue ex usine, départ ou autres termes analogues. L'acheteur est alors responsable de toute perte ou dommage encourus pendant le transport.

Tout comme lors d'un contrat FAB ou CAF, le client est responsable dès que la marchandise a été embarquée sur le navire.

Le client tente d'annuler sa commande en raison de stock suffisant

a) La lettre du client

222

Messieurs,

Le 2 mars dernier, je vous ai commandé 100 raquettes de tennis pour livraison à la fin de ce mois.

Le mauvais temps persistant a sérieusement affecté mes ventes et je me retrouve à présent avec un stock suffisant pour répondre à la demande de la saison en cours. Je vous demande donc d'annuler partiellement ma commande pour ne me livrer que 50 raquettes sur les 100 commandées.

Je regrette de devoir faire cette demande aussi tardivement mais j'espère que vous serez en mesure d'y accéder en raison de notre long et fidèle partenariat. Si les ventes venaient à se redresser, je reprendrai contact avec vous pour obtenir une nouvelle livraison.

Je vous prie de croire, Messieurs, à l'expression de mes sentiments les meilleurs.

b) Le fournisseur accepte d'annuler la commande

Un fournisseur acceptera souvent d'annuler une commande ou de la modifier pour un certain nombre de raisons :

- Le souhait de rendre service à un bon client.
- La faible perte de bénéfices concernée.
- Le maintien du client dans de bonnes dispositions.
- L'existence d'un autre débouché pour la marchandise.
- Le doute quant à la solvabilité du client.
- Le coût des procédures judiciaires.

223

Messieurs,

Nous avons bien reçu votre courrier du 2 mai nous demandant d'annuler partielle-ment la commande que vous nous avez passée le 2 mars pour des raquettes de tennis.

Nous sommes bien sûr déçus que vous ayez à nous faire cette demande. Toutefois, nous essayons toujours d'arranger nos clients fidèles et en l'occurrence nous som-mes disposés à réduire le nombre de raquettes de 100 à 50.

Nous souhaitons que vos ventes se redressent suffisamment pour vous permettre de prendre le solde de votre commande à une date ultérieure.

Espérant avoir bientôt de vos nouvelles à ce sujet, nous vous prions de croire, Messieurs, à l'expression de nos sentiments les meilleurs.

c) Le fournisseur refuse d'annuler la commande

Il arrive parfois que le fournisseur refuse d'annuler la commande pour un certain nombre d'autres raisons :

- Le souci de maintenir une vente.
- Le démarrage de la fabrication de produits qui ne peuvent pas être vendus ailleurs.
- Le refus pour un chef d'entreprise zélé d'abandonner ses droits.

La lettre refusant une annulation doit être rédigée avec soin et respect pour ne pas provoquer de vexation et éloigner le client à tout jamais. Une telle lettre doit montrer que vous comprenez le problème de l'acheteur et expliquer avec tact l'inconvénient que l'annulation créerait pour le fournisseur. Les motifs invoqués doivent être convaincants, sinon le fournisseur risque de perdre la bienveillance du client.

224

Messieurs,

Nous avons bien reçu votre courrier nous demandant d'annuler votre commande du 2 mai pour des raquettes de tennis.

Nous sommes navrés que vous deviez le faire aussi tardivement. Pour être en mesure de satisfaire rapidement les besoins de notre clientèle nous devons passer nos commandes à nos fabricants bien en avance sur la saison. Pour l'estimation des quantités à produire, nous nous fondons essentiellement sur les commandes que nous avons reçues.

Il n'est pas dans nos habitudes de refuser une requête de quelque sorte que ce soit, notamment en provenance de nos fidèles clients. Toutefois, en l'occurrence, nous n'avons malheureusement guère le choix. Toutes les commandes y compris la vôtre ont déjà été fabriquées et attendent la livraison.

J'espère que vous comprendrez les raisons qui nous contraignent à maintenir votre commande. Si seulement nous avions reçu votre annulation plus tôt nous aurions été trop heureux de pouvoir vous aider.

Veuillez croire, Messieurs, à l'expression de notre parfaite considération.

L'annulation d'une commande en raison d'un retard de livraison

225

Messieurs,

Lors de notre commande 8546 en date du 18 août, nous avions insisté sur l'importance d'une livraison au plus tard le 4 octobre.

Depuis, nous vous avons déjà écrit deux fois pour vous rappeler l'importance d'une livraison rapide. Malgré ces précautions, vous ne nous avez pas livré dans les temps et nous n'avons d'autre choix à présent que d'annuler notre commande.

C'est avec regret que nous sommes contraints de prendre cette décision mais dans la mesure où la marchandise devait être expédiée à l'étranger et que le navire sur lequel elle devait embarquer part demain, nous n'avons aucun moyen de l'acheminer jusqu'à notre client à temps pour l'exposition pour laquelle il en avait besoin.

Comme nous en avons déjà informé notre client, nous vous serions reconnaissants de nous accuser réception de cette annulation.

Veuillez croire, Messieurs, à l'expression de nos salutations distinguées.

Check-list

Pour faire une réclamation

❑ Agir rapidement.

❑ Montrer de la retenue dans la rédaction du courrier – le fournisseur peut avoir de bonnes excuses.

❑ Énoncer les faits brièvement, précisément et clairement.

❑ Éviter toute grossièreté.

❑ Suggérer les résultats / mesures escomptés.

Pour traiter une réclamation

❑ Enquêter rapidement sur la réclamation.

❑ Être ferme mais poli et s'efforcer de ne pas offenser face à une réclamation déraisonnable.

❑ Être franc et exprimer des regrets s'il faut se reconnaître fautif.

❑ Expliquer les moyens d'y remédier.

❑ Ne jamais faire retomber la faute sur le personnel.

❑ Rassurer le client sur la qualité des services à venir.

Les formules utiles en français et en anglais

Les lettres de réclamation

Ouvertures

1. La marchandise vous a été commandée le... et nous n'avons toujours pas été livrés.

2. La date de livraison prévue pour la marchandise commandée le... est à présent dépassée depuis longtemps.

3. Nous sommes au regret de vous informer que nous n'avons toujours pas reçu la marchandise commandée le...

4. Nous déplorons qu'une des caisses de votre envoi ait été sérieusement endommagée lors de la livraison le...

5. Lors de l'inspection de la marchandise que vous nous avez expédiée le..., nous avons découvert...

6. Nous avons reçu de nombreuses réclamations de nos clients au sujet des... que vous nous avez livrés le...

---

1. The goods we ordered from you on... have not yet been delivered.

2. Delivery of the goods ordered on... is now considerably overdue.

3. We regret having to report that we have not yet received the goods ordered on...

4. We regret to report that one of the cases of your consignment was badly damaged when delivered on...

5. When we examined the goods despatched by you on... we found that...

6. We have received a number of complaints from several customers regarding the... supplied by you on...

Clôtures

1. Nous vous prions d'enquêter sur cette affaire immédiatement et de nous en tenir informés des raisons du retard.

2. Nous souhaitons que vous nous confirmiez très vite que la marchandise sera expédiée sans tarder.

3. Nous pensons qu'il doit y avoir une bonne raison à ce retard et nous attendons vos explications.

4. Souhaitant que vous nous confirmiez que vous êtes prêts à faire quelques concessions dans cette affaire...

1. Please look into this matter at once and let us know the reason for this delay.

2. We hope to hear from you soon that the goods will be sent immediately.

3. We feel there must be some explanation for this delay and await your prompt reply.

4. We hope to learn that you are prepared to make some allowance in these circumstances.

Les réponses aux réclamations

Ouvertures

1. Nous sommes navrés d'apprendre par votre courrier du... que la marchandise que nous vous avons expédiée conformément à votre commande N°... ne vous était toujours pas parvenue le...

2. Nous sommes désolés que vous ayez eu à subir des retards dans la livraison de...

3. C'est avec regret que nous avons appris que vous n'étiezpas satisfaits de la marchandise qui vous a été livrée conformément à votre commande du...

1. We are concerned to learn from your letter of... that the goods sent under your order number... did not reach you until...

2. We are sorry that you have experienced delays in the delivery of...

3. We note with regret that you are not satisfied with the goods supplied to your order of...

4. Nous vous remercions pour votre lettre du... qui nous a donné l'occasion de rectifier une erreur bien regrettable.

5. Nous vous prions de nous excuser pour la regrettable erreur que vous nous avez signalée dans votre courrier du...

4. Thank you for your letter of... which has given us the opportunity to rectify a most unfortunate mistake.

5. We wish to apologise for the unfortunate mistake pointed out in your letter of...

Clôtures

1. Nous vous assurons que nous faisons tout ce qui est en notre pouvoir pour accélérer la livraison et nous vous prions de nous excuser pour les inconvénients que vous cause ce retard.

2. Nous souhaitons que l'arrangement prévu vous satisfasse.

3. Nous pensons que ces arrangements vous conviendront et nous espérons avoir l'occasion de vous servir de nouveau à l'avenir.

4. Nous regrettons le désagrément que vous a causé cette situation.

5. Nous vous réitérons nos excuses pour cette malheureuse erreur et nous nous engageons à ce qu'un tel incident ne se reproduise plus.

1. We assure you that we are doing all we can to speed delivery and offer our apologies for the inconvenience this delay is causing you.

2. We hope you will be satisfied with the arrangements we have made.

3. We trust these arrangements will be satisfactory and look forward to receiving your future orders.

4. We regret the inconvenience which has been caused in this matter.

5. We apologise once again for the unfortunate mistake and can assure you that a similar incident will not occur again.

11

Les crédits et les enquêtes de solvabilité

Les raisons du crédit

Les inconvénients du crédit

Les demandes de crédit fournisseur

Les références professionnelles

Les enquêtes de solvabilité

Les réponses aux enquêtes de solvabilité

Les formules utiles en français et en anglais

Les raisons du crédit

C'est principalement pour des raisons pratiques qu'on achète à crédit. Somme toute, on peut ainsi « acheter aujourd'hui et payer plus tard ».

- Le crédit permet au détaillant de détenir des stocks et de les payer avec le produit de ses ventes ultérieures. Ce qui accroît le fonds de roulement et contribue ainsi à financer l'activité.
- Le crédit permet au consommateur d'avoir la jouissance d'un bien avant d'avoir économisé l'argent nécessaire à son paiement.
- Le crédit évite les inconvénients des paiements successifs à chaque achat.

La principale raison de vendre à crédit est d'accroître les profits.

La vente à crédit non seulement attire les nouveaux clients mais fidélise également les anciens, car ceux qui sont en compte ont tendance à faire leurs achats là où ils ont leur compte, alors que les clients au comptant sont libres d'aller faire leurs achats n'importe où.

Les inconvénients du crédit

Le crédit a, toutefois, un certain nombre d'inconvénients aussi bien pour le fournisseur que pour le client :

- Il renchérit le coût de l'activité dans la mesure où il implique un travail supplémentaire pour la tenue des comptes et le recouvrement des paiements.
- Il expose le fournisseur aux risques d'impayés.
- L'acheteur acquitte un prix plus élevé puisque le fournisseur doit augmenter ses prix pour couvrir ses coûts supplémentaires.

Les demandes de crédit fournisseur

Le client qui achète régulièrement au même fournisseur souhaitera généralement éviter l'inconvénient d'avoir à régler chaque transaction individuellement et il demandera « l'ouverture d'un compte » grâce auquel il s'acquittera de ses achats mensuellement ou trimestriellement ou à toute autre fréquence convenue avec le fournisseur.

En d'autres termes, la marchandise est alors fournie à crédit.

Le client demande l'ouverture d'un compte

a) La demande

226

Messieurs,

Nous avons été satisfaits de la façon dont vous avez traité nos commandes par le passé et comme notre activité est en plein développement nous pensons vous en passer de plus importantes à l'avenir.

Nos relations datent à présent de près de deux ans et nous souhaiterions que vous nous ouvriez un compte prévoyant par exemple des règlements trimestriels. Cet accord nous éviterait l'inconvénient d'avoir à régler chaque achat sur facture.

À votre demande, nous pouvons vous fournir des références bancaires et professionnelles.

Espérant recevoir prochainement une réponse favorable de votre part, nous vous prions de croire, Messieurs, à l'assurance de nos sentiments les meilleurs.

b) La réponse

227

Messieurs,

Nous vous remercions de votre courrier du 18 novembre nous demandant de passer d'un paiement sur facture à une ouverture de compte.

Comme nos relations ces deux dernières années ont été pleinement satisfaisantes, nous sommes tout à fait disposés à faire ce changement sur la base d'un règlement à 90 jours. Dans votre cas, aucune référence ne sera nécessaire.

Nous sommes heureux d'apprendre que vous avez été satisfait de la qualité de nos services et nous nous réjouissons que le développement de votre activité vous conduise à passer des commandes plus importantes. Vous pouvez compter sur nous pour vous assurer à l'avenir la même qualité de service que par le passé.

Veuillez croire, Messieurs, à l'assurance de notre parfaite considération.

Le client demande un report d'échéance

a) Problème de trésorerie

228

Messieurs,

Nous sommes navrés que vous ayez eu à nous rappeler que nous n'avions pas effectué notre règlement dû au 30 octobre dernier.

Nous avions l'intention de régler cette somme avant mais, en raison des difficultés que connaît le marché, nos clients eux-mêmes n'ont pas honoré leurs engagements aussi rapidement que d'habitude. Ce qui a eu un impact négatif sur notre trésorerie.

Des revenus de placements attendus dans les prochaines semaines nous permettront de régler votre facture avant la fin du mois prochain. Nous vous serions reconnaissants de bien vouloir accepter le chèque de 2 000 € joint en guise d'acompte, le solde devant vous parvenir au plus tôt.

Veuillez croire, Messieurs, à l'expression de nos salutations distinguées.

b) Restrictions de crédit et mauvaises affaires

229

Messieurs,

Relevé du mois d'août 20..

Nous venons de recevoir votre courrier du 8 octobre nous demandant le règlement de la somme de 16 860 € qui vous reste due.

Nous sommes désolés de n'avoir pu régler cette somme avec notre ponctualité habituelle mais nous avons rencontré un certain nombre de difficultés liées à la mauvaise conjoncture économique et aux restrictions actuelles des crédits bancaires. Cette situation est purement ponctuelle car les règlements d'un certain nombre de contrats achevés récemment doivent nous parvenir en tout début d'année.

Nos ressources sont tout à fait suffisantes pour nous permettre de faire face à tous nos engagements, mais comme vous devez le comprendre nous ne souhaitons pas réaliser nos actifs en ce moment. Nous vous serions donc reconnaissants de nous accorder un report d'échéance de trois mois, date à laquelle nous serons en mesure d'effectuer un règlement intégral.

Veuillez croire, Messieurs, à l'expression de nos sentiments les meilleurs.

Le client demande un report d'échéance en raison de la faillite d'un de ses clients

a) La lettre au fournisseur

230

Messieurs,

L'introduction donne des détails sur le contexte

Nous avons reçu et vérifié votre relevé du trimestre échu au 30 septembre et nous sommes d'accord sur le solde de 7 857,20 € qui y figure.

Mention de la ponctualité passée et détails sur la situation actuelle

Jusqu'ici, nous n'avons eu aucun mal à faire face à nos engagements et avons toujours réglé vos factures avec ponctualité. Nous aurions dû pouvoir le faire cette fois encore si nous n'avions pas subi la faillite d'un gros client dont les affaires ne semblent pas devoir se régler avant un certain temps.

Demande de report pleine de tact

Nous vous serions extrêmement obligés si vous nous permettiez de différer le paiement de votre relevé en cours jusqu'à la fin du mois prochain. Ce qui nous permettrait de nous sortir d'une situation momentanément difficile en raison d'événements imprévisibles bien indépendants de notre volonté.

Assurance finale d'un paiement rapide

Au cours des semaines qui viennent nous attendons des règlements d'un certain nombre de contrats importants. Si vous acceptiez notre requête, nous n'aurions aucun mal à assurer le règlement intégral le moment venu.

Si vous souhaitez que nous en parlions, n'hésitez pas à me contacter. Veuillez croire, Messieurs, à l'assurance de ma parfaite considération.

b) La demande est accordée

231

Messieurs,

Évoquer la lettre et la demande du client

Nous vous remercions pour votre courrier du 10 octobre dans lequel vous nous demandez un report d'échéance pour la somme due sur notre relevé au 30 septembre.

Donner les raisons de l'accord

En raison de la ponctualité avec laquelle vous avez toujours payé vos factures par le passé, nous sommes d'accord pour vous autorisez ce report dans ces circonstances particulières.

Fixer une date limite pour le paiement intégral de la somme

Nous souhaiterions recevoir votre chèque correspondant au règlement intégral du relevé d'ici le 30 novembre.

Veuillez croire, Messieurs, à l'expression de nos salutations distinguées.

c) La demande est refusée

232

Évoquer la lettre et la demande du client

Une rédaction pleine de tact est nécessaire en cas de refus

Exprimer le regret de devoir demander un paiement immédiat

Messieurs,

Je suis désolé d'apprendre par votre courrier du 10 octobre les difficultés auxquelles vous êtes confrontés en raison de la faillite d'un de vos gros clients.

J'aurai voulu pouvoir vous dire tout de suite que nous comprenons votre souhait de différer votre paiement et être en mesure de vous aider. Malheureusement cela ne sera pas possible en raison de nos propres engagements d'ici la fin du mois.

Votre demande est loin d'être déraisonnable et si cela nous avait été possible nous aurions été trop heureux d'y répondre favorablement. Cependant, dans les circonstances actuelles, nous devons vous demander de nous régler cette somme dans les délais initialement prévus.

Nous vous prions de croire, Messieurs, à l'assurance de notre parfaite considération.

Les références professionnelles

Lorsque la marchandise est vendue au comptant, il n'est pas nécessaire pour le fournisseur de s'enquérir de la situation financière de l'acheteur.

Lorsqu'elle est vendue à crédit, toutefois, la capacité à payer devient importante.

Avant de faire crédit à l'acheteur, le fournisseur voudra connaître sa réputation, l'importance de son activité et surtout s'il paie rapidement ses factures. C'est sur la base de ces informations qu'il va décider de lui faire ou non crédit et pour quel montant.

Ces renseignements peuvent être obtenus par :
- Les références professionnelles fournies par le client.
- Le banquier du client.
- Les différentes associations professionnelles.
- Les agences de renseignements commerciaux.

Lorsqu'un client passe une commande à un nouveau fournisseur, il est d'usage qu'il lui fournisse des références professionnelles, c'est-à-dire le nom de personnes ou de sociétés auxquelles le fournisseur peut s'adresser pour obtenir des renseignements. Sinon, ou en plus, le client peut communiquer le nom et l'adresse de son banquier.

Ces références, lorsqu'elles sont fournies par les clients eux-mêmes, sont sujettes à caution car bien évidemment seuls ceux qui sont susceptibles de donner des renseignements favorables seront cités comme références. Même une référence bancaire peut être trompeuse – un client peut très bien être titulaire d'un compte bancaire satisfaisant et avoir des pratiques professionnelles peu avouables.

Le fournisseur demande des références

Lorsqu'un nouveau client passe une commande sans fournir de références, le fournisseur va naturellement vouloir une preuve de sa solvabilité surtout lorsque la commande est importante. La lettre de demande de renseignements émanant du fournisseur doit bien veiller à ne pas insinuer que le client n'est pas digne de foi.

233

Messieurs,

Nous vous remercions de la première commande que vous nous avez passée le 19 mai dernier.

Il est d'usage dans notre entreprise lors de l'ouverture de nouveaux comptes de demander leurs références professionnelles à nos clients. Voudriez-vous donc avoir l'amabilité de nous communiquer le nom et l'adresse de deux autres fournisseurs avec lesquels vous êtes en affaires.

Nous espérons recevoir cette information par retour de courrier. Entre-temps votre commande a été confiée au service expédition pour envoi immédiat dès que nous aurons reçu de vos nouvelles.

Veuillez croire, Messieurs, en l'assurance de notre parfaite considération.

Le fournisseur demande au client de remplir un formulaire de demande de crédit

a) La lettre du fournisseur

234

Messieurs,

Nous vous remercions de votre commande N° 526 du 15 juin pour des couvre-lits et des taies d'oreiller.

Comme votre nom ne figure pas encore dans nos livres et que nous souhaiterions que vous puissiez bénéficier de nos conditions de paiement habituelles, nous vous adressons ci-joint notre formulaire de demande de crédit que nous vous demandons de remplir et de nous retourner dès que possible.

Nous serons en mesure de vous livrer votre commande sous quinzaine et nous espérons avoir le plaisir de vous servir de nouveau à l'avenir.

Souhaitant que cette première transaction marque le début d'une relation professionnelle agréable, nous vous prions de croire, Messieurs, en l'assurance de nos sentiments dévoués.

b) Le client retourne le formulaire de demande de crédit dûment rempli

235

Messieurs,

Nous vous remercions pour votre courrier du 18 juin. Comme nous avons l'intention de vous passer d'autres commandes, c'est bien volontiers que nous acceptons votre offre de facilités de paiement.

Nous comprenons fort bien que vous ayez besoin de références et vous trouverez donc joint le formulaire dûment rempli vous communiquant les renseignements demandés.

Dans l'attente de la livraison de notre première commande, nous nous réjouissons à la perspective de nos transactions à venir.

Veuillez croire, Messieurs, à l'assurance de notre parfaite considération.

Le client communique ses références professionnelles

236

Messieurs,

Nous vous remercions pour le catalogue et les tarifs que nous avons reçus au début du mois.

Nous avons le plaisir de vous adresser notre première commande N° ST 6868 pour 4 micro-ordinateurs portables de marque Compaq au prix tarif de 12 500 euros moins votre remise de 25 % habituelle sur relevé mensuel.

Ces appareils sont attendus d'urgence pour livraison à nos clients et comme il semble que vous ayez ces ordinateurs en stock, nous vous serions reconnaissants de faire le nécessaire pour qu'ils nous parviennent avant la fin de la semaine prochaine. J'espère que cela vous laissera le temps de prendre des renseignements auprès des sociétés suivantes avec lesquelles nous sommes en affaires depuis de nombreuses années.

  Berrebi et compagnie, 8, quai de l'Horloge à Lille
  La Maison des Atlas, Passage du Siècle à Bordeaux

Souhaitant poursuivre notre relation avec vous à l'avenir, nous vous prions de croire, Messieurs, à l'expression de nos salutations distinguées.

Le client fournit une référence bancaire

237

Messieurs,

Vous trouverez ci-joint notre chèque de 25 130 euros correspondant au règlement intégral de votre facture N° 826 pour les magnétophones fournis en début de mois.

Ma direction a quelques raisons de penser que ces produits devraient connaître un franc succès dans notre région. Comme nous envisageons de vous passer des commandes de temps en temps, nous vous serions reconnaissants de nous ouvrir un compte prévoyant un relevé trimestriel.

Pour toute information concernant notre solvabilité, vous pouvez vous adresser à la BNP, Place de la Gare à Arcachon.

Veuillez croire, Messieurs, à l'assurance de notre parfaite considération.

Les enquêtes de solvabilité

Les lettres demandant des références professionnelles sont rédigées en termes courtois. Elles suivent généralement un plan en quatre points :

- Elles donnent des informations sur le contexte de la relation avec le client.
- Elles demandent des informations sur la situation financière du prospect et un jugement sur l'opportunité d'accorder un crédit pour une durée précisée.
- Elles garantissent que l'information sera traitée de façon confidentielle.
- Elles sont accompagnées d'une enveloppe réponse timbrée ou d'un coupon réponse international si le correspondant réside à l'étranger.

Certaines grandes entreprises réalisent leurs enquêtes au moyen d'un formulaire spécial comportant les questions pour lesquelles elles souhaitent obtenir des réponses.

L'utilisation de ces questionnaires rend la démarche plus facile pour les sociétés contactées et permet de s'assurer de réponses rapides.

Lorsque le fournisseur reçoit les informations demandées, il est de bon usage d'y répondre par une lettre appropriée en guise d'accusé de réception et de remerciements.

Les lettres prenant des renseignements devraient être adressées à un responsable ayant de l'ancienneté dans l'entreprise et porter la mention Confidentiel.

Le fournisseur prend des renseignements auprès de la profession

a) Exemple 1

238

Messieurs,

Les établissements Kern à Strasbourg nous demandent de leur ouvrir un compte et nous ont donné votre nom comme référence.

Nous vous serions reconnaissants de nous faire connaître votre sentiment sur la situation générale de ces établissements et sur l'opportunité de leur accorder un crédit pouvant aller jusqu'à 10 000 €. Nous aimerions également savoir s'ils règlent leurs factures rapidement.

Vous pouvez compter sur nous, bien sûr, pour traiter de façon strictement confidentielle toute information que vous nous communiquerez.

Vous trouverez ci-joint une enveloppe timbrée pour nous adresser votre réponse.

Veuillez croire, Messieurs, à l'assurance de notre parfaite considération.

b) Exemple 2

239

Messieurs,

Nous avons reçu des établissements Dupont et Fils une demande d'ouverture de compte pour la livraison de nos produits. Ils nous ont informés qu'ils étaient en relations d'affaires avec vous au cours des deux dernières années et nous ont communiqué votre nom comme référence.

Nous vous serions reconnaissants de nous dire sous le sceau du secret si cette entreprise s'est montrée totalement fiable dans ses relations avec vous et si elle règle ses factures avec ponctualité.

D'après ce que nous avons compris, son volant d'affaires avec nous pourrait tourner autour de 20 000 € par trimestre, et nous aimerions savoir si vous pensez qu'elle sera en mesure de tenir des engagements de ce niveau. Nous vous serions reconnaissants de toute information que vous pourriez nous communiquer.

Nous avons joint un coupon international pour votre réponse qui sera traitée de façon strictement confidentielle.

Veuillez croire, Messieurs, à l'assurance de notre parfaite considération.

Le fournisseur demande à son banquier de prendre des renseignements bancaires

En raison du caractère hautement confidentiel des relations entre un banquier et son client, généralement un banquier ne répond pas directement aux demandes de renseignements privées sur la situation de son client. Par contre, cette information est d'habitude communiquée bien volontiers à des homologues banquiers. Aussi en prenant des renseignements, le fournisseur doit-il passer par sa propre banque.

240

Madame / Monsieur,

La compagnie d'Ingénierie Nouvelle à Niamey nous a demandé de bénéficier d'un crédit permanent de 50 000 €. Toutefois, nous ne connaissons cette entreprise que depuis quelques mois, pendant lesquels nous avons fonctionné sur la base d'un règlement sur facture. Nous aimerions donc avoir des informations sur sa situation avant d'accéder à sa demande.

La seule référence qu'elle nous ait donnée est celle de son banquier, la Banque nationale du Niger à Niamey. Nous vous serions particulièrement reconnaissants de toute information que vous pourriez nous communiquer.

Veuillez croire, Madame / Monsieur, à l'assurance de nos sentiments les meilleurs.

241

Dear Sir / Madam

The Colston Engineering Co Ltd in Oyo have asked for a standing credit of £5,000 but as our knowledge of this company is limited to a few months trading on a cash-on-invoice basis, we should like some information about their financial standing before dealing with their request.

The only reference they give us is that of their bankers – the National Bank of Nigeria, Ibadan. We shall be most grateful for any information you can let us have.

Yours faithfully

Le fournisseur s'adresse à une agence de renseignements commerciaux

Un fournisseur qui souhaite obtenir des renseignements auprès d'une source indépendante s'adressera soit à une association professionnelle, soit à l'une des nombreuses agences de renseignements commerciaux.

Ces agences ont pour activité de communiquer des renseignements sur la situation financière des sociétés de négoce, des professionnels et des particuliers. Elles détiennent une base d'informations remarquable qui est actualisée à partir d'un certain nombre de sources, notamment auprès de leurs propres agents locaux. Si l'information recherchée n'est pas immédiatement disponible dans leur base, elles lancent alors une enquête et sont généralement en mesure de se la procurer en quelques jours.

242

Messieurs,

Les établissements Pêcheur à Douarnenez nous ont demandé de leur ouvrir un compte pour la fourniture de marchandise d'une valeur de 17 500 euros.

Nous n'avons aucune information sur cette entreprise mais elle nous ouvre des perspectives de commandes encore plus importantes à l'avenir et nous aimerions pouvoir accéder à sa demande pour cette première commande s'il n'y a pas de risque à le faire.

Pourriez-vous nous adresser un compte rendu sur la réputation et la situation financière de cette entreprise et notamment votre sentiment sur l'opportunité de lui faire crédit dès cette première commande ? Nous vous serions également reconnaissants de nous donner votre avis sur le montant maximum de crédit qu'il serait raisonnable de lui accorder trimestriellement.

Veuillez croire, Messieurs, à l'assurance de notre parfaite considération.

Les réponses aux demandes d'enquêtes de solvabilité

Lorsque les renseignements sur l'entreprise sont bons, la réponse ne pose aucun problème. Par contre, si la solvabilité de l'entreprise est douteuse, la réponse exige le plus grand soin. Il est de pratique courante de faire des réponses dans lesquelles le destinataire doit « lire entre les lignes », c'est-à-dire qu'il doit trouver par lui-même ce qu'elles signifient au lieu de se voir asséné des commentaires désobligeants.

Les réponses aux demandes d'enquêtes de solvabilité doivent porter la mention Confidentiel et suivre le plan en quatre points suivant :

1. Accuser réception de la demande et donner des précisions sur le contexte.
2. Énoncer les faits et exprimer honnêtement son opinion.
3. Souhaiter que l'information fournie se révélera utile.
4. Rappeler discrètement que l'information est confidentielle et qu'aucune responsabilité la concernant ne sera acceptée.

Le négociant répond à une demande de renseignements de solvabilité

a) Réponse favorable faisant suite à 238

243

Messieurs,

Nous vous remercions pour votre courrier du 25 mai.
Nous avons le plaisir de vous informer que cette entreprise est petite mais bien connue et fort respectable. Elle s'est établie dans notre ville il y a plus de vingt-cinq ans.

Nous sommes en relations d'affaires avec elle depuis sept ans et nous avons depuis fonctionné sur la base d'un relevé trimestriel. Bien qu'elle n'ait généralement pas profité des remises pour paiement comptant, elle règle ses factures avec ponctualité à l'échéance. Le crédit que nous lui avons accordé a parfois dépassé de loin la somme de 10 000 € que vous mentionnez.

Souhaitant que cette information vous soit utile et qu'elle soit traitée confidentiellement, nous vous prions de croire, Messieurs, à l'expression de nos salutations distinguées.

b) Réponse défavorable faisant suite à 239

244

Messieurs,

L'entreprise citée dans votre courrier du 25 mai nous a régulièrement passé des commandes depuis quelques années. Nous pensons qu'il s'agit d'une société digne de foi et fiable, mais nous devons dire qu'elle n'a pas toujours réglé ses factures à la date prévue.

Son compte chez nous fonctionne sur la base d'un relevé trimestriel mais nous ne l'avons jamais laissé atteindre la somme que vous mentionnez. La situation nous semble nécessiter des précautions.

Nous sommes heureux de pouvoir vous aider en la matière mais nous vous demandons de traiter cette information de façon strictement confidentielle.

Veuillez croire, Messieurs, à l'expression de nos salutations distinguées.

La réponse du banquier à une demande d'enquête de solvabilité

a) Réponse favorable faisant suite à 240

245

Messieurs,

Nous avons reçu de la Banque nationale du Niger l'information demandée par votre courrier du 18 septembre.

L'entreprise que vous mentionnez est une SARL fondée voici quinze ans et gérée comme une entreprise familiale par trois frères. Elle jouit d'une bonne réputation. Notre information révèle qu'elle tient ses engagements avec ponctualité et un crédit pour la somme que vous indiquez semble sans risque.

Cette information est strictement confidentielle et n'engage pas notre responsabilité.

Veuillez croire, Messieurs, à l'expression de nos salutations distinguées.

b) Réponse défavorable faisant suite à 240

246

Messieurs,

Nous avons reçu l'information de la Banque nationale du Niger concernant la société mentionnée dans votre courrier du 18 septembre.

C'est une SARL gérée comme une entreprise familiale et de petite envergure.

Les autres informations recueillies nous incitent à vous recommander la prudence en l'occurrence. Vous traiterez bien sûr cette information de façon strictement confidentielle.

Veuillez croire, Messieurs, à l'expression de nos salutations distinguées.

247

Dear

We have received information from the National Bank of Nigeria concerning the company mentioned in your letter of 18 September.

This is a private company run as a family concern and operating on a small scale. More detailed information we have received suggests that this is a case in which we would advise caution. You will of course treat this advice as strictly confidential.

Yours sincerely

La réponse de l'agence à une enquête de solvabilité

a) Réponse favorable faisant suite à 242

248

Accuser réception de la lettre et donner les premiers détails

Accompagner les détails concernant la situation financière de jugements personnels

Faire des recommandations sur le montant de crédit

Messieurs,

Nous vous remercions de votre courrier du 10 février.
Nous avons terminé notre enquête concernant l'entreprise Pêcheur à Douarnenez et nous avons le plaisir de conclure favorablement.

C'est une société solide et de bonne réputation. Elle a quatre actionnaires et le capital est estimé à environ 1 million d'euros. C'est une belle affaire et elle est considérée comme l'une des plus fiables de Douarnenez.

D'après les informations recueillies, nous pensons que vous ne devez pas hésiter à accorder le crédit initial de 17 500 euros qu'elle vous demande. Sur la base d'un règlement trimestriel, vous pourriez facilement aller jusqu'à 50 000 €.

Veuillez croire, Messieurs, à l'expression de nos salutations distinguées.

b) Réponse défavorable faisant suite à 242

249

Accuser réception du courrier et inviter à la prudence

Donner des détails sur la connaissance de la société

Citer les faits connus

Rappeler que l'information est confidentielle

Messieurs,

Nous avons terminé notre enquête sur l'entreprise Pêcheur selon votre demande du 10 février. Malheureusement, nous devons vous inviter à la prudence devant leur demande de crédit.

Il y a environ un an de cela, une action en justice a été menée contre cette société par l'un de ses fournisseurs afin de recouvrer les sommes qui lui étaient dues, qu'il a pu toutefois récupérer intégralement.

Notre enquête ne révèle rien qui puisse faire dire que la société n'est pas correcte. Au contraire, il semblerait que ses difficultés soient dues à une mauvaise gestion et notamment à une suractivité. De sorte que la plupart des fournisseurs soit lui accordent un crédit très court pour des sommes limitées soit font des livraisons prévoyant un paiement au comptant.

Cette information est bien sûr strictement confidentielle.

Veuillez croire, Messieurs, à l'expression de nos salutations distinguées.

Les formules utiles en français et en anglais

Les demandes de références des fournisseurs

Ouvertures	
1. Nous vous remercions de votre courrier du… Sous réserve de références satisfaisantes, nous aurons le plaisir de vous ouvrir un compte conformément à votre demande.	1. Thank you for your letter of… Subject to satisfactory references we shall be glad to provide the open account facilities requested.
2. Nous vous remercions de votre commande du… Si vous voulez bien nous fournir les références professionnelles habituelles, nous nous ferons un plaisir d'envisager l'ouverture d'un compte à votre nom.	2. We were pleased to receive your order dated… If you will kindly supply the usual trade references, we will be glad to consider open-account terms.

Clôtures	
1. Nous reprendrons contact avec vous dès réception des références demandées.	1. We will be in touch with you as soon as references are received.
2. Nous avons l'habitude de demander des références aux nouveaux clients. Nous espérons recevoir les vôtres rapidement.	2. It is our usual practice to request references from new customers, and we hope to receive these soon.

Les clients communiquent leurs références

Ouvertures

1. Nous vous remercions pour votre courrier du…
en réponse à notre demande d'ouverture de compte.

2. Vous trouverez en retour votre formulaire de demande de crédit dûment rempli.

1. Thank you for your letter of…
in reply to our request for open-account terms.

2. We have completed and return your credit application form.

Clôtures

1. Les sociétés dont les noms figurent ci-dessous se feront un plaisir de répondre à vos questions.

2. Pour obtenir les renseignements que vous souhaitez, vous pouvez vous adresser à nos banquiers qui sont…

1. The following firms will be pleased to answer your enquiries…

2. For the information required please refer to our bankers, who are…

Les fournisseurs prennent des renseignements

Ouvertures

1. La société… de…
nous a indiqué votre nom
comme référence dans
le cadre de sa demande
d'ouverture de crédit auprès de
notre entreprise.

1. … of … has supplied your
name as a reference in
connection with his (her,
their) application for open-
account terms.

2. Nous venons de recevoir une
importante commande de la
société…
et nous vous serions
reconnaissants de nous fournir
des informations concernant sa
solvabilité.

2. We have received a large
order from…
and should be grateful for
any information you can
provide regarding their
reliability.

3. Nous vous serions
reconnaissants de
nous communiquer des
renseignements fiables sur…

3. We should be grateful if
you would obtain reliable
information for us concerning
…

Clôtures

1. Nous vous saurions gré
de nous communiquer
toute information que vous
possédez.

1. Any information you can
provide will be appreciated.

2. Toute information que vous
nous communiquerez sera
traitée de façon strictement
confidentielle.

2. Any information provided
will be treated in strictest
confidence.

3. Nous vous remercions par
avance de toute aide que vous
pourriez nous apporter.

3. Please accept our thanks in
advance for any help you can
give us.

Réponses concernant les renseignements pris

Ouvertures

1. Nous avons le plaisir de vous donner des renseignements favorables sur...

1. We welcome the opportunity to report favourably on...

2. En réponse à votre courrier du..., nous sommes en mesure de vous recommander sans réserve la société que vous mentionnez.

2. In reply to your letter of... we can thoroughly recommend the firm you mention.

3. La société que vous mentionnez dans votre lettre du... ne nous est pas très connue.

3. The firm mentioned in your letter of... is not well known to us.

Clôtures

1. Cette information vous est transmise sous réserve expresse qu'elle soit traitée de façon confidentielle.

1. This information is given on the clear understanding that it will be treated confidentially.

2. Nous n'hésiterions pas à accorder à cette société un crédit à hauteur de... euros.

2. We would not hesitate granting this company credit up to £...

3. Cette information vous est communiquée sous le sceau du secret et n'engage en rien notre responsabilité.

3. This information is given to you in confidence and without any responsibility on our part.

12

Le déroulement d'une transaction type (lettres et documents)

La demande de prix

La proposition de prix du fournisseur

La demande d'autorisation de citer la société en référence

La permission accordée

La commande

L'accusé de réception du fournisseur

La notification

Le bordereau d'expédition

Le bon de livraison

La facture

La note de débit et l'avoir

Le relevé de compte

Le règlement

Le reçu

Les lettres du type de celles étudiées dans cette partie sont quotidiennes en affaires.

Ce chapitre illustre leur utilisation dans le déroulement d'une transaction type sur le marché national.

Les établissements Dubois et fils ont ouvert récemment un magasin d'électroménager à Marseille et passent une commande à la société Fournitures Electriques de Lille pour la livraison de marchandises à crédit.

La transaction débute par une demande de prix et de conditions de crédit de la part des établissements Dubois.

La demande de prix

Dubois et fils
36, boulevard de la Corniche
13008 Marseille
Tél. 04 91 23 45 67

BD/ST

Monsieur Henri Thomas
Fournitures Electriques
1, boulevard du Palais
59000 Lille

Le 15 novembre 20..

Cher Monsieur,

Nous venons d'ouvrir un magasin d'électroménager à l'adresse ci-dessus et nous avons déjà reçu un certain nombre de demandes pour les articles listés ci-dessous que nous n'avons pas encore en stock :

- Bouilloires électriques Prestige de 2 litres
- Couvertures chauffantes Dorma, pour lit une place
- Grille-pains électriques Matinales
- Pendules de cuisine Versailles.

Lors de notre communication téléphonique de ce matin, vous m'avez indiqué que tous ces articles étaient en stock, permettant une livraison immédiate.

Veuillez nous adresser vos tarifs et vos conditions pour un règlement dans les deux mois suivant la date de facture. Si les prix et les conditions nous conviennent, nous vous passerons une commande de 10 exemplaires de chaque article.

Comme la commande est urgente, je vous serais reconnaissant de nous répondre rapidement.

Veuillez croire, Cher Monsieur, à l'expression de nos salutations distinguées.

Bernard Dubois
Directeur

G WOOD & SONS
36 Castle Street
Bristol BSI 2BQ
Telephone 0117 9354967

GW/ST

15 November 20—

Mr Henry Thomas
Electrical Supplies Ltd
29–31 Broad Street
Birmingham
BI 2HE

Dear Mr Thomas

We have recently opened an electrical goods store at the above address and have received a number of enquiries for the following domestic appliances of which at present we do not hold stocks :

Swanson Electric Kettles, 2 litre
Cosiwarm Electric Blankets, single-bed size
Regency Electric Toasters
Marlborough Kitchen Wall Clocks

When I phoned you this morning you informed me that all these items are available in stock for immediate delivery.

Please let me have your prices and terms for payment 2 months from date of invoicing. If prices and terms are satisfactory, we would place with you a first order for 10 of each of these items.

The matter is of some urgency and I would appreciate an early reply.

Yours faithfully

GORDON WOOD
Manager

La proposition de prix du fournisseur

252

Fournitures Electriques
1, boulevard du Palais
59000 Lille
Tél. 03 20 67 89 00

HT/JH

Monsieur Bernard Dubois
Dubois et Fils
36, boulevard de la Corniche
13008 Marseille

Le 17 novembre 20..

Cher Monsieur,
Proposition de prix N° E542

Nous vous remercions de votre demande de prix du 15 novembre. Vous trouverez ci-dessous notre meilleure offre :

Bouilloires électriques Prestige de 2 litres	25 € pièce
Couvertures chauffantes Dorma, pour lit une place	24 € pièce
Grille pains électriques Matinales	25 € pièce
Pendules de cuisine Versailles	27 € pièce

Il s'agit là de nos prix catalogues sur lesquels nous pouvons vous consentir une remise de 33,33 %. Ces tarifs comprennent le transport et la livraison jusque dans vos locaux.

Nous avons pour pratique habituelle de demander à tous nos nouveaux clients de nous fournir des références professionnelles. Aussi nous vous serions reconnaissants de nous communiquer le nom et l'adresse de deux fournisseurs avec lesquels vous travaillez régulièrement. Dès réception de ces renseignements favorables, nous aurons le plaisir de vous livrer la marchandise et de vous octroyer le règlement à 60 jours que vous nous demandez.

Comme vous pourriez être également intéressé par certains de nos autres produits, nous vous adressons des exemplaires de notre catalogue actuel accompagnés de nos tarifs.

Me réjouissant à la perspective de notre future collaboration, je vous prie de croire, Cher Monsieur, à l'assurance de ma parfaite considération.

Henri Thomas
Responsable des ventes

PJ

ELECTRICAL SUPPLIES LTD
29–31 Broad Street
Birmingham B1 2HE
Tel: 0121–542 6614

HT/JH

17 November 20—

Mr Gordon Wood
Messrs G Wood & Sons
36 Castle Street
Bristol
BS1 2BQ

Dear Mr Wood

QUOTATION NUMBER E542

Thank you for your enquiry of 15 November. I am pleased to quote as follows:

	£
Swanson Electric Kettles, 2 litre	25.00 each
Cosiwarm Electric Blankets, single-bed size	24.50 each
Regency Electric Toasters	25.50 each
Marlborough Kitchen Wall Clocks	27.50 each

The above are current catalogue prices from which we would allow you a trade discount of 33 1/3 %. Prices include packing and delivery to your premises.

It is our usual practice to ask all new customers for trade references. Please let us have the names and addresses of two suppliers with whom you have had regular dealings. Subject to satisfactory replies, we shall be glad to supply the goods and to allow you the 2 months credit requested.

As there may be other items in which you are interested, I enclose copies of our current catalogue and price list.

I look forward to the opportunity of doing business with you.
Yours sincerely

HENRY THOMAS
Sales Manager

La demande d'autorisation de citer la société en référence

Un acheteur doit obtenir l'autorisation des fournisseurs pour citer leur nom comme référence. Cela peut se faire oralement en cas d'urgence, sinon l'acheteur doit en faire la demande par écrit. Dans l'exemple ci-dessous, un courrier a été adressé à Monsieur Guillaume, Espace Sud, 84000 Avignon ainsi qu'au destinataire de la lettre suivante.

254

Dubois et Fils
36, boulevard de la Corniche
13008 Marseille
Tél. 04 91 23 45 67

BD/ST

Monsieur Robert Jean
Entreprise Jean
10, quai des Charrons
33000 Bordeaux

Le 19 novembre 20..

Cher Robert,

Je voudrais passer une commande à Fournitures Electriques à Lille et en obtenir des facilités de paiement. Comme il s'agira d'une première commande, ils m'ont demandé de leur fournir des références professionnelles.

J'ai été un client fidèle chez vous depuis quatre ans et je vous serais reconnaissant de m'accorder l'autorisation de citer le nom de votre société parmi mes références.

Je souhaite vivement que vous acceptiez et j'espère avoir bientôt de vos nouvelles.

Bernard Dubois

Directeur

La permission accordée

Entreprise Jean
10, quai des Charrons
33000 Bordeaux
Tél. 05 56 08 89 00

RJ/KI

Monsieur Bernard Dubois
Dubois et Fils
36, boulevard de la Corniche
13008 Marseille

Le 22 novembre 20..

Cher Bernard,

Je vous remercie de votre courrier du 19 novembre dernier me demandant l'autorisation d'utiliser notre nom comme référence dans le cadre de vos relations avec Fournitures Electriques.

Tout au long de ces années où nous avons été en affaires, vous vous êtes toujours montré un client sérieux. Et si vos fournisseurs décidaient de me contacter comme référence, je serai trop heureux d'appuyer votre demande de crédit.

Veuillez croire, cher Bernard, à l'expression de mes sentiments les meilleurs.

Robert Jean
Contrôleur de gestion

La commande

a) La lettre d'accompagnement

256

Dubois et Fils
36, boulevard de la Corniche
13008 Marseille
Tél. 04 91 23 45 67

BD/ST

Monsieur Henri Thomas
Fournitures Electriques
1, boulevard du Palais
59000 Lille

Le 24 novembre 20..

Cher Monsieur,

Commande N° 3241

Nous vous remercions pour votre courrier du 17 novembre contenant votre proposition de prix pour des articles d'électroménager ainsi que vos catalogues et tarifs.

Nous avons été en relations d'affaires constante avec les fournisseurs suivants au cours des quatre ou cinq dernières années. Ils se feront un plaisir de vous donner les renseignements nécessaires.

    Entreprise Jean, 10 quai des Charrons, 33000 Bordeaux
    Société Guillaume, Espace Sud, 84000 Avignon

Vous trouverez joint notre bon de commande N° 3241 correspondant aux articles figurant dans notre premier courrier. Nous en avons un besoin urgent et dans la mesure où la marchandise est disponible nous comptons sur une livraison rapide de votre part.

Je vous suis reconnaissant d'avoir accepté le règlement à 60 jours sous réserve que vous obteniez de bons renseignements sur notre entreprise.

Veuillez croire, cher Monsieur, à l'expression de notre parfaite considération.

Bernard Dubois
Directeur

G WOOD & SONS
36 Castle Street
Bristol BS1 2BQ
Telephone 0117 954967

GW/ST

24 November 20—

Mr Henry Thomas
Electrical Supplies Ltd
29–31 Broad Street
Birmingham
B1 2HE

Dear Mr Thomas

ORDER NUMBER 3241

Thank you for your letter of 17 November quoting for domestic appliances and enclosing copies of your current catalogue and price list.

We have had regular dealings with the following suppliers for the past 4 or 5 years. They will be happy to provide the necessary references.

Johnson Traders Ltd, The Hayes, Cardiff CF1 IJW
J Williamson & Co, Southey House, Coventry CV1 5RU

Our order number 3241 is enclosed for the goods mentioned in our original enquiry. They are urgently needed and as they are available from stock we hope you will arrange prompt delivery.

I appreciate your agreement to allow 2 months credit on receipt of satisfactory references.

Yours sincerely

GORDON WOOD
Manager

Enc

b) Le bon de commande

Dubois et Fils
36, boulevard de la Corniche
13008 Marseille
Tél. 04 91 23 45 67

Fournitures Electriques
1, boulevard du Palais
59000 Lille

Commande N° 3241

Veuillez nous fournir

Quantité	Articles	Prix en euros
10	Bouilloires électriques Prestige (2l)	25 pièce
10	Couvertures chauffantes Dorma (lit une place)	24 pièce
10	Grille-pains électriques Matinales	25 pièce
10	Pendules de cuisine Versailles	27 pièce

Conditions : 33,33 % de remise

Pour Dubois et Fils

G WOOD & SONS
36 Castle Street
Bristol BS1 2BQ
Telephone 0117 954967

ORDER NO 3241   Date 24 November 20—

Electrical Supplies Ltd
29–31 Broad Street
BIRMINGHAM
B1 2HE

Please supply

Quantity	Item(s)	Price
		£
10	Swanson Electric Kettles (2 litre)	25.00 each
10	Cosiwarm Electric Blankets (single-bed size)	24.50 each
10	Regency Electric Toasters	25.50 each
10	Marlborough Kitchen Wall Clocks	27.50 each

Terms   33 1/3 % trade discount

for G Wood & Sons

L'accusé de réception du fournisseur

Il est d'usage d'accuser réception et de remercier les acheteurs notamment lorsqu'ils vous adressent leur première commande et leurs références professionnelles. Le fournisseur va alors vérifier les références et transmettre la commande pour exécution lorsqu'il aura reçu de bons renseignements.

260

Fournitures Electriques
1, boulevard du Palais
59000 Lille
Tél. 03 20 67 89 00

HT/JH   Monsieur Bernard Dubois
                                           Dubois et Fils
                                           36, boulevard de la Corniche
                                           13008 Marseille

                                           1er décembre 20…

Messieurs,

Votre commande N° 3241

Nous vous remercions pour votre courrier du 24 novembre accompagné de votre commande. Nous vous confirmons que la marchandise vous sera livrée aux prix et conditions prévus.

Votre commande a été transmise à nos entrepôts pour expédition immédiate des articles en stock. Nous souhaitons qu'ils vous donnent entière satisfaction.

N'hésitez pas à me contacter si je peux vous être de quelque secours à l'avenir.

Veuillez croire, Messieurs, à l'expression de mes sentiments les meilleurs.

Henri Thomas

Responsable des ventes

261

ELECTRICAL SUPPLIES LTD
29–31 Broad Street
Birmingham B1 2HE
Telephone 0121–542–6614

HT/JH

1 December 20—

Mr G Wood
G Wood & Sons
36 Castle Street
Bristol
BS1 2BQ

Dear Mr Wood

YOUR ORDER NUMBER 3241

Thank you for your letter of 24 November. We were very pleased to receive your order and confirm that the goods will be supplied at the prices and on the terms stated.

Your order has been passed to our warehouse for immediate despatch of the goods from stock. We hope you will be pleased with them.

Please do not hesitate to contact me if I can be of any further help.

Yours sincerely

HENRY THOMAS
Sales Manager

La notification

Il y a un certain nombre de documents qui traitent de l'expédition et de la livraison de la marchandise. Il s'agit de la note de colisage, de la notification d'envoi, du bordereau d'expédition et du bon de livraison.

Ces documents ne sont en fait que des copies de la facture et sont souvent préparés en liasse auto-carbonée en même temps que celle-ci.

L'exemplaire qui sert de notification ne comportera pas d'informations sur les prix.

La notification ou le bordereau d'expédition informe l'acheteur que la marchandise est en route et permet d'en opérer la vérification lorsqu'elle arrive.

Très souvent, la notification est remplacée soit par une facture envoyée avec ou avant l'expédition ou par une lettre notifiant l'envoi.

Pour les petits articles envoyés par La Poste, une note de colisage qui est la copie de la notification sera le seul document utilisé.

Certains fournisseurs, notamment ceux qui ont recours à leur propre transporteur, se passent de la notification et la remplace soit par une note de colisage soit par un bon de livraison.

Le bordereau d'expédition

Lorsque la marchandise est transportée par rail, le fournisseur doit présenter un bordereau d'expédition qui fait office de contrat avec la compagnie ferroviaire.

Ce document détaille les quantités, le poids, la nature et la destination des marchandises et précise si elles voyagent en port payé (c'est-à-dire payé par l'expéditeur) ou en port dû (payable par l'acheteur).

Dans la plupart des cas, le fournisseur utilise les imprimés fournis par la compagnie ferroviaire, mais un négociant préférera parfois se servir des siens.

Le bordereau d'expédition dûment rempli est remis au transporteur au moment de l'enlèvement de la marchandise et l'accompagne.

Lorsque la marchandise est livrée à l'acheteur, le bordereau doit être émargé pour servir de preuve de livraison.

Le bon de livraison

Il arrive que le bon de livraison soit préparé en double exemplaire, un que conserve l'acheteur et l'autre qui est rendu au transporteur en guise de preuve que la marchandise a bien été livrée.

Sinon, le transporteur peut demander à l'acheteur de signer un carnet de livraison ou une fiche récapitulant les livraisons faites par lui.

Lorsque l'acheteur n'a pas les moyens de vérifier la marchandise avant de signer, il est prudent de faire précéder sa signature d'un commentaire tel que « non vérifié » ou « marchandise non inspectée ».

La facture

Les pratiques en matière de facture sont diverses. Parfois la facture accompagne la marchandise et parfois elle est envoyée séparément, soit avant (auquel cas elle sert aussi de notification) ou après la livraison de la marchandise. La facture sera envoyée séparément lorsque la marchandise est livrée en ballot, sans emballage ou en vrac.

a) La lettre d'accompagnement

Il n'est pas toujours utile d'accompagner la facture d'une lettre, mais si lettre il y a, elle devra être courte et neutre.

Fournitures Electriques
1, boulevard du Palais
59000 Lille
Tél. 03 20 67 89 00

Monsieur Bernard Dubois
Dubois et Fils
36, boulevard de la Corniche
13008 Marseille

Le 3 décembre 20..

MS/JH

Messieurs,
Votre commande N° 3241

Vous trouverez ci-joint votre facture N° 6740 correspondant aux appareils électroménagers fournis d'après votre commande du 24 novembre.

La marchandise emballée dans trois caisses, numérotées de 78 à 80, vous a été expédiée aujourd'hui par le train en port payé. Nous souhaitons qu'elle vous parvienne rapidement et dans de bonnes conditions.

En cas de règlement dans les deux mois, nous vous accorderons une remise spéciale de 1,5 % pour paiement comptant.

Veuillez agréer, Messieurs, l'expression de nos salutations distinguées.

Michèle Dufour (Mme)
Responsable des crédits

PJ

b) La facture

Lorsque l'entreprise Dubois et Fils reçoit la facture, elle la vérifie par rapport à la note de colisage ou au bordereau d'expédition qui accompagne la marchandise pour s'assurer que tous les articles facturés ont été reçus. Elle vérifie également le taux de remise et la justesse des calculs avant de l'enregistrer en comptabilité.

D'une façon générale, notamment pour les titulaires de comptes, la facture n'est pas utilisée comme demande de règlement mais comme trace de la transaction et relevé de la dette qu'elle génère. Le fournisseur enverra par la suite un relevé à l'acheteur.

263

Fournitures Electriques
1, boulevard du Palais,
59000 Lille
Tél. 03 20 67 89 00

Dubois et Fils
36, boulevard de la Corniche,
13008 Marseille

FACTURE

3 décembre 20..

Votre cde 3241
N° de facture 6740

Quantité	Articles	Prix unitaire	Total en euros
10	Bouilloires électriques Prestige (2l)	25	250
10	Couvertures chauffantes Dorma (lit une place)	24	240
10	Grille-pains électriques Matinales	25	250
10	Pendules de cuisine Versailles	27	270
			1 010
	Remise 33,33 %		336,63
			673,37
	TVA 19,6 %		131,98
	3 caisses consignées		15
			820,35

Sauf erreur ou omission

Conditions : 1,5 % 2 mois

RCS N°...

On note sur cette facture que :

- Pour servir de référence ultérieure, la facture reçoit un numéro séquentiel, le numéro de commande est également rappelé.
- La remise de 33,33 % a été déduite.
- Les conditions de paiement prévoient une remise supplémentaire pour paiement comptant, en l'occurrence dans les deux mois suivant la date de facture. Cette remise est déduite au moment du règlement.
- La mention Sauf erreur ou omission préserve le droit du vendeur de rectifier toute erreur ou omission de cette facture.

264

ELECTRICAL SUPPLIES LTD
29–31 Broad Street
Birmingham B1 2HE
Telephone 0121–542–6614

INVOICE
G Wood & Sons
36 Castle Street
BRISTOL
BS1 2BQ

Your order no 3241

Date 3 December 20—

Invoice No 6740

Quantity	Item(s)	Unit Price	Total Price
		£	£
10	Swanson Electric Kettles (2 litre)	25.00	250.00
10	Cosiwarm Electric Blankets (single-bed size)	24.50	245.00
10	Regency Electric Toasters	25.50	255.00
10	Marlborough Kitchen Wall Clocks	27.50	275.00
			1025.00
	Less 33 1/3 % trade discount		341.66
			683.34
	VAT @ 17.5%		119.58
			802.92
	3 packing cases (returnable)		15.00
			817.92
	Terms : 1 1/2 % two months		

E. & OE

Registered in England No 726549

La note de débit et l'avoir

Pour les conditions d'utilisation de ces documents, veuillez vous reporter au Chapitre 8.

a) L'acheteur demande un avoir

Dans notre exemple, Dubois et Fils retournent les trois caisses consignées figurant sur leur facture. Ils écrivent ensuite au fournisseur pour obtenir un avoir de la valeur des caisses retournées. Selon que cette pratique lui est habituelle ou non, le fournisseur peut ou non établir et envoyer un avoir à la demande.

265

Dubois et Fils
36, boulevard de la Corniche
13008 Marseille
Tél. 04 91 23 45 67

BD/ST

Madame Michèle Dufour
Responsable des crédits
Fournitures Electriques
1, boulevard du Palais
59000 Lille

10 décembre 20...

Chère Madame,

Facture N° 6740

Nous vous avons retourné aujourd'hui par train trois caisses consignées figurant sur notre facture référencée ci-dessus pour un coût de 15 euros.

Nous vous adressons une note de débit pour ce montant et souhaiterions recevoir un avoir en retour.

Tous les articles expédiés et facturés nous sont parvenus en bonne condition. Nous vous remercions pour la rapidité avec laquelle vous avez traité notre première commande.

Veuillez croire, chère Madame, à l'expression de nos salutations distinguées.

Bernard Dubois
Directeur

PJ

266

Dubois et Fils
36, boulevard de la Corniche
13008 Marseille
Tél. 04 91 23 45 67

NOTE DE DEBIT

Fournitures Electriques
1, boulevard du Palais
59000 Lille

Date : 10 décembre 20..
Note de débit N° D 841

Date	Concerne	Total en euros
10.12	3 caisses consignées sur votre facture 6740 et retournées	15

267

G WOOD & SONS
36 Castle Street
Bristol BSI 2BQ
Telephone 0117 954967
DEBIT NOTE

Electrical Supplies Ltd
29–31 Broad Street
BIRMINGHAM
B1 2HE

Date 10 December 20—

Debit Note No D 841

Date	Details	Total £
10.12.—	To 3 packing cases charged on your invoice number 6740 and returned	15.00

b) Le vendeur émet un avoir

Lorsque l'entreprise Fournitures Electriques reçoit la note de débit, elle va vérifier le retour des caisses. Elle va alors préparer l'avoir réclamé et l'envoyer à Dubois et Fils accompagné ou non d'une lettre. La lettre devra de toute façon être courte et neutre. Mais comme il s'agit d'une première commande, le fournisseur serait bien avisé d'y joindre une courte note pour encourager les futures commandes.

268

Fournitures Electriques
1, boulevard du Palais
59000 Lille
Tél. 03 20 67 89 00

MS/JH

Monsieur Bernard Dubois
Dubois et Fils
36, boulevard de la Corniche
13008 Marseille

Le 14 décembre 20..

Cher Monsieur,

Nous vous remercions pour votre courrier du 14 décembre accompagnant votre note de débit D 841. Je vous confirme que nous avons bien reçu les trois caisses en retour et vous trouverez joint notre avoir A 672 pour un montant de 15 €.

Veuillez croire, cher Monsieur, à l'assurance de notre parfaite considération.

Michèle Dufour (Mme)
Responsable des crédits

PJ

269

Fournitures Electriques
1, boulevard du Palais
59000 Lille
Tél. 03 20 67 89 00

AVOIR

Dubois et Fils
36, boulevard de la Corniche
13008 Marseille

Date : 14 décembre 20..

Avoir N° A 672

Date	Concerne	Total en euros
10.12	3 caisses consignées sur votre facture N° 6740 et retournées	15

270

ELECTRICAL SUPPLIES LTD
29–31 Broad Street
Birmingham Bl 2HE
Telephone 0121–524–6614

CREDIT NOTE

G Wood & Sons   Date 14 December 20..
36 Castle Street
BRISTOL
BS1 2BQ   Credit Note No C 672

Date	Details	Total £
10.12.—	To 3 packing cases charged on your invoice number 6740 and returned	15.00

Le relevé de compte

Les relevés de compte sont envoyés aux clients titulaires à intervalles réguliers, généralement tous les mois. Tout en servant de demandes de règlement, les relevés permettent également à l'acheteur de comparer les comptes tenus par le fournisseur avec ceux de ses propres livres comptables. Les relevés sont généralement envoyés sans lettre d'accompagnement (voir Chapitre 8).

271

Fournitures Electriques
1, boulevard du Palais
59000 Lille
Tél. 03 20 67 89 00

RELEVE

Dubois et Fils
36, boulevard de la Corniche
13008 Marseille

Date : 31 janvier 20..

Date	Concerne	Débit en euros	Crédit en euros	Solde en euros
03.12	Facture N° 6740	817,92		817,92
14.12	Avoir A 672		15	802,92

Saut erreur ou omission

RCS ...

272

ELECTRICAL SUPPLIES LTD
29–31 Broad Street
Birmingham Bl 2HE
Telephone 0121–524–6614

G Wood & Sons   **STATEMENT**   Date 31 January 20—
36 Castle Street
BRISTOL   BS1 2BQ

Date	Details	Debit £	Credit £	Balance £
3.12.—	Invoice 6740	817.92		817.92
14.12.—	Credit note C 672		15.00	802.92
	(2 1/2 % seven days)			

E & OE   Registered in England No 726549

Le règlement

Les factures et les relevés indiquent généralement les conditions de paiement. Par exemple :

- **Au comptant**
  Une formule assez floue mais généralement interprétée comme signifiant sous quinze jours à compter de la date de la facture ou du relevé.
- **2,5 % 30 jours**
  Cette mention signifie que le débiteur est en droit de déduire 2,5 % de la somme due si le règlement intervient dans les 30 jours suivant la date de la facture, sinon la somme est intégralement due.
- **Net à 30 jours**
  Cette mention signifie que le débiteur doit régler la somme intégrale dans le mois.

Les règlements entre professionnels se font généralement par chèque ou, s'ils sont nombreux, par virement. Dans le cas qui suit, l'acheteur règle le fournisseur en lui envoyant un chèque.

273

Dubois et Fils
36, boulevard de la Corniche,
13008 Marseille
Tél. 04 91 23 45 67

BD/ST

Madame Michèle Dufour
Responsable des crédits
Fournitures Electriques
1, boulevard du Palais,
59000 Lille.

Le 4 février 20..

Chère Madame,

Nous avons bien reçu votre relevé en date du 31 janvier 20..

Nous en avons déduit de la somme due la remise prévue de 2,5 % pour paiement comptant. Vous trouverez donc joint un chèque d'un montant de 782,84 € correspondant au règlement intégral.

Veuillez croire, Chère Madame, à l'expression de nos salutations distinguées.

Bernard Dubois
Directeur

PJ

Le reçu

Le chèque assure la preuve de paiement nécessaire. Il n'est donc pas d'usage d'émettre de reçu en bonne et due forme. Ce qui n'empêche pas le payeur d'en demander un s'il en a besoin.

Dans le cas de cette transaction, la preuve du paiement pourrait être constituée soit par un reçu en bonne et due forme du fournisseur ou par le chèque de l'acheteur après qu'il aura été payé par la banque.

Troisième partie

LES DOCUMENTS PROFESSIONNELS SPÉCIFIQUES

13

Les lettres
qui entretiennent
les bonnes relations

Une des fonctions essentielles de la communication professionnelle est d'établir de bonnes relations d'affaires. Les dirigeants et les cadres de société profitent de nombreuses occasions pour envoyer des lettres mettant leurs correspondants dans de bonnes dispositions à leur égard.

C'est le cas à l'occasion d'excuses, de mauvaises nouvelles, de manifestation de sympathie, de bienvenue, de promotion, de félicitations, de décès, de distinction honorifique, de remerciements, de condoléances, d'appréciation, de mariage…

Les professionnels devraient profiter de la moindre occasion pour écrire ce type de lettres. Elles sont appréciées des clients et des collègues et favorisent les affaires. Pour un coût modique et un minimum d'effort, non seulement elles renforcent les relations existantes mais elles créent également de nouvelles opportunités d'affaires.

Ces lettres visant à entretenir de bonnes relations doivent être rédigées et envoyées rapidement. Elles doivent être courtes et adaptées, toujours sincères et spontanées. Les lettres manuscrites ajoutent une note de sincérité et d'intimité lorsque les circonstances s'y prêtent.

Les lettres générales qui entretiennent les bonnes relations

Les lettres qui suivent fournissent des exemples de cas où l'on peut créer des bonnes dispositions chez son correspondant dans le cadre de courriers d'affaires quotidiens. Le ton en est courtois et amical et la petite touche d'attention personnelle en plus a toutes les chances de faire bonne impression.

Lettre avec légère touche personnelle

La touche personnelle peut parfois prendre la forme d'un petit paragraphe de clôture exprimant des salutations personnalisées.

274

Cher Monsieur,

Je regrette de n'avoir pu répondre plus tôt à votre courrier du 25 octobre concernant le livre *Modèles de lettres d'accompagnement*. Mon directeur export étant en déplacement au Moyen-Orient, je dois assumer son travail en plus du mien et je crains d'avoir pris du retard dans ma correspondance.

Savoir si ce livre doit être publié en poche ou en édition brochée est une décision que je dois laisser à mon directeur éditorial, Béatrice Balmont, à qui j'ai déjà transmis votre lettre. Vous devriez recevoir une réponse très bientôt.

J'espère que tout va bien pour vous.
Croyez en mon amical souvenir.

Lettre avec touche personnelle plus marquée

Le dernier paragraphe peut être davantage personnalisé.

275

Chère Madame,

Exporter est un jeu d'enfant

J'ai eu le temps d'évaluer ce livre que vous m'avez envoyé récemment.

L'ouvrage présente un exposé concis et clair de la nouvelle réglementation en matière de commerce international illustré d'exemples probants quant à son application. Vous trouverez d'autres commentaires sur ma fiche de lecture que j'ai jointe.

Je crois savoir que vous prévoyez de passer vos vacances d'été dans le sud de la France. Je souhaite que vous ayez beau temps et que vous en profitiez.

Veuillez croire, Chère Madame, à mon amical souvenir.

Lettre expliquant une réponse tardive

Le fait de répondre à un courrier le jour même crée une bonne impression. En cas d'impossibilité, il faut accuser réception de la lettre le plus tôt possible en expliquant le retard.

276

Chère Madame,

Je suis désolée de ne pouvoir vous adresser le catalogue et les tarifs que vous me demandez dans votre lettre du 13 mars car nous sommes actuellement en rupture de stock de catalogues.

Nous en attendons la livraison de notre imprimeur sous deux semaines et dès que nous les recevrons je ne manquerai pas de vous en adresser un exemplaire.

Veuillez croire, Chère Madame, à l'expression de ma parfaite considération.

Lettre d'un fournisseur employant un ton amical

Les clients recherchent toujours une marque d'amitié de la part de ceux avec qui ils souhaitent faire des affaires. Dans ce courrier, le signataire se montre à la fois coopératif et amical. L'objectif est d'intéresser le prospect, de créer un climat de confiance et de gagner sa considération et son amitié – et en dernier ressort sa clientèle.

277

> Chère Madame,
>
> J'ai le plaisir de vous adresser notre catalogue et nos tarifs conformément à votre demande du 12 octobre dernier.
>
> Nous avons tenté de faire de ce tout nouveau catalogue un support à la fois attirant et informatif, nos conditions de vente figurent en détail sur le rabat de couverture.
>
> Qu'il me soit permis de vous inviter à visiter nos installations la prochaine fois que vous viendrez à Bordeaux. Vous pourrez ainsi vous rendre compte par vous-même de la qualité de la matière et du savoir-faire entrant dans l'élaboration de nos produits. Vous pourrez ainsi également voir en exclusivité les dernières nouveautés en cuir et en repartir avec des informations intéressantes et utiles pour vos clients.
>
> Si je puis vous être de quelque secours, n'hésitez pas à faire appel à moi.
> Veuillez croire, Chère Madame, à l'expression de mes salutations distinguées.

Lettre souhaitant la bienvenue à un visiteur étranger

Lorsque vos clients étrangers se rendent dans votre pays, il est de bon usage de les accueillir et de leur fournir l'aide et les conseils dont ils pourraient avoir besoin. Le ton de ces lettres doit être sincère et amical et donner vraiment l'impression que le signataire souhaite apporter son concours.

278

> Cher Monsieur,
>
> C'est avec plaisir que j'ai appris par votre lettre du 24 avril que votre collègue, Monsieur Karim Hamadi, prévoyait un voyage en France en juillet. Nous serons très heureux de l'accueillir et nous ferons tout notre possible pour que son séjour soit à la fois réussi et agréable.
>
> Je crois savoir que c'est le premier séjour de Monsieur Hamadi en France et je suis certain qu'il voudra faire un peu de tourisme. A son arrivée, nous pourrons organiser avec lui un programme de visites. Je serais top heureux de le présenter à un certain nombre d'entreprises avec lesquelles il souhaiterait entrer en contact.

Dès que la date exacte du voyage de Monsieur Hamadi sera fixée, tenez-moi au courant de son horaire d'arrivée. Je viendrai l'accueillir à l'aéroport pour le conduire à son hôtel. Qu'il sache qu'il est le bienvenu.

Veuillez croire, cher Monsieur, à l'assurance de ma parfaite considération.

Les lettres d'excuses

Lorsqu'il y a lieu de faire des excuses, il vaut mieux adopter le ton qui convient. Il faudra parfois ravaler sa fierté et dire qu'on regrette même si ce n'est pas le cas.

Pour des raisons de pression juridique, vous aurez peut-être à faire des excuses si vous avez porté préjudice à autrui.

Excuses pour service médiocre

279

Chère Madame,

Donner des détails sur le contexte de la plainte

Je vous remercie de votre courrier du 12 juin nous relatant le mauvais accueil que vous avez eu lors de votre visite récente dans nos magasins.

Annoncer les mesures prises et exprimer des regrets

Cet incident est peu compatible avec notre haut niveau habituel de service et de courtoisie. L'employé qui s'est mal conduit envers vous a été réprimandé et il vous prie de l'excuser.

Annoncer le suivi

Vous trouverez ci-joint un bon d'achat de 20 € que vous pouvez utiliser dans n'importe lequel de nos magasins Oméga. Si je puis vous être de quelque autre secours, n'hésitez pas à m'appeler.

Répéter les excuses

En vous réitérant nos excuses, nous vous prions de croire, Chère Madame, à l'assurance de nos sentiments dévoués.

Excuses pour annulation de rendez-vous

280

Cher Monsieur,

Je vous prie de m'excuser d'avoir dû annuler aussi tardivement notre rendez-vous d'hier. Comme ma secrétaire a pu vous l'expliquer, malheureusement j'ai dû m'occuper immédiatement d'un problème urgent.

Je crois savoir que notre rendez-vous a été reporté à mardi prochain, le 12 mai, à 11 h 30. Si votre agenda vous le permet, j'aurai plaisir à vous inviter à prolonger notre réunion par un déjeuner.

Veuillez croire, Cher Monsieur, à l'expression de mes sentiments les meilleurs.

Les lettres pour lesquelles le ton est particulièrement important

Dans la vie professionnelle, il est parfois nécessaire de refuser des demandes, d'augmenter les prix, d'expliquer une malheureuse négligence, de faire des excuses pour des erreurs. Par manque de considération, on peut offenser ses partenaires, créer un mauvais climat et perdre des affaires.

Annonce d'une mauvaise nouvelle

Il est parfois nécessaire de dire non à une requête et de devoir annoncer une mauvaise nouvelle. Lorsqu'un tel cas se présente, mettez-vous à la place du destinataire et préparez-le à la déception par un premier paragraphe adéquat en utilisant le ton qui convient.

281

Cher Monsieur,

Je vous remercie de m'avoir confié votre manuscrit *Le Français commercial*. Je l'ai lu avec intérêt et j'ai été impressionné par le soin apporté au traitement du sujet et son caractère exhaustif. J'ai particulièrement apprécié son style clair et concis.

Si nous n'avions pas publié récemment *Le Français pratique* de Frédérique Léonard, ouvrage qui couvre sensiblement le même sujet, j'aurais été heureux de pouvoir accepter de publier votre manuscrit. En l'occurrence cela m'est impossible et je vous en fais donc retour.

Je suis désolé de devoir vous décevoir.
Je vous prie de croire, Cher Monsieur, à l'assurance de ma parfaite considération.

Refus de responsabilité de perte

Dans cette lettre également, le premier paragraphe sert à préparer le destinataire au rejet de sa réclamation auprès de l'assurance.

282

Cher Monsieur,

Lorsque nous avons reçu votre courrier du 23 novembre, nous avons nommé un expert pour inspecter les dommages causés par l'incendie récent de votre entrepôt et nous en rendre compte.

Ce rapport a maintenant été déposé et il confirme votre déclaration selon laquelle le sinistre est important. Il précise, toutefois, qu'une grande partie du stock endommagé ou détruit était très ancien, comportant également des articles obsolètes.

Aussi, ne pouvons-nous malheureusement pas accepter votre chiffre de 45 000 € comme étant une estimation exacte de la perte encourue car il semble avoir été calculé sur la valeur initiale des biens.

Veuillez croire, Cher Monsieur, à l'expression de nos salutations distinguées.

Refus d'une demande de crédit fournisseur

Une lettre refusant une demande de crédit sans être offensante pour le demandeur est très difficile à rédiger. Le refus sera motivé par les doutes qu'aura le fournisseur sur la situation financière du débiteur potentiel mais la lettre ne doit absolument pas le laisser transparaître. Le refus doit être attribué à d'autres raisons qui doivent être expliquées avec tact.

Cette lettre concerne la réponse d'un grossiste à un commerçant qui vient d'ouvrir un nouveau magasin qui semble bien démarrer. Toutefois, l'affaire n'est pas suffisamment installée pour que la situation financière du propriétaire inspire confiance.

283

Chère Mademoiselle,

Nous vous remercions d'avoir pris contact avec nous pour nous passer commande. C'est avec plaisir que nous avons appris que votre nouvelle entreprise avait bien démarré.

Il n'est jamais très facile pour une entreprise nouvellement créée d'obtenir du crédit de ses fournisseurs. De nombreux entrepreneurs rencontrent des difficultés parce qu'ils prennent trop d'engagements avant d'être suffisamment établis. Bien que nous convenions que votre propre affaire semble prometteuse, nous pensons qu'il vaudrait mieux pour vous que vous fassiez vos achats au comptant pour le moment. Si cela ne vous est pas possible pour l'intégralité, nous vous suggérons de réduire votre commande, par exemple de moitié.

Si vous êtes disposée à le faire, nous vous accorderons une remise spéciale de 4 % en sus de nos conditions habituelles. Si cette solution vous agrée, la marchandise pourrait vous être livrée sous trois jours.

Nous souhaitons que vous considériez cette lettre comme une preuve de notre souhait sincère d'entrer en relations d'affaires avec vous dans des conditions qui soient bénéfiques pour nos deux sociétés. Lorsque votre entreprise sera bien installée, nous aurons le plaisir de vous accueillir parmi nos clients titulaires de compte.

Veuillez croire, Chère Mademoiselle, à l'assurance de notre parfaite considération.

Regrets pour une négligence

Si vous avez fait une erreur ou si vous êtes fautif pour une raison ou pour une autre, vous devez le reconnaître franchement et sans faux-fuyant. Une lettre rédigée sur un ton de regret a toutes les chances de mettre votre correspondant dans de bonnes dispositions à votre égard et il lui sera difficile de continuer à vous en vouloir.

284

Chère Madame,

J'ai été très ennuyé d'apprendre par votre lettre d'hier que l'installation du chauffage central à votre domicile n'avait pas été réalisée à la date promise.

En reprenant nos échanges de courrier précédents, je me suis aperçu que je m'étais trompé sur la date de son achèvement. C'est entièrement de ma faute et je suis désolé qu'une telle erreur ait pu se produire.

Je me rends bien compte de la gêne qu'une telle négligence peut représenter pour vous et je vais faire tout ce qui est en mon pouvoir pour qu'il y soit mis bon ordre sans tarder.

J'ai déjà donné des instructions pour que priorité absolue soit accordée à ce chantier. Nos techniciens termineront ce travail dans le cadre d'heures supplémentaires. Ces mesures devraient permettre d'aboutir d'ici le week-end prochain.

Je vous réitère mes excuses pour les inconvénients qui vous ont été ainsi occasionnés et je vous prie de croire, Chère Madame, à l'assurance de mes salutations distinguées.

Regrets pour une augmentation de prix

Les clients, normalement, n'apprécient guère les augmentations de prix, notamment lorsqu'ils pensent qu'elles ne sont pas justifiées.
Il est possible de les maintenir dans de bonnes dispositions en expliquant de façon claire et convaincante les raisons qui les ont motivées.

285

Messieurs,

De nombreuses entreprises ont connu ces dernières années une hausse constante de leurs prix, aussi ne serez-vous pas surpris que nos propres coûts n'aient pas échappé à la tendance générale.

La hausse des prix des matières premières importées a été essentiellement entraînée par l'accroissement de la demande mondiale. La récente augmentation des salaires minimaux a renchéri le coût de la main-d'œuvre et s'est conjugué avec des frais généraux en constante hausse.

Jusqu'ici, nous avons été en mesure de compenser ces augmentations de coûts par les économies réalisées dans d'autres domaines. Mais nous nous apercevons que ce n'est plus possible et qu'une augmentation de nos prix est devenue inévitable. La hausse s'appliquera au 1er octobre et de nouveaux tarifs sont en cours de préparation. Ils devraient être prêts dans la quinzaine qui vient et un certain nombre d'exemplaires vous seront envoyés aussitôt.

Nous regrettons qu'une telle augmentation ait été nécessaire mais nous pouvons vous garantir qu'elle ne dépassera pas 2 % en moyenne. Comme l'inflation a été d'environ 4 % depuis notre dernière hausse de prix, nous pensons que vous ne la trouverez pas déraisonnable.

Veuillez croire, Messieurs, à l'assurance de nos sentiments les meilleurs

Les lettres de remerciements

Les cadres d'entreprise ont de nombreuses occasions de rédiger des lettres exprimant leur reconnaissance et destinées à entretenir de bonnes relations. Ces lettres de remerciements peuvent être aussi courtes et simples que vous le souhaitez, mais elles doivent exprimer chaleureusement et sincèrement votre reconnaissance, convainquant le destinataire que vous pensez réellement ce que vous écrivez et que vous prenez plaisir à l'écrire.

N'abordez jamais de sujets commerciaux dans des lettres de remerciements si vous ne voulez pas qu'on pense qu'elles sont de simples prétextes pour faire des affaires.

Remerciements pour une première commande

286

> Cher Monsieur,
>
> Vous avez dû recevoir notre accusé de réception officiel de votre commande N° 456 du 12 juillet. Toutefois, comme il s'agit là de votre première commande, j'ai pensé vous écrire pour vous dire à quel point nous avons eu plaisir à la recevoir et vous remercier de nous donner ainsi l'occasion de vous livrer la marchandise dont vous avez besoin.
>
> Je souhaite que cette première commande soit suivie de beaucoup d'autres et qu'elle ouvre la voie à une coopération agréable et fructueuse entre nos deux sociétés.
>
> Veuillez croire, Cher Monsieur, à l'assurance de nos sentiments dévoués.

Remerciements pour une commande importante

287

> Chère Madame,
>
> Je crois savoir que vous nous avez passé une commande exceptionnelle hier et je voudrais vous dire à quel point nous sommes sensibles à la confiance que vous nous avez toujours témoignée.
>
> Nous apprécions nos bonnes relations de travail avec vous et nous ferons de notre mieux pour les maintenir à l'avenir.
>
> Veuillez croire, Chère Madame, à l'assurance de notre parfaite considération.

Remerciements pour la ponctualité dans le règlement des factures

288

Cher Monsieur,

Je voudrais vous dire à quel point nous apprécions la ponctualité avec laquelle vous avez réglé vos factures au cours de l'année écoulée, d'autant plus que certaines d'entre elles représentaient des montants très élevés.

Cela nous a beaucoup aidé à un moment où nous devions faire face à des engagements lourds en raison du développement de notre activité.

Formant le vœu que nos bonnes relations se maintiennent à l'avenir, nous vous prions de croire, Cher Monsieur, à l'assurance de notre parfaite considération.

Remerciements pour un service rendu

289

Chère Mademoiselle,

Nous vous remercions de votre courrier du 30 mars nous retournant le projet de catalogue que nous devons adresser à nos clients.

Je vous suis reconnaissant de vous être donnée tant de mal pour revoir le catalogue en détail et nous communiquer vos commentaires. Vos suggestions nous seront d'une aide précieuse.

Je suis conscient du prix du temps pour quelqu'un d'aussi surchargé que vous et je n'en apprécie que mieux celui que vous nous avez si généreusement consacré.

Veuillez croire, Chère Mademoiselle, à l'expression de notre parfaite considération.

Remerciements pour une information reçue

290

Chère Madame,

Je vous remercie de votre courrier contenant un article décrivant l'organisation et le fonctionnement de votre association locale de commerçants.

Je vous suis reconnaissant de l'intérêt manifesté pour notre offre d'insertion dans la prochaine édition de notre *Annuaire des Associations de Commerçants* et du mal que vous vous êtes donné pour nous procurer un compte-rendu aussi intéressant des activités de votre association. Ses caractéristiques vont certainement inspirer et encourager des vocations dans d'autres domaines.
Veuillez croire, Chère Madame, à l'expression de mes salutations distinguées.

Les lettres de félicitations

Une des meilleures façons d'entretenir de bonnes relations est d'adresser des lettres de félicitations. Elles peuvent être envoyées à l'occasion d'une promotion, d'une nomination, de la remise d'une décoration, de la création d'une nouvelle activité, du succès à un examen, ou même d'un mariage ou d'un anniversaire. La lettre peut être courte et classique, ou conviviale et spontanée selon les circonstances et la relation avec le destinataire.

Lettre formelle de félicitations pour la remise d'une distinction officielle

Les lettres de félicitations adressées à l'occasion de la remise d'une distinction officielle doivent être simplement courtes et formelles. Pour marquer un intérêt personnel, les salutations et la clôture devraient être manuscrites.

291

C'est avec plaisir que j'ai appris que le travail que vous avez réalisé à L'Ecole supérieure de commerce de Toulouse avait été consacré par la remise de la Légion d'honneur.

Au moment où le sort de l'enseignement commercial fait l'objet de toutes les attentions, nous avons été très heureux au ministère de prendre connaissance de votre distinction.

Lettre informelle de félicitations pour la remise d'une distinction officielle

292

C'est en consultant *Le Monde* ce soir que je suis tombée sur votre nom dans la liste des nominations des chevaliers de la Légion d'honneur. Je voudrais m'associer aux nombreuses félicitations que vous ne manquerez pas de recevoir.

Cette distinction réjouira plus d'un dans le cercle de ceux qui vous connaissent et apprécient le travail que vous faites. Il est réconfortant de voir que votre remarquable contribution au commerce et à l'industrie locale a été dûment récompensée.

Veuillez croire à l'expression de mes sentiments les meilleurs.

Lettre formelle de félicitations à l'occasion d'une promotion

293

> Cher Monsieur,
>
> Je voudrais vous exprimer mes sincères félicitations à l'occasion de votre nomination au Comité de Déontologie du secteur bancaire.
>
> Mes collègues du comité de direction et moi-même sommes très heureux de voir que vos nombreuses années consacrées à la profession sont ainsi récompensées.
>
> Nous vous adressons conjointement tous nos vœux de plein succès pour l'avenir.
>
> Veuillez croire, Cher Monsieur, à l'expression de nos salutations distinguées.

Lettre accusant réception de félicitations

La politesse veut qu'on réponde aux lettres de félicitations. Dans la plupart des cas une réponse très courte suffit.

Cette lettre conviendrait comme réponse à la lettre de félicitations 291. Le signataire saisit visiblement l'occasion de reconnaître ce qu'il doit à ses collègues qui l'ont soutenu dans son travail.

294

> Chère Madame,
>
> Je vous remercie de votre lettre exprimant vos félicitations à l'occasion de ma nomination comme officier de la Légion d'honneur.
>
> Je suis très heureux que ce que j'ai pu faire pour l'enseignement commercial dans mon domaine limité ait été honoré par une distinction officielle. Mais dans le même temps, je ne considère pas qu'il s'agisse d'une nomination récompensant un mérite personnel mais bien plutôt un hommage à l'œuvre accomplie ensemble par l'équipe pédagogique. En effet, dans la réalisation de cette mission, j'ai eu la chance de bénéficier de l'aide et du soutien de nombreux collègues.
>
> Je vous remercie encore de vos félicitations et je vous prie de croire à mon souvenir le meilleur.

Les lettres de condoléances et de sympathie

Les lettres de condoléances ne sont pas faciles à rédiger. Il n'existe pas de structure type car tout dépend de la relation que le signataire entretient avec le destinataire. En règle générale, ces lettres doivent normalement être courtes et exprimer la sincérité. En signe de considération, elles devraient être manuscrites.

Ces lettres doivent être rédigées dès que vous apprenez la nouvelle. Exprimez votre sympathie en des mots simples, chaleureux et convaincants et dites sincèrement ce que vous pensez.

Lettre de condoléances à un client

295

> Cher Monsieur,
>
> Je viens d'apprendre à regret le décès de votre épouse.
> Il n'y a pas de mots pour dire ce qu'on ressent en de telles circonstances, mais tous ceux qui vous connaissent dans l'entreprise voudraient s'associer à moi pour vous exprimer leur sympathie à l'occasion de cette disparition.
>
> Soyez certain que nous partageons votre chagrin dans ces moments difficiles.
>
> Veuillez croire, Cher Monsieur, à l'assurance de notre parfaite considération.

Lettre de condoléances à un partenaire en affaires

296

> Chère Madame,
>
> Nous avons été navrés d'apprendre le décès de votre président par *Les Échos* de ce matin. Je ne voudrais pas tarder à vous exprimer notre profonde sympathie.
>
> J'ai le privilège de connaître Monsieur Delahaye depuis de nombreuses années et je l'ai toujours considéré comme un ami personnel. Par sa disparition brutale il prive notre profession de l'une de ses plus grandes figures. Il sera profondément regretté par tous ceux qui le connaissaient.
>
> Transmettez notre sympathie à son épouse et à sa famille.
>
> Veuillez croire, Chère Madame, à l'assurance de notre parfaite considération.

297

> Dear Mrs Anderson
>
> We were distressed to read in *The Times* this morning that your Chairman had died and I am writing at once to express our deep sympathy.
>
> I had the privilege of knowing Sir James for many years and always regarded him as a personal friend. By his untimely passing our industry has lost one of its best leaders. He will be greatly missed by all who knew him.
>
> Please convey our sympathy to Lady Langley and her family.
>
> Yours sincerely

Lettre de condoléances à un employé

298

> Chère Madame,
>
> Je suis désolé d'apprendre la mort de votre père. Je me souviens très bien de lui à l'époque où il travaillait à la comptabilité avant de prendre sa retraite il y a deux ans. Je me rappelle fort bien l'attachement qu'il manifestait à sa famille et la fierté avec laquelle il parlait de ses filles. Nous l'avons beaucoup regretté dans l'entreprise depuis qu'il a pris sa retraite. Le personnel se joint à moi pour vous exprimer toute notre sympathie à vous et à votre famille dans ces moments douloureux.

Lettre pour prendre des nouvelles d'un associé en affaires

299

> Cher Guillaume,
>
> J'ai été désolé d'apprendre en appelant le bureau hier que tu avais eu un accident de voiture récemment en revenant du travail. J'ai par contre été soulagé de savoir que tu te rétablissais rapidement et que tu pourrais reprendre ton travail d'ici quelques semaines.
>
> J'ai eu une longue conversation avec Suzanne Carlier et j'ai appris avec plaisir que vos commandes à l'exportation étaient en hausse. J'envisage de faire un tour à Orléans de nouveau à la fin du mois prochain et je profiterai de l'occasion pour venir te voir.
>
> D'ici là je te souhaite un prompt rétablissement.
>
> Bien cordialement.

Lettre accusant réception de marques de sympathie

Vous aurez naturellement envie de répondre aux lettres figurant dans cette partie.

Ces réponses doivent être courtes mais doivent révéler que vous êtes réellement touché par les chaleureuses manifestations de sympathie dont vous avez fait l'objet.

Des réponses personnalisées devraient être adressées à la famille et aux amis proches.

Réponse imprimée

Lorsque de nombreuses lettres de condoléances ont été reçues, il suffit de prévoir une réponse générale imprimée.

300

Monsieur et Madame Aster et leur famille vous remercient sincèrement de vos marques de sympathie à l'occasion de la cruelle perte qu'ils ont subie.

La gentillesse de tant d'amis et les multiples expressions d'affection et d'estime à l'égard de Martine resteront pour toujours dans nos mémoires un motif de fierté et d'amour.

99, route du Lac
94000 Vincennes

Check-list

❏ Écrire et envoyer rapidement la lettre.

❏ Employer le ton qui convient.

❏ Se montrer sincère.

❏ Utiliser un style spontané.

❏ Adopter une démarche personnalisée (lettre manuscrite le cas échéant).

❏ Faire une lettre courte allant droit au but.

❏ S'interroger sur ses propres sentiments à la réception d'une telle lettre.

14

Les lettres circulaires

**Les circulaires annonçant les changements
de structure**

**Les circulaires annonçant des changements
parmi les associés**

**Les lettres annonçant des changements
de représentants**

Les circulaires internes à l'intention du personnel

Les circulaires avec formulaires de réponse

Check-lists

Les circulaires sont utilisées pour envoyer la même information à un certain nombre de personnes. On y a largement recours lors des campagnes commerciales (voir Chapitre 15) et pour annoncer des événements professionnels importants, tels que l'agrandissement de magasins, les restructurations, les changements d'adresses de l'entreprise, etc.

Une circulaire est préparée une fois pour toutes et elle peut alors être reproduite pour être diffusée aux différents destinataires. Le nom, l'adresse et les appels personnalisés peuvent être insérés après duplication pour personnaliser le courrier.

L'informatique avec ses possibilités de fusion de fichiers permet de rendre chaque lettre originale en lui adjoignant les données « variables » (à savoir l'adresse, l'appel...) en cours d'impression.

Bien que les circulaires soient adressées à de nombreuses personnes à la fois, il est important de laisser penser au destinataire qu'il fait l'objet d'une attention particulière en donnant au message une touche personnelle. Pour cela, il faut garder à l'esprit les principes suivants :

- Être bref – les destinataires ne vont pas lire une circulaire alambiquée.

- Personnaliser au maximum, en adressant une lettre individuelle à chacun, nominative si possible. Employer l'appel Cher Monsieur avec une adresse interne nominative au lieu de Cher lecteur, Cher adhérent ou encore Cher client au lieu de Monsieur / Madame. Ne pas utiliser de formules collectives, se souvenir que chaque destinataire reçoit une lettre individuelle.

- Créer l'impression d'attention particulière en utilisant le vous, et jamais nos clients, tous les clients, nos consommateurs, chacun.

Ne dites pas	Dites plutôt
Nos clients apprécieront…	Vous apprécierez…
Nous avons le plaisir d'informer tous nos clients…	Nous avons le plaisir de vous informer…
Chacun sera intéressé d'apprendre…	Vous serez intéressé d'apprendre…
Quiconque visitera nos magasins pourra voir…	Si vous nous rendez visite vous pourrez voir…

Les circulaires annonçant les changements de structure

Les changements intervenus dans l'entreprise peuvent être annoncés comme dans les exemples qui suivent. Quand l'appel a été laissé en blanc, c'est que la lettre sera traitée en informatique et que les données individuelles telles que le nom, l'adresse et l'appel seront fusionnées pour ajouter une touche personnelle.

L'extension d'une activité existante

301

Cher client,

Pour répondre à la demande croissante pour les articles de quincaillerie et de bazar, nous avons décidé d'étendre notre activité en ouvrant un nouveau rayon.

Ce nouveau rayon comportera une large gamme d'articles de quincaillerie et de produits ménagers à des prix qui se compareront très favorablement avec ceux des autres fournisseurs.

Nous aimerions pouvoir vous montrer notre nouvelle marchandise et nous prévoyons l'organisation d'une vitrine spéciale dans la semaine du 24 juin. L'ouverture officielle de notre nouveau rayon aura lieu le lundi suivant, soit le 1er juillet.

Nous souhaitons que vous puissiez nous rendre visite lors de la semaine d'inauguration en nous donnant ainsi l'occasion de vous démontrer que la réputation d'excellent rapport qualité / prix dont jouissent nos autres rayons s'appliquera également à celui-ci.

Veuillez croire, cher client, à l'assurance de nos sentiments dévoués.

La création d'une nouvelle activité

302

Chère Madame,

Nous avons le plaisir de vous annoncer l'ouverture le lundi 1er septembre d'une nouvelle épicerie.

Sa directrice est Viviane Charron qui est dans le métier depuis quinze ans. Et nous pouvons vous assurer que les produits seront de bonne qualité et à un prix raisonnable.

Notre nouveau magasin ouvrira ses portes le lundi 1er septembre à 8 h. Pour fêter cette inauguration, nous proposerons une remise de 10 % sur tous les articles achetés par les 50 premiers clients. Nous espérons pouvoir vous compter parmi eux.

Veuillez croire, Chère Madame, à l'expression de nos salutations distinguées.

L'ouverture d'une nouvelle agence

303

Cher Monsieur,

En raison de l'essor de notre commerce avec le Viêt-nam, nous avons décidé d'ouvrir une agence à Hanoi. Monsieur François Lim en prendra la direction.

Bien que nous espérons vous avoir procuré un service satisfaisant par le passé, cette nouvelle agence installée dans votre pays nous permettra de traiter plus rapidement vos commandes et vos demandes de renseignements.

L'agence ouvrira ses portes le 2 mai et à compter de cette date, toute commande ou demande de renseignements devra être adressée à :

Monsieur François Lim
Directeur
18, rue de l'Université
Hanoi
Viêt-nam
Tél. (00 84) 4 - 123 56 67
Fax (00 84) 4 - 123 56 60

Nous profitons de cette occasion pour vous remercier de votre fidélité tout au long de ces années. Nous souhaitons que cette nouvelle organisation nous permette d'améliorer encore la qualité des services qui vous sont rendus.

Veuillez croire, Cher Monsieur, à l'assurance de notre parfaite considération.

304

Dear

Owing to the large increase in the volume of our trade with the Kingdom of Jordan, we have decided to open a branch in Amman. Mr Faisal Shamlan has been appointed as Manager.

Although we hope we have provided you with an efficient service in the past, this new branch in your country will result in your orders and enquiries being dealt with more promptly.

This new branch will open on 1 May and from that date all orders and enquiries should be sent to

Mr Faisal Shamlan
Manager
Tyler & Co Ltd
18 Hussein Avenue
Amman
Tel: (00962)6–212421
Fax: (00962)6–212422

We take this opportunity to express our thanks for your custom in the past. We hope these new arrangements will lead to even higher standards in the service we provide.

Yours sincerely

L'aménagement dans de nouveaux locaux

305

Cher Monsieur,

La croissance continue de notre activité nous a conduit assez rapidement à envisager un aménagement dans des locaux plus vastes et plus modernes. Nous avons eu la chance d'acquérir un site particulièrement agréable dans la nouvelle zone industrielle de Vélizy, et à compter du 1er juillet notre nouvelle adresse sera donc la suivante :

Bâtiment 14
Zone industrielle de Vélizy
78140 Vélizy
Tél. 01 39 46 78 94
Fax 01 39 46 78 00

Ce nouveau site est extrêmement bien desservi, aussi bien par la route que par le rail, permettant une livraison rapide de la marchandise. Ce déménagement nous donne également l'occasion de remettre à plat nos processus de production pour en accroître le rendement et en améliorer encore la qualité.

Nous avons eu plaisir à travailler avec vous par le passé et c'est avec confiance que nous envisageons de vous apporter une amélioration de nos services lorsque la nouvelle unité de production sera montée en charge.

Veuillez croire, Cher Monsieur, à l'expression de nos sentiments les meilleurs.

306

Dear

The steady growth of our business has made necessary an early move to new and larger premises. We have been fortunate in acquiring a particularly good site on the new industrial estate at Chorley, and from 1 July our new address will be as follows :

Unit 15
Chorley Industrial Estate
Grange Road
Chorley
Lincs CH2 4TH
Telephone 456453 Fax 456324

This new site is served by excellent transport facilities, both by road and rail, enabling deliveries to be made promptly. It also provides scope for better methods of production which will increase output and also improve the quality of our goods even further.

We have very much appreciated your custom in the past and confidently expect to be able to offer you improvements in service when the new factory moves into full production.

Yours sincerely

La restructuration des rayons d'un grand magasin

307

Messieurs,

Afin de vous offrir un meilleur service, nous avons récemment agrandi et réaménagé un certain nombre de rayons de notre magasin.

- Au rez-de-chaussée, vous trouverez une large sélection de cartes de souhaits, y compris de cartes de Noël à l'unité ou en coffret.
- Au premier étage, au rayon Enfants et Vêtements de premier âge, vous découvrirez un nouveau linéaire Petit Bateau.
- Nos tissus de mode et d'ameublement ont été rassemblés au deuxième. Le petit outillage et l'électroménager sont maintenant au troisième.
- Le sous-sol présente un bon choix de papiers peints que nous pouvons livrer dans leur grande majorité sous vingt-quatre heures.

Nous vous remercions de votre fidélité et espérons continuer à vous servir à l'avenir.

Veuillez croire, Messieurs, à l'expression de nos salutations distinguées.

Le décès d'un collègue

308

Messieurs,

C'est à regret que je dois vous annoncer le décès brutal de notre directeur du Marketing, Michel Sperry. Michel est avec nous depuis dix ans et a grandement contribué au développement de notre activité. Il sera profondément regretté par tous ses collègues dans l'entreprise.

Mon souci à présent est d'assurer la continuité du service auprès de vous. Veuillez donc me contacter pour toute affaire dont Michel se serait normalement occupé.

Je vous prie de croire, Messieurs, à l'expression de mes sentiments les meilleurs.

Les circulaires annonçant des changements parmi les associés

Lorsque des changements interviennent parmi les associés, les fournisseurs et les clients devraient en être avisés par écrit. Ceci est particulièrement important pour les partants car ils restent responsables non seulement des dettes contractées par la société au cours de la période où ils étaient présents mais également des dettes contractées auprès d'anciens créanciers même après qu'ils se soient retirés.

Ces lettres devraient être signées du nom de la société sans mentionner le nom des associés.

La retraite d'un associé

309

Messieurs,

Nous avons le regret de vous informer que notre associé de longue date, Monsieur Henri Plas, a décidé de prendre sa retraite le 31 mai prochain pour raison de santé.

Le retrait de Monsieur Plas du capital sera compensé par les apports des autres associés et le montant du capital de la société restera inchangé. Nous continuerons à opérer sous le nom de Plas, Pollé et compagnie et nous ne changerons rien à la stratégie.

Nous souhaitons que la confiance que vous avez toujours manifestée à l'égard de notre société par le passé lui restera acquise pour l'avenir et que nous pourrons toujours compter sur votre fidèle clientèle. Nous ferons bien sûr tout ce qui est en notre pouvoir pour maintenir notre haut niveau de service actuel.

Veuillez croire, Messieurs, à l'expression de nos sentiments les meilleurs.

La nomination d'un nouvel associé

310

Messieurs,

L'accroissement du volume de nos activités a rendu nécessaire la nomination d'un nouvel associé. Nous avons le plaisir de vous annoncer l'arrivée de Madame Bernadette Bailly en tant qu'associée.

Madame Bailly a occupé les fonctions de Directeur des Achats chez nous depuis dix ans et connaît parfaitement tous les aspects de notre stratégie. Ses compétences et son expérience continueront à être appréciées dans la société.

Cette nomination n'entraînera pas de changement dans notre raison sociale qui restera toujours Dufour, Hardel et compagnie.

Nous espérons poursuivre avec vous une relation qui s'est révélée fructueuse pour nos deux sociétés.

Nous vous prions de croire, Messieurs, à l'expression de nos salutations distinguées.

La transformation en SARL

311

Messieurs,

Un besoin accru de capitaux pour financer la croissance exponentielle du volume de nos activités nous a conduit à nous transformer en SARL. La nouvelle société a été enregistrée sous forme de SARL sous le nom de Bardot et Hardy.

Nous tenons à affirmer que ce changement ne concerne que le nom et que la nature de notre activité demeurera identique. Il n'y aura pas non plus de changement de stratégie.

Les relations personnelles que nous avons su créer avec notre clientèle par le passé seront maintenues. Nous continuerons à faire de notre mieux pour que vous soyez pleinement satisfaits de la manière dont nous traiterons vos commandes à l'avenir.

Veuillez croire, Messieurs, à l'assurance de notre parfaite considération.

Les lettres annonçant des changements de représentants

La démission d'un représentant

312

Messieurs,

Nous souhaitons vous informer que Mademoiselle Sonia Martin qui a été notre représentante pour la région Nord-Ouest de la France pendant les sept dernières années a quitté notre société.

Nous avons nommé à sa place Madame Patricia Colbert. Madame Colbert est depuis plusieurs années responsable de notre service commercial et connaît fort bien les besoins des consommateurs de votre région. Elle prévoit de vous rendre visite dans le courant du mois pour se présenter et vous faire découvrir les échantillons de notre nouvelle collection de printemps.

Souhaitant poursuivre notre relation professionnelle avec vous, nous vous prions de croire, Messieurs, à l'expression de nos salutations distinguées.

NB. Si la représentante est partie de son propre gré et constituait un élément important de l'équipe de vente, le premier paragraphe pourrait être rédigé ainsi :

C'est avec regret que nous devons vous annoncer que Mademoiselle Sonia Martin qui a été notre représentante sur votre secteur au cours des sept dernières années a décidé de nous quitter pour prendre un autre poste.

313

Dear

We wish to inform you that Miss Rona Smart who has been our representative in North-West England for the past 7 years has left our service. Therefore she no longer has authority to take orders or to collect accounts on our behalf.

In her place we have appointed Mrs Tracie Coole. Mrs Coole has for many years had control of our sales section and is thoroughly familiar with the needs of customers in your area. She intends to call on you some time this month to introduce herself and to bring samples of our new spring fabrics.

We look forward to continuing our business relationship with you

Yours faithfully

It is with regret that we inform you that Miss Rona Smart who has been our representative for the past 7 years has decided to leave us to take up another appointment.

La nomination d'un nouveau représentant

314

Messieurs,

Monsieur Daniel Gambier, qui vous a rendu des visites régulières au cours des six dernières années, vient d'être promu Directeur des ventes de notre société. Ses nombreux amis regretteront sans doute de le voir moins fréquemment et nous pouvons vous assurer qu'il partage leurs regrets.

Monsieur Gambier compte rester en contact avec vous et ses autres clients en faisant de temps à autre des tournées sur son ancien secteur.

Monsieur Lionel Tuffier a été nommé représentant pour le Sud-Ouest et Monsieur Gambier vous le présentera lors de sa dernière visite normale chez vous prévue pour la semaine prochaine. Monsieur Tuffier a été un proche collaborateur de Monsieur Gambier par le passé et travaillera étroitement avec lui à l'avenir. Monsieur Gambier continuera à vous apporter son concours et ses conseils pour les problèmes qui vous toucheraient vous et ses autres clients du Sud-Ouest. Sa parfaite connaissance de vos besoins sera d'un grand secours à Monsieur Tuffier dans ses nouvelles responsabilités.

Nous avons toujours eu de très bonnes relations avec vous dans le passé et nous pensons que nous sommes parvenus à vous assurer un excellent service. C'est donc confiants que nous vous demandons d'accueillir Monsieur Tuffier avec la même courtoisie et la même gentillesse que vous le faisiez pour Monsieur Gambier.

Veuillez croire, Messieurs, à l'expression de nos salutations distinguées.

Les circulaires internes à l'intention du personnel

De nombreuses circulaires sont adressées au personnel concernant les matières les plus diverses, du fonctionnement général de l'activité, à la sécurité, aux questions administratives ou autres. Une note interne est parfois utilisée pour les sujets de moindre importance, mais dans d'autres cas on peut lui préférer une lettre officielle imprimée sur le papier à en-tête de l'entreprise.

L'annonce de nouveaux horaires

315

> **NOUVEAUX HORAIRES DE TRAVAIL**
>
> A compter du 1er septembre 20.., les nouveaux horaires de travail seront les suivants : du lundi au vendredi de 9 h 30 à 17 h 30 au lieu des horaires actuels de 9 h 00 à 17 h 00.
>
> J'espère que ces nouveaux horaires vous conviendront. Si vous pensez avoir des difficultés à les respecter, veuillez me contacter avant le 14 août.

L'information sur un nouveau parking

316

> **NOUVEAU PARKING**
>
> Comme vous le savez sans doute, certains anciens bâtiments ont été démolis sur le site de l'entreprise et un terrain a été déblayé pour servir de parking.
>
> Ce nouveau parking pourra être utilisé à partir du 28 octobre. Il sera ouvert de 7 h 30 à 18 h 30 du lundi au vendredi. La société ne peut être tenue pour responsable des vols ou des dommages causés aux véhicules et à leur contenu pendant leur stationnement sur le parking.
>
> Si vous souhaitez utiliser ce parking, veuillez vous procurer un formulaire d'agrément auprès de Monsieur Jean Sournia des services généraux. Ce formulaire doit être rempli et lui être retourné avant toute utilisation dudit parking.
>
> Copie : Jean Sournia

L'information sur les réductions dans les magasins

317

RÉDUCTIONS AUX MAGASINS PRATIQUES

Nous avons réussi à négocier un accord auprès des Magasins Pratiques permettant à l'ensemble du personnel de bénéficier du système de réduction spéciale mis en place par ces magasins.

En tant que salarié d'Oméga International, vous vous verrez offrir une réduction de 10 % sur tous les articles ne faisant pas déjà l'objet d'une promotion. Une remise de 2,5 % vous sera accordée sur les articles en promotion ou en soldes. Pour pouvoir bénéficier de cette réduction il vous suffit de prouver que vous êtes salarié d'Oméga International.

Le système fonctionnera à partir du 1er septembre 20..

L'information sur la sécurité adressée aux responsables de départements

318

SECURITE

Motif de la lettre — En raison des menaces de bombe dont ont fait l'objet certains de nos concurrents, veuillez rappeler à votre personnel un certain nombre de principes de sécurité.

Numéroter les points pour permettre de s'y référer ultérieurement —
1. Tous les salariés doivent porter leur badge à tout moment
2. Toutes les zones de travail doivent être tenues aussi propres et en ordre que possible, ce qui limitera les lieux où des bombes peuvent être camouflées.
3. Ne toucher et ne déplacer aucun objet suspect. Informer le responsable et prévenir la police.
4. Toute évacuation doit être conforme aux consignes de simulations d'incendie.

Annoncer le suivi — Tout incident doit être pris au sérieux et un compte-rendu détaillé doit m'en être fait.

Insister une dernière fois sur l'importance de la sécurité — Faites bien comprendre à votre personnel qu'il a un rôle important à jouer dans le maintien d'un haut niveau de sécurité en tous temps et en tous lieux.

Les circulaires avec formulaires de réponse

Un coupon détachable est souvent utilisé lorsqu'une réponse est demandée aux destinataires des circulaires, Sinon, un formulaire de réponse séparé peut être joint.

Ces formulaires doivent comporter quelques points importants :

- Toujours les faire débuter par : À retourner d'ici … à … Ce qui est une précaution utile au cas où le coupon serait détaché ou le formulaire de réponse séparé de la lettre d'accompagnement.
- Utiliser un double interlignage pour la partie qui doit être remplie.
- Laisser suffisamment de place pour la réponse sous chaque rubrique / question.
- Prévoir des points de fuite là où les réponses doivent être inscrites.

L'invitation à un événement (avec coupon détachable)

319

FÊTE DU DIXIÈME ANNIVERSAIRE

Oméga International fête ses dix ans de prestation dans l'équipement de qualité en communication. Une cinquantaine de représentants des clients d'Oméga sont attendus pour les fêtes du dixième anniversaire qui se tiendront le vendredi 29 octobre 20…

La direction a décidé d'inviter tous les salariés qui sont dans l'entreprise depuis au moins 5 ans à participer à cet événement exceptionnel. J'ai le plaisir de vous adresser une invitation personnelle à assister aux fêtes du dixième anniversaire. Un cocktail et un buffet dînatoire y seront servis.

Cette manifestation aura lieu de 18 h 00 à 23 h 00 dans les salons du Crillon, place de la Concorde à Paris.

Nous vous remercions de nous informer de votre présence en retournant le coupon détachable ci-dessous avant le 31 août.

Je souhaite que vous puissiez être des nôtres.

Pour l'usage interne, ne faire figurer que le nom / titre, l'adresse complète n'est pas nécessaire

* Rayez la mention inutile

À retourner à Madame Julie Bordier, Directeur administratif, avant le 31 août

Je participerai*   Je ne participerai pas*
aux fêtes du dixième anniversaire le vendredi 29 octobre

Faire simple et précis Double interlignage Ne pas oublier le renvoi le cas échéant	Nom... Fonction / Département... Signature...........................Date..

Le formulaire de réponse

Vous trouverez ci-dessous une lettre envoyée aux clients d'un organisme de formation. Les clients devaient préciser s'ils souhaitaient assister à une journée de formation, les dates pour lesquelles l'hébergement était requis et annoncer le chèque de règlement.

320

FORMULAIRE DE RÉPONSE

A remplir et à retourner avant le 15 février à
Monsieur F. Frédérique, Directeur des Relations Humaines
Formation Professionnelle SA.
1, boulevard de la Plage, 06000 Nice

**SEMINAIRE D'UN JOUR SUR LE MANAGEMENT
SAMEDI 3 AVRIL 20...**

1. Je participerai / Je ne participerai pas à ce séminaire *
2. Je souhaiterai une chambre pour le
    ❏ Vendredi 2 avril
    ❏ Samedi 3 avril (veuillez cocher)
3. Je vous joins mon chèque de 400 €
(à l'ordre de Formation Professionnelle SA)

Signature..........................Date...
Nom (en majuscules)..
Titre...
Société...
Adresse..
....
Code postal ....
Téléphone ....
Fax...

* Rayez les mentions inutiles

Side annotations:
- Mettre l'adresse complète pour un envoi à l'extérieur, ne pas oublier la date limite
- Utiliser le même titre que sur la lettre
- Utiliser le cas échéant des points numérotés / Utilisez le « je »
- Choisir les rubriques appropriées
- Prévoir un espace suffisant
- Ne pas oublier le renvoi

321

Give full address when used externally; don't forget reply date

REPLY FORM

Please complete and return by 15 February 20— to

Mr F J Fredericks
Personnel Manager
Professional Training Pte Ltd
126 Buona Vista Boulevard
KUALA LUMPUR
Malaysia

Use same heading as on covering document

ONE-DAY MANAGEMENT CONFERENCE
SATURDAY 3 APRIL 20—

Use numbered points if appropriate
Use the personal term 'I wish..., require...', etc

1.I wish/do not wish* to attend this conference.
2.I require accommodation on

Use option/boxes where appropriate

❑ Friday 2 April
❑ Saturday 3 April (Please tick)
3.My cheque for M$400 is attached (made payable to Professional
            Training Pte Ltd)

Signature.......................................Date...
Name (in caps) ....

Choose appropriate details at the foot

Title ....
Company ....
Address ....

Leave sufficient space

....
....Post code...
Telephone ....Fax ....

Don't forget footnote

* Please delete as necessary.

Check-lists

Circulaires

❑ Personnaliser les lettres circulaires en fusionnant les adresses individuelles sur le courrier lui-même.

❑ Faire des lettres nominatives chaque fois que possible, sinon utiliser les formules Cher client, Cher lecteur, au singulier.

❑ Ajouter le cas échéant une mention manuscrite.

❑ Manifester un intérêt personnel en employant le « vous » plutôt que « tous les clients », « chacun ».

Coupons détachables / formulaires de réponse

❑ Prévoir une date de retour du coupon.

❑ Indiquer à qui le coupon doit être retourné :
en interne – nom et titre seulement,
en externe – nom, titre, société et adresse.

❑ Utiliser pour le coupon le même titre que sur la lettre d'accompagnement.

❑ Prévoir un double interlignage.

❑ Utiliser le « je » – je participerai, je souhaiterai.

❑ Prévoir le cas échéant des options/cases.

❑ Laisser suffisamment d'espace pour écrire.

❑ S'assurer que le coupon contient tout ce que vous voulez savoir.

15

Les lettres de vente et les offres spontanées

Les lettres de vente

Les lettres de vente types

Les offres spontanées

Check-list

Les formules utiles en français et en anglais

Les lettres de vente

La lettre de vente constitue la forme la plus sélective de la communication publicitaire. À l'encontre de ce qui se passe pour la presse ou l'affichage, la lettre de vente vise à vendre des produits ou services spécifiques à des types de clientèle sélectionnés.

L'objectif de la lettre de vente est de persuader son destinataire qu'il a besoin de ce que vous voulez vendre et de le convaincre de l'acheter.

La méthode est de rendre utile quelque chose de séduisant ou de rendre séduisant quelque chose d'utile.

Les règles évoquées pour les lettres circulaires du chapitre 14 s'appliquent également aux lettres de vente. Aussi en rédigeant des lettres de vente assurez-vous que vous respectez les principes qui y figurent.

Les éléments d'une lettre de vente
Une bonne lettre de vente se doit d'être structurée selon un plan en quatre points que nous allons examiner en détail :

- susciter l'intérêt,
- créer le désir,
- emporter la conviction,
- pousser à l'action.

Susciter l'intérêt

Le premier paragraphe doit susciter l'intérêt et encourager le lecteur à prendre connaissance de ce que vous avez à dire. Si vous n'êtes pas vigilant sur ce premier paragraphe, votre lettre risque fort de finir dans la corbeille à papier sans avoir été lue. Votre lettre peut commencer par une question, un ordre ou une citation. En voici quelques exemples :

- **Faire appel à l'estime de soi**
  Êtes-vous stressé lorsqu'on vous propose de vous lever pour exprimer des remerciements, prendre la présidence d'une réunion ou faire un discours ? Alors, cette lettre est faite pour vous !

- **Faire appel au sens de l'économie**
  Souhaiteriez-vous réduire vos frais d'énergie de 20 % ? Si vous répondez par l'affirmative, lisez…

- **Faire appel au souci de santé**
  « Le rhume banal » déclare le docteur Jacques Carrier « fait perdre probablement plus de temps à l'entreprise que toutes les autres maladies réunies ».

- **Faire appel à la peur**
  Plus de 50 % de la population souffrent de problèmes oculaires et plus de 16 000 Français ont perdu la vue l'an dernier. Vos yeux sont-ils en danger ?

Créer le désir

Après avoir suscité l'intérêt dans le premier paragraphe, vous devez à présent créer le désir pour le produit ou service que vous vendez. Pour ce faire vous devez souligner les bénéfices qu'il peut apporter au destinataire et l'effet qu'il produira sur lui.

Si la lettre est adressée à quelqu'un qui ignore tout du produit, vous devez le décrire et donner une image précise de ce qu'il est et de ce qu'il fait. Etudiez bien le produit et choisissez les caractéristiques qui le rendent supérieur à ceux de sa catégorie. Mettez en avant ses avantages en vous plaçant du point de vue du destinataire.

Revendiquer « la meilleure hi-fi sur le marché » ou « la technologie la plus récente » ne sert pas à grand-chose. Soulignez plutôt des éléments tels que la qualité des matériaux utilisés et les caractéristiques spécifiques qui rendent cet appareil plus pratique ou plus performant que ses concurrents. Le descriptif qui suit souligne ces aspects.

322

> Cette chaîne hi-fi de présentation soignée s'appuie sur les derniers progrès de la technologie pour garantir un son de très grande qualité comprenant à la fois l'enregistrement en stéréo intégrale et le play-back sur la console à double lecteur de cassettes.
> Ses commandes judicieusement disposées en permettent un maniement aisé. Elle est fournie avec deux enceintes acoustiques amovibles montées individuellement sur un solide encadrement de teck vernis à la finition aussi soignée qu'une Rolls Royce.

Dans ce descriptif, notez la formule « finition aussi soignée qu'une Rolls Royce » qui compare le produit à une marque bien connue et dont l'excellence est reconnue. Ce qui crée l'image d'un produit au prix raisonnable tout en étant de très haute qualité.

Emporter la conviction

Vous devez en quelque sorte convaincre votre correspondant que le produit est à la hauteur de ce que vous lui décrivez. Vous devez étayer vos affirmations par des preuves – faits, opinions. Vous pouvez le faire de différentes façons :

– en l'invitant à visiter votre usine ou votre magasin,
– en lui proposant de lui envoyer les produits à l'essai,
– en lui assurant une garantie,
– en vous référant à votre siècle d'expérience dans le domaine.

323

> Souvenez-vous, cela fait cinquante ans que nous fabriquons des chemises en coton et nous sommes convaincus que vous ne pourrez qu'être pleinement satisfait de leur qualité.
>
> Cette proposition vous est faite étant bien entendu que si la marchandise ne vous donnait pas entière satisfaction vous pourriez nous la retourner entièrement à nos frais sans avoir à vous justifier. L'intégralité de la somme que vous aurez versée vous serait alors immédiatement remboursée.

Dans cet extrait d'une lettre d'un fabricant de chemises, notez le ton convaincant. Aucun fabricant n'oserait faire une telle promesse sans être profondément convaincu de ce qu'il avance. Il y a là toutes les assurances permettant de donner pleinement confiance au destinataire et le persuader d'acheter.

Il faut toutefois se montrer vigilant, la loi interdit la publicité mensongère ou exagérée. Souvenez-vous également que la bonne réputation et la tenue de votre activité – ainsi que son succès – reposent sur des transactions honnêtes.

Pousser à l'action

Votre dernier paragraphe doit convaincre le destinataire de passer à l'action que vous souhaitez – se rendre dans le magasin, accepter de recevoir un représentant, demander un échantillon ou passer une commande.

Le dernier paragraphe doit également donner au destinataire une bonne raison de répondre.

324

> Si vous nous retournez le coupon réponse joint, nous vous démontre-rons que vous pouvez à la fois bénéficier de tous les avantages de la congélation et gagner de l'argent.
>
> La remise spéciale que nous vous proposons ne pourra être assurée que pour les commandes passées avant le 30 juin. Aussi dépêchez-vous d'en profiter pendant qu'il en est encore temps.

Le dernier paragraphe peut parfois donner un motif particulier d'agir immédiatement

Vous devez faciliter la tâche du destinataire, notamment en lui procurant un coupon détachable à compléter et à retourner ou en joignant une carte T.

Lors de la rédaction d'une lettre de vente, souvenez-vous : vos corres-pondants ne seront jamais aussi intéressés par le produit, le service ou l'idée que vous avez à vendre que par ce qu'ils pourront en tirer comme avantages.

Vous devez les convaincre des bénéfices de ce que vous vendez et leur dire en quoi ils peuvent leur être utiles.

Les lettres de vente types

Voici quelques exemples de lettres de vente efficaces qui suivent le plan en quatre points : intérêt, désir, conviction et action.

Vente faisant appel au sens de l'économie

325

Cher Monsieur,

Intérêt — Avez-vous jamais pensé au temps que vous passez à trouver votre iti-néraire pour vous rendre à un rendez-vous ? Et parfois une fois sur les lieux, vous devez changer de route en raison d'un sens interdit que vous n'aviez pas prévu ? Pourquoi ne pas avoir recours à notre système GPS de guidage par satellite ? Vous pourrez ainsi consacrer tout votre temps à votre activité principale combien plus productive.

Désir — Vous serez surpris par son coût modique au regard du gain de temps qu'il représente pour un professionnel surchargé comme vous. Pendant 52 semaines par an, votre système de guidage travaille dur pour vous et vous ne pouvez jamais lui en demander trop.

Conviction — Le système est efficace, fiable, vous fait gagner du temps et de l'argent. Grâce à notre réputation internationale, nous en avons vendu à des centaines de cadres qui comme vous n'ont pas de temps à perdre. Doté d'une précision d'horloge suisse, il est également d'un maniement enfantin : affichez votre destination et il fait tout le travail pour vous. Sur simple pression d'un bouton, il vous indique comment vous rendre à destination. Rien de plus simple. Vous pouvez choisir que votre appareil vous parle d'une voix féminine ou masculine. De plus, grâce à notre contrat de service après-vente, vous êtes assuré de recevoir toutes les actualisations qui vous garantissent un système toujours à la pointe de la performance pour longtemps.

Action — Je suis convaincu que certaines de vos relations dans l'univers des affaires utilisent déjà notre système. Demandez-leur ce qu'ils en pen-sent avant de nous passer commande. Nous sommes certains qu'ils confirmeront nos dires. Ou si vous préférez, retournez-nous la carte T jointe et nous demanderons à un de nos représentants de passer vous voir et de vous en faire une démonstration. Il vous suffit pour cela de nous indiquer le jour et l'heure qui vous conviennent le mieux.

Veuillez croire, Cher Monsieur, à l'assurance de nos sentiments les meilleurs.

Vente faisant appel au souci d'efficacité

326

Cher Monsieur,

Intérêt — Des témoignages en provenance du monde entier révèlent ce que nous avons toujours su – que le pneu plein FIABILISSIME concrétise le rêve le plus cher de tout conducteur.

Désir — Vous êtes certainement conscient des inconvénients du pneu ordinaire à chambre à air – crevaison, chape cédant sous l'effet d'une brusque tension et tendance à patiner sur route mouillée, pour ne citer que quelques-unes des récriminations des automobilistes. Notre pneu FIABILISSIME nous permet d'offrir à nos clients un produit au-dessus de toute critique dans ces domaines vitaux que sont la tenue de route et la fiabilité.

Conviction — Nous pourrions vous dire bien d'autres choses sur nos pneus FIABILISSIME mais nous préférons que vous lisiez les témoignages ci-joints des pilotes de course, des pilotes d'essai, des concessionnaires et des fabricants de voitures. Ces documents parlent d'eux-mêmes.

Action — Pour vous encourager à détenir un stock de ces nouveaux et remarquables pneus FIABILISSIME, nous avons le plaisir de vous offrir une remise spéciale de 3 % sur toute commande reçue avant le 31 juillet.

Nous vous prions de croire, Cher Monsieur, à l'expression de nos salutations distinguées.

Vente faisant appel au souci de sécurité

327

Cher Monsieur,

Intérêt — Un de mes clients est aujourd'hui plus heureux qu'il ne l'a été depuis longtemps et à juste titre. Pour la première fois depuis son mariage il y a dix ans, il se dit vraiment rassuré sur son avenir. S'il venait à décéder dans les 20 prochaines années, sa femme et ses enfants seraient à présent à l'abri. Pour moins de 20 euros par semaine acquittés aujourd'hui, son épouse recevrait 500 euros par mois pendant 20 ans et une somme forfaitaire de 10 000 euros à l'issue de cette période.

Désir — Une telle protection était au-dessus de ses moyens il n'y a pas si longtemps, mais ce nouveau plan révolutionnaire lui a permis d'assurer cette sécurité à sa famille. Le plan n'a pas forcément besoin d'être sur 20 ans, il peut être sur 15 ou 10 ou de toute autre durée. Et il peut ne pas être de 10 000 euros, il peut être de plus ou de moins de sorte qu'on choisit la protection qu'on veut.

Conviction — Pour quelques dizaines d'euros par mois vous pouvez assurer la tranquillité d'esprit de votre femme, de vos enfants et la vôtre. Vous ne pouvez pas – vous ne voudrez pas – les laisser sans protection.

Action — Je souhaiterais avoir la possibilité de venir vous voir pour vous en dire plus sur ce plan que tant de familles trouvent si intéressant. Je ne ferai aucune pression sur vous pour obtenir votre adhésion, je vous en donnerai simplement tous les détails et ce sera à vous de décider. Si vous nous retournez la carte T jointe, je viendrai vous voir au moment qui vous conviendra le mieux.

Veuillez croire, Cher Monsieur, à l'assurance de ma parfaite considération.

328

Dear Mr Goodwin

Interest — A client of mine is happier today than he has been for a long time – and with good reason. For the first time since he married 10 years ago he says he feels really comfortable about the future. Should he die within the next 20 years, his wife and family will now be provided for. For less than £2 a week paid now, his wife would receive £50 per month for a full 20 years, and then a lump sum of £10,000.

Desire — Such protection would have been beyond his reach a short time ago, but a new and novel scheme has enabled him to ensure this security for his family. The scheme does not have to be for 20 years. It can be for 15 or 10 or any other number of years. And it need not be for £10,000. It could be for much more or much less so that you arrange the protection you want.

Conviction — For just a few pounds each month you can buy peace of mind for your wife, your children and for yourself. You cannot – you dare not – leave them unprotected.

Action — I would appreciate an opportunity to call on you to tell you more about this scheme which so many families are finding so attractive. I shall not press you to join ; I shall just give you all the details and leave the rest to you. Please return the enclosed prepaid reply card and I will call at any time convenient to you.

Yours sincerely

Vente faisant appel au sens du confort

329

Chère Madame,

Intérêt — Que diriez-vous d'un cadeau qui rendrait votre domicile plus douillet et plus confortable, le libérerait des courants d'air et vous ferait faire une économie d'énergie de 20 % ?

Désir — Vous pourrez en profiter non seulement cette année mais tous les ans, simplement en installant notre système de double vitrage BIENETANCH. Pouvez-vous imaginer meilleur cadeau pour toute votre famille ? La brochure jointe détaille quelques-uns des avantages qui font de BIENETANCH le système de double vitrage le plus pleinement satisfaisant sur le marché en raison d'un certain nombre de caractéristiques que n'ont pas les autres systèmes.

Conviction — Rendez-vous compte que ces panneaux sont fabriqués sur mesure par des artisans expérimentés pour s'adapter précisément à vos fenêtres à vous. Souvenez-vous également que vous avez affaire à une entreprise solidement établie qui doit son succès à la satisfaction apportée à des dizaines de milliers de clients.

Action — Il n'y a aucune urgence à ce que vous décidiez sur-le-champ. D'abord, pourquoi ne pas nous permettre de vous faire à votre domicile une démonstration qui ne vous engage en rien ? Si vous recherchez un investissement qui vous rapporte du 20 % l'an en moyenne, alors vous l'avez trouvé. Si vous nous postez la carte T jointe de sorte qu'elle nous parvienne d'ici la fin août, nous serons en mesure de terminer votre installation bien avant que l'hiver, lui, ne s'installe.
Protégez votre maison avec BIENETANCH.

Nous vous prions de croire, Chère Madame, à l'assurance de notre parfaite considération.

Vente faisant appel à l'intérêt d'un gain de temps

330

Chère Madame,

Intérêt — « Les inventions scientifiques modernes sont une plaie pour l'humanité et finiront un jour par la détruire » m'a dit récemment un de mes clients. Sentence arbitraire s'il en est et tout à fait fausse car certaines des inventions modernes, loin d'être une plaie, sont de réels bienfaits pour l'humanité.

Désir — Notre nouveau lave-linge AQUACHEF est justement l'un d'entre eux. Il vous enlève toute la corvée de lessive de la semaine et en fait un plaisir. Il vous suffit de mettre votre linge sale à l'intérieur, de presser un bouton et de vous installer confortablement pendant que la machine fait le travail. Elle fait tout – lavage, rinçage, séchage – et nous avons le sentiment qu'elle le fait plus vite et mieux que n'importe quel lave-linge sur le marché aujourd'hui.

Conviction — Venez voir notre AQUACHEF au travail dans notre magasin d'exposition. Une démonstration ne prendra que quelques minutes de votre temps mais elle peut vous enlever à tout jamais votre angoisse du jour de lessive et vous rendre la vie bien plus agréable.

Action — J'espère que vous accepterez cette invitation et que vous viendrez voir ce que le plus moderne « des économiseurs de temps ménager » peut faire pour vous.

Veuillez croire, Chère Madame, à notre souvenir le meilleur.

Vente faisant appel à la compassion

Cette lettre a été envoyée avec un dépliant contenant un formulaire à retourner avec la donation.

331

Cher lecteur,

Vous pouvez vous déplacer dans votre maison, aller au travail, marcher dans la rue, parcourir la campagne. Vous pensez que cette faculté est normale et pourtant elle est refusée à des milliers d'autres – ceux qui sont paralysés de naissance ou à la suite d'un accident ou d'une maladie.

On estime qu'en France environ toutes les cinq minutes un enfant handicapé naît ou le devient par accident ou maladie. Ce qui signifie que chaque jour il pourrait y avoir 288 paralysés de plus.

Cela vous semble-t-il injuste ? On ne peut pas faire grand-chose à la plupart des choses injustes de la vie, mais voilà une inégalité très importante à laquelle tout un chacun peut remédier. Le dépliant joint vous explique comment vous pouvez y contribuer. Lisez-le attentivement en réfléchissant à la chance que vous avez.

Je vous prie de croire, cher lecteur, à l'assurance de mes sentiments les meilleurs.

332

> Dear Reader
>
> You can walk about the house, at work, in the streets, in the country. You take this ability for granted, yet it is denied to thousands of others – those who are born crippled, or crippled in childhood by accident or illness.
>
> It is estimated that every 5 minutes in Britain a deformed child is born or a child is crippled by accident or illness. This means that every day there could be 288 more crippled children.
>
> Does this not strike you as unfair? Most of what is unfair in life is something we can do little about but here is one very important inequality which everyone can help with. The enclosed leaflet explains how you can help. Please read it carefully while remembering again just how lucky you are.
>
> Yours faithfully

Vente faisant appel au souci de bien-être

333

> Cher Monsieur,
>
> Vous pouvez vous faire installer le chauffage solaire à moitié prix.
>
> Dans le cadre de notre programme de recherche et développement lancé il y a deux ans, nous sommes sur le point de sélectionner un certain nombre de propriétés sur l'ensemble de l'hexagone pour servir de « maisons tests », la vôtre pourrait bien en faire partie.
>
> Les données recueillies par les « maisons tests » sélectionnées au cours des deux dernières années ont montré que le chauffage solaire fonctionne même dans les parties les plus septentrionales du pays. Cette information nous a également permis de rectifier et d'améliorer notre concept, ce que nous continuerons à faire.
>
> Si votre maison est choisie pour être l'une des propriétés incluses dans notre programme de recherche, nous prendrons à notre charge la moitié des frais d'installation.
>
> Si vous souhaitez contribuer à notre programme avec en contrepartie un système de chauffage solaire à moitié prix, veuillez nous retourner le formulaire joint d'ici fin mai. Dans trois semaines nous vous indiquerons si votre maison a été choisie pour faire partie du programme.

Vente faisant appel au souci de santé

334

Madame,

Des milliers de personnes qui souffrent normalement des inconvénients du froid, de l'humidité et des changements de climat portent Thermitex. Pourquoi ? La réponse est simple : les tests réalisés par le laboratoire réputé des industries textiles à l'université de Lille ont montré que de tous les tissus utilisés traditionnellement pour les sous-vêtements, c'est Thermitex qui détient les vertus les plus probantes en matière de chaleur et d'isolation.

Depuis des années, Thermitex permet de soulager douleurs et maux, notamment ceux liés aux rhumatismes. Il permet non seulement d'apporter un surcroît de chaleur mais il soulage ces douleurs causées par les vents réfrigérants qui vous pénètrent et vous glacent jusqu'à la moelle des os. Thermitex absorbe bien moins d'humidité que les textiles traditionnellement utilisés pour les sous-vêtements. Ainsi la transpiration passe au travers de la matière en laissant votre peau sèche mais très, très chaude.

Ne vous en tenez pas à nos propos – jetez un coup d'œil à quelques-uns des témoignages figurant dans le catalogue joint. La demande pour les vêtements en Thermitex a tellement crû ces dernières années que nous avons souvent à expédier plus de 20 000 pièces en une seule journée.

Les catalogues joints regorgent des mille et une façons dont Thermitex peut vous garder au chaud et en bonne santé cet hiver. Parcourez-le, choisissez le vêtement que vous souhaitez et renvoyez-nous le bon de commande rempli – avec notre carte T vous n'avez même pas besoin de mettre un timbre !

Chaleur et santé feront très rapidement partie de votre quotidien. Si vous n'étiez pas entièrement satisfaite de votre achat, il vous suffirait de nous le retourner sous quinzaine pour que vous soyez remboursée sans discussion et le plus rapidement possible. Laissez Thermitex vous tenir chaud cet hiver !

Veuillez croire, Madame, à l'assurance de notre parfaite considération.

Les offres spontanées

Une offre qui n'a pas été sollicitée et qui est adressée à un individu ou à un petit groupe est une forme de lettre de vente. Elle poursuit le même objectif et s'inspire des mêmes principes généraux.

De telles offres peuvent prendre différentes formes, elles peuvent comprendre :

- La proposition d'échantillons gratuits.
- De la marchandise à l'essai.
- Des remises spéciales pour des commandes reçues pendant une période limitée.
- La proposition d'envoi de brochures, de catalogues, de tarifs, etc., à condition de renvoyer un formulaire ou une carte généralement pré-affranchie.

Offre à un commerçant nouvellement installé

335

Monsieur,

Nous voudrions vous souhaiter plein succès pour votre nouveau magasin de jouets. Bien sûr, vous voulez offrir à vos clients les jouets les plus récents, des jouets séduisants, solides et à des prix raisonnables. Votre assortiment ne serait pas complet sans les jouets mécaniques pour lesquels nous avons acquis une réputation nationale.

Nous sommes les importateurs exclusifs de VALORACTE et comme vous le constaterez sur les tarifs joints nous proposons des conditions très intéressantes. En plus de la remise indiquée, nous vous accorderions une remise spéciale première commande de 5 %.

Nous espérons que ces conditions exceptionnelles vous inciteront à nous passer une commande et nous vous garantissons que vous serez pleinement satisfait de votre première transaction.

Nous aurions plaisir à prévoir la visite d'un de nos représentants pour être sûr que vous êtes pleinement informé de la large gamme de jouets que nous pouvons vous proposer. Pour ce faire, il vous suffit de remplir et de nous retourner la carte T jointe en nous indiquant la date qui vous conviendrait.

Veuillez croire, Monsieur, à l'expression de nos salutations distinguées.

Offre à un client fidèle

336

Cher Monsieur,

Nous venons de nous porter acquéreurs d'un nombre important de tapis de grande qualité en provenance du stock d'un de nos concurrents en faillite.

Comme vous êtes de longue date un de nos clients les plus fidèles, nous souhaiterions vous faire profiter des excellentes affaires que cet achat rend possibles. Nous pouvons vous proposer des tapis en mohair de différentes couleurs à des prix allant de 550 à 1 500 euros, ainsi que des tapis du Haut Atlas dans différents motifs à 20 % en dessous des prix de gros actuels.

Vous avez là une excellente occasion d'acheter des produits de grande qualité à des prix que nous ne pourrons renouveler. Nous espérons que vous en profiterez pleinement.

Si l'offre vous intéresse, venez à notre entrepôt avant vendredi prochain 14 octobre pour voir par vous-même la marchandise. Ou encore appelez notre service commercial au 01 48 85 67 89 pour passer directement une commande.

Veuillez croire, cher Monsieur, en l'assurance de nos sentiments les meilleurs.

Offre à de nouveaux propriétaires immobiliers

337

Chers nouveaux habitants,

Soyez les bienvenus à votre nouveau domicile. Nous n'avons nullement l'intention de vous importuner en pleine installation mais nous voudrions vous dire pourquoi les habitants de cette ville et des environs connaissent si bien le nom de Saint-Eloi.

Notre magasin est situé à l'angle de la rue Jean Moulin et du boulevard de la République et nous vous invitons à nous rendre visite pour apprécier par vous-même la diversité éblouissante des articles qui nous ont valu notre réputation dans l'univers de la maison.

Vous trouverez joint notre guide d'achats maintenant bien connu que vous pourrez parcourir tout à loisir. Vous y découvrirez pratiquement tout ce dont vous pouvez rêver pour la beauté et le confort de votre domicile.

A l'intention des nouveaux arrivants dans le quartier, nous offrons un bon d'achat gratuit de 20 euros pour chaque tranche de 200 euros dépensés dans notre magasin. La carte jointe est valable pendant un mois et vous donne le droit de choisir les articles que vous voulez comme cadeaux.

Vous souhaitant d'être heureux dans votre nouveau domicile, nous vous prions de croire, chers nouveaux habitants, à l'expression de nos sentiments les meilleurs.

338

Dear Newcomers

Welcome to your new home! We have no wish to disturb you as you settle in but we would like to tell you why people in this town and the surrounding areas are very familiar with the name BAXENDALE.

Our store is situated at the corner of Grafton Street and Dorset Road and we invite you to visit us to see for yourself the exciting range of goods which have made us a household name.

Our well-known shopping guide is enclosed for you to browse through at your leisure. You will see practically everything you need to add to the comfort and beauty of your home.

As a special attraction to newcomers into the area we are offering a free gift worth £2 for every £20 spent in our store. The enclosed card is valid for one calendar month and it will entitle you to select goods of your own choice as your free gift.

We sincerely hope that you enjoy living in your new home.

Yours faithfully

Offre d'une démonstration

339

Chère Madame,

Le Salon de la Maison idéale ouvre ses portes à la Porte de Versailles le lundi 21 juin et vous pouvez être sûre d'y trouver toutes les nouveautés les plus intéressantes en matière de meubles ainsi que de nombreuses idées d'aménagement.

Le salon offre de multiples services plus utiles les uns que les autres, mais nous voudrions vous adresser une invitation particulière à visiter le stand 26 où nous faisons découvrir notre nouvelle gamme de meubles modulables Versailles.

Versailles est un concept totalement nouveau dans les meubles modulables haut de gamme à un prix très raisonnable et nous souhaitons que vous ne ratiez pas l'occasion de vous en rendre compte par vous-même. La charme inhérent à cette gamme vient de l'utilisation d'orme et de hêtre massif associée à un artisanat soigné pour assurer une finition parfaite à chaque pièce.

Je vous adresse deux tickets d'entrée pour le Salon de la Maison idéale. Je suis sûre que vous ne voudrez pas manquer cette occasion de voir les multiples arrangements dont les meubles modulables Versailles peuvent faire l'objet pour répondre à tous les besoins.

Souhaitant avoir l'occasion de vous y accueillir, je vous prie de croire, Chère Madame, à l'assurance de ma parfaite considération.

340

Dear Mrs Thornton

The Ideal Home Exhibition opens at Earls Court on Monday 21 June and you are certain to find attractive new designs in furniture as well as many new ideas.

The exhibition has much to offer which you will find useful, but we would like to extend our special invitation to our own display on Stand 26 where we shall be revealing our new WINDSOR range of unit furniture.

WINDSOR represents an entirely new concept in luxury unit furniture at very modest prices and we hope you will not miss the opportunity to see it for yourself. The inbuilt charm of this range comes from the use of solid elm and beech, combined with expert craftsmanship to give a perfect finish to each piece of furniture.

I enclose two admission tickets to the Ideal Home Exhibition. I am sure you will not want to miss this opportunity to see the variety of ways in which WINDSOR unit furniture can be arranged to suit any requirements.

I look forward to seeing you there.

Yours sincerely

Check-list

❑ Susciter l'intérêt dans le premier paragraphe.

❑ Créer un désir pour le produit ou service.

❑ Décrire le produit lorsque c'est nécessaire.

❑ Souligner les avantages du produit.

❑ Mettre en avant la qualité et les caractéristiques particulières du produit.

❑ Donner des preuves de ce qui est avancé.

❑ Convaincre le correspondant d'agir immédiatement.

Les formules utiles en français et en anglais

Ouvertures

1. Nous vous adressons un exemplaire de notre dernier catalogue accompagné de nos tarifs.

1. We are enclosing a copy of our latest catalogue and price list.

2. Comme vous nous avez honorés de nombreuses commandes par le passé nous souhaiterions vous faire bénéficier de notre offre spéciale.

2. As you have placed many orders with us in the past, we would like to extend our special offer to you.

3. Nous sommes en mesure de vous proposer des prix très intéressants sur certains articles que nous avons eu l'occasion d'acquérir récemment.

3. We are able to offer you very favourable prices on some goods we have recently been able to purchase.

4. Nous avons le plaisir de vous présenter notre nouveau… et nous sommes certains que vous y trouverez un réel intérêt.

4. We are pleased to introduce our new… and feel sure that you will find it very interesting.

5. Je suis navré de voir que nous n'avons plus reçu de commande de vous depuis plus de…

5. I am sorry to note that we have not received an order from you for over…

Clôtures

1. J'espère que vous profiterez pleinement de cette offre exceptionnelle.

I. We hope you will take full advantage of this exceptional offer.

2. Nous sommes certains que vous n'aurez aucun mal à trouver preneurs pour cet excellent matériel et que vos clients en seront satisfaits.

2. We feel sure you will find a ready sale for this excellent material and that your customers will be well satisfied with it.

3. C'est avec plaisir que nous organiserons une démonstration. Il vous suffit pour cela de nous indiquer le moment qui vous conviendrait le mieux.

4. Nous sommes certains que vous conviendrez avec nous que non seulement ce produit est d'une excellente qualité mais qu'il est également à un prix très raisonnable.

3. We should be pleased to provide a demonstration if you would let us know when this would be convenient.

4. We feel sure you will agree that this product is not only of the highest quality but also very reasonably priced.

16

Les lettres dans le domaine des relations humaines

Les lettres de candidature

Les lettres de recommandations

Les références favorables

Les références défavorables

Les lettres de convocation aux entretiens

Les propositions de poste

Les descriptions de fonction

Communications diverses en matière de relations humaines

Les formules utiles en français et en anglais

Les lettres de candidature

Une lettre de candidature à un poste est pratiquement une lettre de vente. Dans ce type de courrier, on essaie de se vendre. Les principes généraux des lettres de vente (voir Chapitre 15) s'appliquent donc ici.

Votre lettre doit :

- Susciter l'intérêt pour vos qualifications.
- Emporter la conviction sur votre expérience et vos références.
- Provoquer l'action que vous souhaitez de la part de l'employeur potentiel – qu'il vous accorde un entretien et finalement vous confie le poste.

La présentation de la candidature

À moins que l'annonce ne précise que la lettre doit être manuscrite, ou que le poste est purement administratif ou comptable, elle peut être saisie sur ordinateur surtout dans les milieux anglo-saxons. Une lettre bien mise en page et facile à lire attirera immédiatement l'attention et créera une bonne première impression.

Certains candidats écrivent de longues lettes contenant de multiples informations sur leur formation, leurs qualifications et leur expérience – ce n'est pas recommandé, car l'information n'est pas toujours facile à vérifier et cela peut sembler assez prétentieux.

C'est votre CV qui devrait donner tous les détails sur votre passé, votre formation, vos qualifications et votre expérience. Et il est préférable d'écrire une lettre courte vous proposant pour le poste en indiquant que votre CV est joint.

Ne répétez pas les mêmes choses dans votre lettre d'accompagnement.

Quelques conseils

- Souvenez-vous que l'objectif de votre lettre n'est pas d'obtenir le poste mais un entretien.
- Veillez à ce que votre lettre soit attrayante et nette et qu'elle se distingue des autres.
- Soyez bref, donnez toutes les informations nécessaires de façon aussi concise que possible.
- Écrivez avec sincérité, sur un ton convivial, mais sans familiarité.
- Ne vous vantez pas ou ne vous montrez pas prétentieux, donnez simplement une bonne appréciation de vos capacités.
- Ne laissez pas entendre que vous postulez parce que vous vous ennuyez dans votre poste actuel.
- Si vous êtes surtout motivé par le salaire, ne donnez pas vos prétentions. Mentionnez plutôt ce que vous gagnez à présent.
- N'envoyez pas les originaux de vos références avec votre lettre de candidature mais des copies et emportez les originaux avec vous lors de l'entretien.

La check-list

Un employeur surchargé a peu de temps pour les courriers fleuve. Résistez à la tentation de donner des détails qui n'intéresseront probablement pas votre correspondant, quelle que soit leur importance pour vous. Vous devriez éviter de généraliser et au contraire être très précis quant à l'information fournie. Ainsi au lieu de dire : « J'ai eu pendant plusieurs années une expérience comparable dans une société bien connue d'ingénierie », précisez le nombre d'années, l'expérience en question et le nom de la société d'ingénierie.

Une fois votre lettre écrite, relisez-la soigneusement et posez-vous les questions suivantes :

- Se lit-elle comme une bonne lettre d'affaires ?
- Le premier paragraphe est-il suffisamment intéressant pour inciter votre correspondant à lire le reste ?
- Fait-elle comprendre que vous êtes réellement intéressé par le poste et le type de travail à accomplir ?
- A-t-elle une présentation claire et une structure logique ?

Si vous répondez oui à toutes ces questions, alors vous pouvez envoyer vos lettres en toute sécurité.

L'acte de candidature en réponse à une annonce

a) La lettre de candidature

Lorsque vous faites acte de candidature en réponse à une annonce parue dans un journal, vous devez toujours le mentionner dans le premier paragraphe ou dans l'accroche.

341

L'adresse de l'expéditeur doit figurer en haut à gauche

L'adresse du destinataire se situe en haut à droite en bloc, la date se met à droite

26, route de Versailles
78560 Port-Marly

Madame J. Janin
Directeur des Ressources humaines
Chaffoteaux et Maury
56, boulevard de la Gare
78000 Versailles

15 mai 20…

Chère Madame,

Assistant Export trilingue (anglais-espagnol) au service international

Mentionner le poste et la source de l'annonce

L'annonce que vous avez fait paraître dans *Le Monde* a retenu mon attention et je voudrais vous proposer ma candidature pour le poste que vous avez à pourvoir.

Donner les grandes lignes du poste et décrire les tâches

J'occupe à l'heure actuelle un poste d'assistant export dans une société industrielle où j'assume de nombreuses responsabilités : le traitement des commandes pour le secteur Asie, les contacts téléphoniques avec les clients anglophones et l'interface avec la banque.

Indiquer les raisons de votre intérêt pour le poste

Le secteur dans lequel évolue votre société m'intéresse particulièrement et je pourrai dans ce poste utiliser mon espagnol davantage que je ne le fais pour le moment.

Joindre votre CV et le cas échéant vos lettres de recommandation

Vous trouverez ci-joint copie de mon CV ainsi que de mes lettres de recommandation.

Clôture adaptée

Souhaitant avoir l'occasion de vous présenter ma candidature lors d'un entretien, je vous prie de croire, chère Madame, à l'assurance de ma parfaite considération.

Geneviève Corson (Mlle)

PJ

b) Le *curriculum vitæ*

Votre *curriculum vitæ* (ou plus simplement CV) devra mettre en avant vos caractéristiques personnelles ainsi que votre formation, vos qualifications et votre expérience professionnelle. Il devra être présenté agréablement de façon à ce que toutes les informations soient visibles d'un seul coup d'œil. Il ne devra pas dépasser deux pages. Et autant que possible, l'information devra être classée en rubriques et colonnes.

342

CURRICULUM VITÆ

L'état civil doit figurer au début

NOM : Geneviève Corson
ADRESSE : 26, route de Versailles, 78560 Port-Marly
TELEPHONE : 01 39 58 76 76
DATE DE NAISSANCE : 26 mai 1975
NATIONALITE : française
STATUT : célibataire

Citer les formations à plein temps et à temps partiel

FORMATION
   19..-19.. LEA – Université de Paris-Sorbonne
   19..-19.. Formation au commerce extérieur
          Chambre de commerce et d'industrie de Paris

Lister les qualifications

QUALIFICATIONS
   Bac L Dominante Langues : français, anglais, espagnol
   Maîtrise de langues étrangères appliquées (anglais, espagnol)
   Brevet de technicien du commerce extérieur (aspect commercial
   et financier)

DISTINCTION PARTICULIERE
   Toefl d'anglais

Mentionner d'abord le poste actuel et remonter

EXPERIENCE PROFESSIONNELLE
   depuis avril 19..
          Assistant export, Service international
          Câbles et compagnie
          9, avenue Daumesnil, 75012 Paris

   septembre 19.. à mars 19..
          Stagiaire Air France fret
          Aéroport d'Orly, 94310 Orly

INTERET

Hobbies, centres d'intérêt ou autres informations

   musique, langues, voyages, natation

REFERENCES

En donner au moins deux

   1. Monsieur R. David
   Maître de conférences de commerce international
   Université Paris-Sorbonne
   15, rue Cousin, 75005 Paris

   2. Monsieur Daniel Paris
   Responsable de la logistique Air France fret
   Aéroport d'Orly, 94310 Orly

Dater le CV (mois / année)

juin 20..

Candidature s'appuyant sur une recommandation

Parfois la candidature peut venir d'une recommandation d'un ami ou d'un collègue. Dans ce cas, la recommandation doit être mentionnée dans le premier paragraphe comme un moyen utile d'attirer l'attention.

343

Cher Monsieur,

Monsieur Philippe Narcy, votre responsable du personnel, m'a signalé que vous aviez un poste d'assistant marketing à pourvoir et je voudrais vous proposer ma candidature.

Comme vous pourrez le voir dans mon curriculum vitae joint, après mon baccalauréat j'ai fait une école supérieure de commerce.

Je travaille comme assistante marketing dans l'entreprise Aquarelle depuis deux ans et j'y ai été très heureuse tout en acquérant une expérience intéressante. Toutefois, l'entreprise est une PME et je voudrais à présent élargir mon expérience et si possible améliorer mes perspectives de carrière.

Le directeur de mon ancienne école a rédigé la lettre de recommandation que vous trouverez jointe et a gentiment accepté de fournir d'autres détails s'ils se révélaient nécessaires. Si ma candidature vous intéresse, mon employeur actuel est également d'accord pour vous donner des informations complémentaires.

Je reste à votre disposition pour un entretien au moment qui vous conviendra et espère recevoir bientôt une réponse de votre part.

Je vous prie d'agréer, Cher Monsieur, l'expression de mes salutations distinguées.

Candidature à un poste de responsable des ventes

344

Monsieur,

Mentionner le poste et l'annonce — Votre annonce pour un poste de responsable des ventes paru dans *L'Express* de cette semaine a retenu mon attention et je souhaiterai vous proposer ma candidature.

Joindre le CV et mentionner brièvement l'expérience — Vous trouverez dans mon CV joint tous les détails sur mon parcours professionnel, vous y noterez mes dix années d'expérience dans le service commercial de deux entreprises très connues. Ma mission à Plastiques Modernes comprend notamment la formation du personnel commercial et la responsabilité des études de marché et de la promotion des ventes.

Donner les raisons de la candidature	J'aime beaucoup ce que je fais et je suis très heureux dans cette entreprise, mais je pense que le moment est venu pour moi de mettre à profit mon expérience acquise en marketing pour assumer une fonction plus complète de responsable commercial.
Mentionner les recommandations	Monsieur Jacques Marion, mon directeur général, et Madame Henriette Lebb, responsable des ventes de mon entreprise précédente ont tous deux accepté de me servir de références. Leurs recommandations figurent dans mon dossier joint.
Clôture adaptée	J'aurai plaisir à vous fournir toute information complémentaire dont vous pourriez avoir besoin. Dans l'espoir de vous rencontrer lors d'un entretien, je vous prie de croire, Monsieur, à l'assurance de ma parfaite considération.

Candidature à un poste d'enseignant

Cette lettre de candidature est adressée par un enseignant en cours de formation au responsable de l'Education nationale de sa collectivité locale pour s'enquérir sur les possibilités de postes qui lui seraient adaptés.

345

Monsieur,

À l'issue de ce trimestre, j'aurai terminé mon année de formation d'enseignante à l'École normale de Créteil. Pour des raisons familiales, je souhaiterai obtenir un poste dans une école ou un collège dans le secteur sous votre responsabilité.

Vous constaterez dans mon CV joint que j'ai un baccalauréat ainsi qu'un certain nombre de qualifications dans le domaine du secrétariat. J'ai occupé plusieurs postes de secrétaire dans la région parisienne pendant huit ans au cours desquels j'ai également passé mes diplômes d'enseignante en sténographie et dactylographie.

Ayant beaucoup apprécié mon expérience de professeur de ces matières en cours du soir à l'Institut Morin pendant deux ans, j'ai été incitée à suivre le cours complet de l'École normale de Créteil.

J'aime beaucoup les jeunes, je m'entends très bien avec eux et j'ai plaisir à pouvoir les aider de façon pratique comme le permet l'enseignement. Si vous avez un poste de ce type à pourvoir dans votre secteur, je vous serais reconnaissante de bien vouloir examiner ma candidature.

Je vous prie de croire, Monsieur, à l'assurance de ma parfaite considération.

Candidature à un poste de stagiaire en informatique

Dans cette lettre, l'expéditeur donne des détails sur sa formation et sur ses qualifications au lieu de les inclure dans un CV séparé. Cette formule est pratique lorsque le candidat n'a pas beaucoup d'expérience pour étoffer un CV.

346

> Monsieur,
>
> Je voudrais vous proposer ma candidature au poste de stagiaire cadre au service informatique annoncé dans *Les Echos* d'aujourd'hui.
>
> J'ai obtenu un baccalauréat série C au Lycée Hélène Boucher de Vincennes. J'ai ensuite bénéficié d'une bourse d'étude pour faire une double maîtrise à la Sorbonne, obtenant une mention Très bien en mathématiques et une mention Bien en physique. Après avoir quitté l'université l'an dernier, j'ai pris un CDD chez Siemens pour améliorer mon allemand et acquérir de l'expérience en travaillant avec leurs laboratoires de recherche à Bremen. Mon contrat arrive à échéance dans six semaines.
>
> Je m'intéresse à l'informatique depuis de nombreuses années et je voudrais y faire carrière. Je pense que ma formation en mathématiques et physique devrait me permettre d'y réussir.
>
> Célibataire, je suis disposé à suivre la formation en internat à laquelle vous faites allusion dans l'annonce.
>
> Monsieur Garnier, mon ancien proviseur au Lycée Hélène Boucher, a accepté de me servir de référence (téléphone 01 48 67 98 00) tout comme Monsieur Blanc, professeur à la Sorbonne (téléphone 01 44 41 67 89). Je souhaite vivement que vous preniez des renseignements auprès d'eux et que vous acceptiez de m'accorder un entretien.
>
> Je vous prie de croire, Monsieur, à l'assurance de ma parfaite considération.

Candidature spontanée

Une lettre de candidature spontanée est plus difficile à rédiger car il n'y a pas d'annonce ou de recommandation qui vous renseigne sur le poste ni même s'il y a un poste à pourvoir. Dans ce cas, vous devez trouver des informations sur les activités de l'entreprise et puis démontrer comment vos qualifications et votre expérience pourraient y être utiles.

Monsieur,

Pendant les huit dernières années, j'ai travaillé comme statisticien au Centre de Recherche de Dubois et Morel à Versailles. Je suis à présent à la recherche d'une nouvelle situation qui me permettrait d'élargir mon expérience et dans le même temps d'améliorer mes perspectives de carrière. J'ai pensé qu'une entreprise aussi puissante et réputée que la vôtre pourrait utilement employer mes services.

J'ai 31 ans et je jouis d'une excellente santé. J'ai acquis une spécialisation en merchandising et en publicité à l'université de Paris-Sorbonne où j'ai fait un DESS avec pour sujet de mémoire L'Etude statistique dans la recherche. J'aime beaucoup travailler dans la recherche notamment lorsqu'elle implique des statistiques.

Bien que je n'aie pas d'expérience dans les études consommateurs, je connais bien les méthodes utilisées et je comprends fort bien leur importance dans le recueil des habitudes et tendances de consommation. J'espère qu'il y aura moyen d'utiliser mes compétences dans ce type d'étude et que j'aurai l'occasion de vous donner d'autres informations et de vous apporter mes lettres de recommandations au cours d'un entretien.

Espérant avoir rapidement une réponse de votre part, je vous prie de croire, Monsieur, à l'assurance de ma parfaite considération.

Les lettres de recommandation

En plus du CV qui accompagne votre lettre de candidature, vous pouvez également utilement joindre les lettres de recommandation de vos employeurs précédents. Les originaux de ces lettres de recommandation non adressées portent la mention « À qui de droit ». Elles sont généralement remises au salarié par les employeurs précédents et à sa demande. Vous devriez toujours conserver les originaux et n'envoyer que les photocopies aux employeurs potentiels.

Il n'y a aucune obligation juridique à rédiger une lettre de recommandation. Mais si on le fait, elle ne devrait énoncer que des faits exacts, sinon le signataire en devient juridiquement responsable, soit vis-à-vis du candidat pour diffamation ou envers l'employeur si la recommandation est en quoi que ce soit fausse.

Toute lettre de recommandation devrait suivre le plan en quatre points suivant :

1. Mentionner la durée de l'emploi et le(s) poste(s) occupé(s)
2. Donner des détails sur les tâches réalisées
3. Décrire le comportement au travail et les qualités personnelles
4. Conclure sur une recommandation.

Lettre de recommandation formelle pour une secrétaire

Cette lettre de recommandation a été demandée par une employée qui a travaillé pendant huit ans comme secrétaire avant de reprendre une formation d'enseignante.

348

À QUI DE DROIT

Durée de l'emploi

Mademoiselle Sylvia Tanneur a été employée comme secrétaire sténo-dactylo au service commercial de notre société depuis qu'elle a terminé ses études de secrétariat en juillet 20… Elle a été promue à mon secrétariat personnel en 20..

Tâches

Ses responsabilités comprenaient les tâches habituelles de secrétariat d'un poste de ce niveau ainsi que la présence aux réunions, la transcription des comptes rendus et la prise en charge et l'accompagnement des jeunes secrétaires.

Comportement professionnel

Sylvia a toujours fait tous les efforts nécessaires pour accomplir son travail consciencieusement et rapidement. C'est une excellente secrétaire, une sténodactylo extrêmement rapide et fiable, méticuleuse dans la mise en page, la présentation et la précision de son travail. Je ne soulignerai jamais assez son rythme de travail exceptionnel qui ne l'a jamais empêchée de tenir les hauts niveaux de performance qu'elle se fixe à elle-même.

Qualités personnelles

Sylvia jouit d'une excellente santé et a une bonne maîtrise du temps. Elle est agréable, sympathique, sociable et prompte à rire des plaisanteries. Lorsqu'elle a décidé de reprendre une formation d'enseignante, son départ a été une grande perte pour moi-même et l'entreprise.

Recommandation

À mon avis, Sylvia a le caractère, la motivation et la démarche nécessaires pour remplir un poste de secrétaire de direction ou encore embrasser la profession d'enseignante. Je vous la recommande vivement et vous pouvez me contacter pour tout renseignement complémentaire.

Jean Henry
Vice-président

Lettre de recommandation pour un responsable d'études

Voici une autre lettre de recommandation très positive rédigée pour un salarié qui a quitté un collège privé après avoir terminé un contrat de deux ans comme responsable d'études.

349

À QUI DE DROIT

Cyril Tillet a occupé le poste de responsable des études de management d'août 20.. à mars 20..

Tout en étant capable d'assumer les responsabilités de la gestion de l'ensemble de son département, Cyril enseignait avec succès l'Economie, le Commerce et le Management à des groupes d'étudiants très variés sur les plans du niveau d'étude et de l'âge pour les cours débouchant sur les examens poussés de la Chambre de Commerce.

Cyril est un enseignant extrêmement compétent et professionnel qui prépare ses cours de manière complète et méticuleuse. Sa vocation pour l'enseignement n'a d'égal que ses compétences administratives. Il a fortement contribué à l'établissement du planning, aux conseils aux étudiants, à la mise au point du contenu des cours et au marketing des programmes.

Cyril a une personnalité extravertie et un bon contact. Il se donne pleinement dans le travail d'équipe et plaît aussi bien à ses étudiants qu'à ses collègues.

En raison de sa motivation et de ses compétences, je suis convaincu que Cyril sera un atout pour la société qui aura la chance de l'employer. C'est avec plaisir que je le recommande vivement et sans aucune hésitation.

Mohammed Bacri
Principal

Les références favorables

Même si des lettres de recommandation sont jointes au dossier de candidature, il est d'usage de citer (soit dans le CV, soit dans la lettre d'accompagnement) une ou deux personnes qui ont accepté de servir de références.

Les employeurs potentiels peuvent contacter ces personnes par téléphone ou par courrier pour obtenir d'autres informations sur le travail ou le caractère du candidat.

Lettre prenant des renseignements

350

Chère Madame,

Citer le nom du candidat et le type de poste — Monsieur Joël Hervé qui occupe actuellement dans votre entreprise le poste de responsable de la correspondance étrangère a postulé chez nous pour un emploi analogue et nous a communiqué votre nom comme référence.

Demander des renseignements sur le travail du candidat — Je vous serais reconnaissant de nous faire savoir si son travail avec vous était pleinement satisfaisant et si vous pensez qu'il serait en mesure de prendre entièrement en charge la correspondance en anglais et en allemand d'un département important à forte activité.

Demander des détails précis sur les compétences — Je sais que Monsieur Hervé parle l'anglais et l'allemand couramment mais je souhaiterai particulièrement savoir s'il saurait traduire avec précision dans ces deux langues des lettres qui pourraient lui être dictées en français.

Garantir le caractère confidentiel — Nous vous serions reconnaissants de toute autre information que vous souhaiteriez nous communiquer et qui, bien sûr, resterait strictement confidentielle.

Veuillez croire, chère Madame, à l'assurance de notre parfaite considération.

Réponse positive

Par cette réponse, le signataire recommande chaudement et sans hésitation le salarié, pensant qu'il sera en mesure de mener à bien les missions requises pour le poste mentionné.

351

Cher Monsieur,

Je suis heureuse de pouvoir répondre favorablement à votre demande de renseignements du 6 avril concernant Monsieur Joël Hervé.

Monsieur Hervé est un linguiste émérite qui pendant les cinq dernières années a été seul en charge de notre correspondance avec l'étranger, essentiellement avec les compagnies européennes, surtout anglaises et allemandes.

Nous avons été extrêmement satisfaits des services rendus par Monsieur Hervé. Si vous deviez le recruter vous pourriez entièrement compter sur lui pour assurer la transcription parfaite et précise des lettres en anglais et en allemand. C'est un professionnel fiable et constant, doué d'un excellent caractère.

Nous lui souhaitons bonne chance dans ses nouvelles fonctions tout en regrettant de devoir le perdre.

Veuillez agréer, Cher Monsieur, l'expression de nos salutations distinguées.

Réponse prudente

Dans cette réponse, le signataire se montre très prudent, suggérant que le candidat manque d'expérience dans la gestion d'un département. Toutefois, il fait bien attention à ne pas le dire directement et l'exprime de façon détournée.

352

Cher Monsieur,

Je vous remercie de votre courrier du 6 avril au sujet de Monsieur Joël Hervé.

Monsieur Hervé est un linguiste compétent et a été employé ces cinq dernières années comme assistant senior dans notre service de correspondance étrangère. Il s'est toujours montré consciencieux et travailleur. Savoir s'il serait en mesure de prendre l'entière responsabilité d'un service important et à forte activité est difficile à dire. Le travail qu'il a effectué chez nous a toujours été encadré par un supérieur.

Si vous aviez besoin de renseignements complémentaires, n'hésitez pas à me contacter.

Veuillez croire, Cher Monsieur, à l'expression de mes salutations distinguées.

Demande de renseignements sur un candidat

Dans cette lettre, un autre employeur potentiel demande des informations sur le travail et le caractère d'un candidat.

353

Cher Monsieur,

Monsieur Lionel Picon a proposé sa candidature au poste de directeur de notre usine de Libreville. Nous sommes leader dans la fabrication de composants usinés utilisés dans l'industrie pétrochimique et nous sommes à la recherche d'un ingénieur qualifié ayant une expérience du travail de responsable d'usine de production de lots moyens et gros.

Monsieur Picon nous a signalé qu'il avait travaillé pour vous en tant que directeur adjoint de votre usine de Lyon. Nous vous serions reconnaissants de nous communiquer toute information sur ses compétences, sa fiabilité et son caractère en général.

Tout ce que vous pourriez nous confier sera traité avec la plus stricte confidentialité.

Je vous prie de croire, Cher Monsieur, à l'assurance de notre parfaite considération.

Réponse favorable

354

Cher Monsieur,

Accuser réception de la lettre et préciser le contexte — Je vous remercie pour votre lettre du 6 août au sujet de Monsieur Lionel Picon qui a été employé dans notre société pendant les dix dernières années.

Monsieur Picon a fait son apprentissage aux Outils Ferrier de Valence avant de suivre pendant trois ans les cours de l'Ecole d'ingénieurs de production de Lyon où il a obtenu le diplôme d'ingénieur d'usine.

Donner des détails sur son travail, ses qualifications et son attitude — Il est techniquement très qualifié et a été pendant les cinq dernières années adjoint au directeur d'usine responsable de la production et des activités annexes de notre unité de Lyon. Dans tous les domaines de son activité, il s'est montré travailleur, consciencieux et à tous égards extrêmement fiable. Et c'est sans la moindre hésitation que je peux vous recommander Monsieur Picon.

Terminer par une recommandation et un mot personnel pour le candidat — Je suis certain que si vous lui confiez votre usine de Libreville il apportera à son travail un réel esprit de service qui sera perçu comme stimulant et utile par tous ceux qui seront appelés à travailler avec lui.

Veuillez croire, Cher Monsieur, à l'expression de mes sentiments les meilleurs.

Lettre de remerciements du candidat

Les personnes qui ont été sollicitées pour servir de références seront naturellement intéressées de savoir ce qu'il est advenu du candidat, s'il a été choisi ou non. Les candidats devraient donc toujours informer et remercier ceux qui les ont aidés.

355

Cher Monsieur,

Je voudrais vous remercier d'avoir appuyé ma candidature au poste de directeur de l'usine pétrochimique Rhoda de Libreville.

Je sais quel a été le poids des mots extrêmement aimables que vous avez eus à mon égard dans la décision de me confier le poste et je vous suis particulièrement reconnaissant de la recommandation que vous m'avez ainsi procurée.

J'ai toujours beaucoup apprécié votre aide et vos encouragements et je ne les oublierai jamais.

Je vous prie de croire, Cher Monsieur, à l'expression de ma parfaite reconnaissance.

Demande de renseignements utilisant des points numérotés

Dans cette lettre, le signataire recherche certaines qualités. Pour s'assurer qu'il sera répondu à chacune d'entre elles, il utilise les points numérotés.

356

Chère Mademoiselle,

Citer en introduction le nom du candidat et le poste concerné — Mademoiselle Joanna Pasquier a posé sa candidature au poste d'employée administrative au service commercial. Elle nous a indiqué travailler pour le moment pour vous et nous a donné votre nom comme référence.

Lister et numéroter des questions précises sur le candidat — Je vous serais reconnaissant d'accepter de répondre aux questions suivantes concernant ses capacités et son caractère :
1. Est-elle consciencieuse, intelligente et digne de confiance ?
2. Est-elle capable de faire face à toute situation difficile ?
3. S'acquitte-t-elle de façon satisfaisante de la frappe et des tâches administratives ?
4. Est-elle capable de manier les chiffres avec précision ?
5. A-t-elle un bon rythme de travail ?
6. S'entend-elle bien avec ses collègues ?
7. N'a-t-elle pas de problème de santé et de gestion du temps ?

Donner une garantie de confidentialité — Toute information que vous aurez la gentillesse de nous communiquer sera traitée de façon strictement confidentielle.

Je vous prie d'agréer, Chère Mademoiselle, l'assurance de ma parfaite considération.

La réponse

357

> Cher Monsieur,
>
> En réponse à votre lettre du 15 avril je n'ai que des compliments à faire sur Mademoiselle Joanna Pasquier. Elle a été employée comme assistante administrative au service commercial au siège pendant les deux dernières années et je suis certaine que son travail vous satisfera en tous points.
>
> Pour répondre précisément aux questions de votre lettre, je n'ai aucune hésitation à dire que Mademoiselle Pasquier a toutes ces qualités.
>
> Nous allons regretter son départ mais nous sommes conscients que ses capacités méritent plus de perspectives que celles que nous pouvons lui offrir ici.
>
> Je vous prie de croire, Cher Monsieur, à l'expression de mes salutations distinguées.

Référence favorable – pour un ancienne étudiante

358

> Chère Madame,
>
> Concerne : Caroline Badie
>
> En réponse à votre demande de renseignement du 3 juin, c'est avec plaisir que je profite de cette occasion pour appuyer la candidature de Mademoiselle Badie au poste d'assistante marketing.
>
> Mademoiselle Badie a fréquenté notre établissement au cours de l'année 20..-20... L'entrée à ce cours intensif d'un an est réservée aux étudiants ayant de bonnes qualifications à l'issue du secondaire. Le fait même que Mademoiselle Badie y ait été admise est en soi la preuve de ses excellentes facultés universitaires. A l'issue de sa formation, elle a été nommée « étudiant de l'année », titre attribué a l'étudiant ayant obtenu les meilleurs résultats au cours de l'année.
>
> À tous égards, le travail et le comportement de Mademoiselle Badie ont été pleinement satisfaisants et c'est en toute confiance que je vous la recommande. Je suis certaine que si elle est recrutée elle s'acquittera de sa mission de façon efficace et fiable.
>
> Je vous prie de croire, Chère Madame, à l'expression de mes salutations distinguées.

Référence favorable – pour un chef de service

359

Cher Monsieur,

En réponse à votre lettre d'hier, je voudrais vous assurer des capacités et de la fiabilité de Monsieur Lionel Brun. Il nous a rejoints il y a cinq ans pour prendre en charge notre département Equipement et Matériel.

Lionel connaît parfaitement le métier et assure la totalité des achats de ce département avec beaucoup de succès. Je sais que depuis quelque temps il recherche un poste analogue dans un plus grand magasin. Et bien que nous regretterons de le voir partir, nous ne voudrions pas entraver la promotion qui lui serait offerte dans un magasin aussi important que le vôtre.

Je vous prie de croire, Cher Monsieur, à l'assurance de mes sentiments les meilleurs.

Les références défavorables

Si un employé, dont les services n'ont pas été entièrement satisfaisants, demande une recommandation à son employeur, le plus sûr moyen de procéder pour celui-ci est de lui dire de communiquer son nom comme référence.

Il y a toujours un risque à ce que les commentaires défavorables soient vues par des personnes qui ne le devraient pas, aussi est-il plus sûr de les communiquer soit au téléphone soit au cours d'un entretien plutôt que par écrit.

Si une référence défavorable doit être écrite, la rédaction doit en être très prudente et réservée et comporter le moins de détails possible.

Renseignements défavorables

360

Un renseignement comme celui-là empêchera certainement le candidat d'obtenir le poste, mais si le signataire le pense vraiment il ne doit pas craindre de le donner

Chère Madame,

Je voudrais répondre à votre courrier du 18 janvier dans lequel vous me demandez des renseignements sur Monsieur Yann Bellec.

Monsieur Bellec a travaillé comme employé administratif dans notre société de février à octobre de l'année dernière. Nous l'avons laissé partir parce que son travail était en dessous du niveau que nous exigeons de nos employés. Sa ponctualité laissait aussi beaucoup à désirer et il avait une influence négative sur les autres membres du personnel.

Monsieur Bellec est un jeune homme intelligent qui pourrait bien faire avec un peu d'autodiscipline. Mais, si je m'en tiens à mon expérience personnelle, je ne peux malheureusement pas en conscience le recommander.

Je vous prie de croire, Chère Madame, à l'expression de mes salutations distinguées.

Autres renseignements défavorables

361

La lettre précédente est très précise sur les faiblesses du candidat.

Une façon plus prudente de procéder serait d'écrire en termes plus généraux, d'être moins précis sur les critiques comme dans celle-ci

---

Chère Madame,

Je réponds à votre lettre du 18 janvier dans laquelle vous me demandiez des renseignements sur Monsieur Yann Bellec.

Ce jeune homme a fait partie de notre personnel administratif de janvier à octobre de l'année dernière, mais je regrette d'avoir à dire qu'il ne nous a pas convenu.

Il se peut qu'il fasse mieux dans une autre entreprise.

Je vous prie de croire, Chère Madame, à l'assurance de ma parfaite considération.

Les lettres de convocation aux entretiens

S'il y a beaucoup de candidatures pour un poste, il est peu probable que les candidats soient tous convoqués à un entretien. Dans ce cas, une sélection des candidats jugés les plus intéressants sera établie. Des réponses doivent également être adressées aux candidats malheureux.

Lettre de convocation à un entretien

Un courrier convoquant un candidat à un entretien doit d'abord accuser réception de sa candidature avant de fixer le jour, la date et l'heure de l'entretien. Le nom de la personne que doit demander le candidat doit également être indiqué. Une confirmation est souvent requise.

362

Chère Mademoiselle,

Secrétaire confirmée du responsable de la formation

Nous vous remercions pour votre candidature au poste référencé ci-dessus.

Nous vous proposons un entretien avec moi-même et Madame Angéla Hutin, Responsable de Formation, le vendredi 29 mai à 15 h 30.

Veuillez nous confirmer par courrier ou téléphone si ce rendez-vous vous convient.

Je vous prie de croire, Chère Mademoiselle, à l'expression de nos sentiments distinguées.

363

Dear Miss Wildman

SENIOR SECRETARY TO TRAINING MANAGER

Thank you for your application for this post.

You are invited to attend for an interview with me and Mrs Angela Howard, Training Manager, on Friday 29 May at 3.30 pm.

Please let me know either by letter or telephone whether this appointment will be convenient for you.

Yours sincerely

Confirmation de la présence à l'entretien

364

> Chère Madame,
>
> **Secrétaire confirmée du responsable de formation**
>
> Je vous remercie de votre courrier me convoquant à un entretien le vendredi 29 mai à 15 h 30.
>
> C'est avec plaisir que je m'y rendrai pour vous rencontrer ainsi que Madame Hutin.
>
> Veuillez croire, Chère Madame, à l'assurance de ma parfaite considération.

Réponse négative avant l'entretien

Il est poli d'écrire aux candidats qui ne sont pas convoqués à un entretien. La lettre doit être rédigée de façon à ne pas offenser ou créer de rancœur.

365

> Madame,
>
> Nous vous remercions de votre candidature au poste de Secrétaire confirmée du responsable de formation.
>
> Nous avons reçu beaucoup de candidatures pour ce poste et je crains que votre expérience et vos qualifications ne correspondent pas suffisamment à nos besoins pour que nous ayons retenu la vôtre.
>
> Je comprends votre déception et je voudrais vous remercier du temps et des efforts que vous avez consacrés à la préparation de ce dossier de candidature. Vous avez une expérience intéressante et je suis sûre que vous ne tarderez pas à trouver un poste qui vous convienne.
>
> Veuillez croire, Madame, à l'assurance de notre parfaite considération.

366

Dear

Thank you for your application for the post of Senior Secretary to the Training Manager.

We have received many applications for this post. I am afraid that your experience and qualifications do not match all our requirements closely enough so we cannot include you on our shortlist for this post.

I realise you will be disappointed but would like to thank you for the considerable time and effort you put into preparing your application. You have a lot of useful experience and I am sure that you will soon find suitable employment.

Yours sincerely

Les propositions de poste

Les lettres proposant un poste doivent indiquer clairement le salaire et toute autre condition de travail. Si les missions que comporte le poste sont décrites en détail dans une description de poste jointe au courrier, il ne sera pas nécessaire de répéter ces détails dans la lettre.

Lettre confirmant une offre d'emploi

Si la proposition de poste est faite oralement au cours d'un entretien, elle devra être confirmée par une lettre immédiatement après.

367

Proposer le poste et préciser la date d'entrée

Préciser la mission ou joindre une description de fonction

Donner des détails sur le salaire et les congés

Donner des informations sur le préavis de rupture

Demander confirmation

Chère Mademoiselle,

J'ai le plaisir de vous confirmer la proposition que nous vous avons faite hier concernant le poste de secrétaire confirmée du responsable de formation à compter du 1er août prochain.

Votre mission sera celle que nous vous avons présentée lors de l'entretien et que vous trouverez résumée dans le descriptif de poste joint.

La rémunération de ce poste qui est de 23 000 € annuels pour débuter, passera à 25 000 € annuels après un an et donnera lieu par la suite à des révisions annuelles. Vous aurez droit à quatre semaines de congés payés par an.

Les deux parties pourront mettre fin au contrat de travail par écrit en respectant un préavis de deux mois de part et d'autre.

Nous vous remercions de nous confirmer que vous acceptez le poste dans les conditions prévues et que vous serez en mesure de commencer le 1er août.

Veuillez agréer, Chère Mademoiselle, l'expression de nos salutations distinguées.

Les descriptions de fonction

Un descriptif de fonction détaille les tâches et responsabilités du poste en mentionnant les missions d'encadrement, les responsabilités spécifiques et toute caractéristique particulière de la fonction.

368

Si vous utilisez du papier vierge, mentionnez le nom de la société. Le papier à en-tête est parfois utilisé

Bouygues Télécom

Descriptif de poste

Titre du poste	Secrétaire confirmée
Dépend de	Responsable de la formation
Lieu de travail	Etablissement de Lyon
Objectif principal	Assumer le secrétariat personnel et les services de support du responsable de formation

Utiliser les bons libellés

Compétences requises

Parfois les caractéristiques précises de celui qui occupe le poste sont mentionnées

1. Capacités : sens de l'initiative, arbitrage des priorités, autonomie.
2. Expérience précédente au niveau de secrétaire confirmée.
3. Compétences : Bureautique Microsoft, prise de notes, rédaction de comptes-rendus, bonne organisation, bons contacts avec les autres.
4. Bon niveau de culture générale et qualifications nécessaires pour le secrétariat et les tâches administratives.

Principales tâches et responsabilités

Lister les principales tâches et responsabilités
S'assurer que tous les points sont exprimés de la même façon (infinitif)

1. Assurer le secrétariat du responsable de formation.
2. S'occuper du courrier, répondre aux demandes de renseignements téléphoniques, prendre les messages et rédiger la correspondance.
3. Prendre en sténo et gérer les instructions à partir d'un brouillon manuscrit, d'une cassette ou d'une disquette et transcrire les documents de façon précise et cohérente.
4. Tenir l'agenda du responsable de formation.
5. Organiser les réunions et faire des comptes-rendus exacts.
6. Organiser des cours de formation et des séminaires.
7. Prévoir toutes les réservations de transport et d'hébergement nécessaires.
8. Assurer la confidentialité du bureau et des documents.

Terminer par cette clause-type

9. Prendre en charge toute autre tâche qui peut être attendue d'un poste de ce niveau.

ST/BT
Juin 20..

Lettre confirmant le recrutement

Lorsque le recrutement n'est pas prévu lors de l'entretien, la proposition au candidat sélectionné sera faite par courrier le plus rapidement possible.

369

> Chère Mademoiselle,
>
> Nous vous remercions d'être venue à notre entretien d'hier. J'ai le plaisir de vous proposer le poste d'assistant chef de produit au service marketing pour un salaire de 23 000 euros pour débuter. Vous commencerez le lundi 1er octobre.
>
> Comme nous l'avons évoqué ensemble, les horaires sont 9 h - 18 h avec une heure pour déjeuner. Vous aurez droit à quatre semaines de congés payés par an.
>
> Nous vous remercions de nous confirmer par retour de courrier que vous acceptez le poste et que vous pouvez commencer le 1er octobre.
>
> Veuillez croire, Chère Mademoiselle, à l'expression de nos salutations distinguées.

Acceptation de l'offre d'emploi

Toute lettre contenant une offre doit être immédiatement acceptée par écrit.

370

> Chère Mademoiselle,
>
> Je vous remercie de votre lettre du 24 août me proposant le poste d'assistant chef de produit au service marketing.
>
> J'accepte bien volontiers le poste dans les conditions décrites dans votre courrier et je vous confirme que je pourrai commencer le 1er octobre.
>
> Je peux vous assurer que je ferai tout ce qui m'est possible pour réussir dans ce poste.
>
> Veuillez croire, Chère Mademoiselle, à l'assurance de mes sentiments les meilleurs.

Refus de l'offre d'emploi

Si vous ne souhaitez pas accepter le poste que l'on vous propose, vous devriez l'exprimer par écrit immédiatement et il est de bon usage d'en justifier le refus. Ainsi, l'employeur peut choisir un autre candidat le plus tôt possible.

371

Chère Mademoiselle,

Je vous remercie de votre lettre du 24 août me proposant le poste d'assistant chef de produit au service marketing.

Je suis désolée de ne pouvoir y donner suite. La société dans laquelle je travaille actuellement m'a fait part de ses projets de développement et m'a offert un poste de chef de produit. Vous comprendrez que ce poste représente pour moi un défi que je pense devoir accepter.

Je vous souhaite plein succès dans la recherche du bon candidat et vous prie de croire, Chère Mademoiselle, à l'assurance de mes sentiments les meilleurs.

Courrier aux candidats malheureux

Dès que le poste a été accepté par le candidat choisi, il est de bon usage d'écrire aux autres candidats qui ont été reçus à un entretien pour les informer qu'il n'y aura pas de suite à leur candidature.

372

Chère Madame,

Remercier, citer le poste — Je vous remercie d'être venue à l'entretien pour le poste de secrétaire confirmée du responsable de formation.

Expliquer avec tact et sans brusquerie — Je suis au regret de vous faire savoir que nous ne sommes pas en mesure de vous proposer ce poste. Malgré toutes vos qualités, notre choix s'est porté sur un candidat plus expérimenté.

Souhaiter au candidat plein succès pour l'avenir — Je suis certain que vous ne tarderez pas à trouver le poste que vous recherchez.

Avec tous nos vœux de succès pour l'avenir, veuillez agréer, Chère Madame, l'assurance de notre parfaite considération.

373

Dear

Thank – mention post — Thank you for attending the interview for the post of Senior Secretary to the Training Manager.

Explain tactfully, not abruptly — I am sorry to have to inform you that we are unable to offer you this position. Although you have excellent qualifications we have decided to appoint someone with more experience.

Wish applicant well in future career — I feel sure that you will soon be successful in finding suitable employment.
With best wishes
Yours sincerely

Communications diverses en matière de relations humaines

Mutation d'un salarié

Lorsqu'il est nécessaire de muter un employé d'un travail qu'il apprécie, les motifs doivent en être clairement expliqués et tout avantage souligné. Il s'agira peut-être de la perspective d'un travail plus intéressant, avec plus de responsabilité, d'une expérience plus large, d'une rémunération plus élevée, de meilleures perspectives de carrière.

Avec un peu de tact, il devrait être possible de faire passer ce qui pourrait mécontenter ou décevoir le salarié sans le blesser ou l'offenser. Ainsi, ce qui pouvait être considéré comme une mauvaise nouvelle pourrait presque être perçu comme une bonne.

Dans l'exemple qui suit, le salarié ayant une forte ancienneté est bien installé dans sa routine et ne manifeste aucune velléité de changement. Mais sa mutation est rendue nécessaire par les évolutions technologiques intervenues dans la société.

374

Cher Monsieur,

Comme Madame Guillemin vous l'a déjà annoncé, nous avons fait le nécessaire pour que vous soyez nommé surveillant de section au service des magasins à compter du 1er juillet. Votre salaire sera de 30 000 € par an.

Dans votre nouveau poste, vous dépendrez directement de Monsieur Jacques Frian, Responsable du magasin, et vous serez en charge du travail de l'équipe administrative du service.

Vos trente ans de bons et loyaux services à la facturation ont été justement appréciés par la direction et nous sommes navrés d'avoir à vous faire quitter un service auquel vous étiez si attaché. L'unique raison qui nous pousse à le faire est que la facturation va être complètement bouleversée par l'introduction de l'informatique. Nous sommes certains que vous comprenez qu'il serait peu judicieux pour nous de reformer nos anciens employés qui pourraient avoir du mal à s'adapter aux nouvelles méthodes de travail.

Vous trouverez dans votre nouveau poste amplement de quoi utiliser votre grande expérience. Je sais que vous ferez du bon travail et je souhaite que vous le trouviez agréable.

Je vous prie d'agréer, cher Monsieur, l'assurance de ma parfaite considération.

Recrutement par le biais d'un cabinet

Les employeurs qui recherchent du personnel communiquent souvent leurs besoins aux cabinets de recrutement. Ces cabinets présenteront du personnel à plein temps, à temps partiel ou intérimaire en échange d'une commission qui varie en fonction de la rémunération du poste pourvu.

375

Madame / Monsieur,

Je souhaite que vous soyez en mesure de pourvoir un poste dont les besoins viennent de se faire sentir dans mon service.

Mon chef comptable a besoin d'un aide comptable sur la base d'un temps partiel. Ce poste très intéressant conviendrait idéalement à un salarié qui ne souhaiterait travailler que quelques heures par semaine. Les candidats devront être en mesure de remplir des fonctions comptables et avoir les qualifications nécessaires. Les candidatures de tout âge seront examinées, mais nous privilégierons la motivation et la fiabilité par rapport aux diplômes élevés.

Le candidat que nous choisirons devra travailler 3 heures par jour 5 jours par semaine. Mais nous serions disposés à étudier un autre aménagement horaire si nécessaire.

Je propose une rémunération basée sur un tarif horaire de 10 à 12 € en fonction de l'âge et de l'expérience.

Je vous serais reconnaissant de me laisser savoir si vous avez dans vos dossiers quelqu'un qui pourrait correspondre à ce profil.

Veuillez croire, Madame / Monsieur, à l'expression de mes salutations distinguées.

Lettre demandant une augmentation de salaire

Toute lettre demandant une augmentation de salaire devrait être rédigée avec soin. Vous devez expliquer avec tact les raisons qui vous conduisent à penser qu'une augmentation est justifiée.

376

Cher Monsieur,

Je touche actuellement un salaire annuel de 28 000 € qui a été révisé en mars de l'année dernière.

Au cours des cinq années passées dans la société, j'ai le sentiment d'avoir rempli mes fonctions consciencieusement et j'ai assumé récemment de nouvelles responsabilités.

Je pense que mes qualifications et la nature de mon travail mériteraient un salaire plus élevé et je me suis vu proposer une situation analogue dans une autre entreprise pour un salaire de 30 000 € par an.

Mes tâches actuelles sont intéressantes et j'aime beaucoup mon travail. Et bien que je ne souhaite pas quitter la société, je ne peux pas me permettre de refuser une telle offre sans qu'on puisse envisager une amélioration de mon salaire.

Je souhaite qu'une telle augmentation soit possible sinon je n'aurai d'autre choix que d'accepter l'offre qui m'est faite.

Je vous prie de croire, Cher Monsieur, à l'assurance de ma parfaite considération.

Lettre de démission

Lorsque vous décidez de quitter une société vous devez donner votre démission. Il est d'usage de le faire au moyen d'une lettre formelle de démission, conformément au règlement intérieur de la société.

377

Cher Monsieur,

Je vous prie de bien vouloir accepter ma démission qui prendra effet dans un mois, le 28 juillet.

Comme je vous en ai informé, j'ai accepté un poste dans une autre société qui m'assurera davantage de responsabilités et améliorera mes perspectives d'avancement.

Je vous remercie pour l'aide que vous m'avez apportée au cours de ces deux années passées à la Téléphonie Mobile. J'y ai acquis une expérience précieuse qui me sera fort utile.

Veuillez agréer, Cher Monsieur, l'expression de mes salutations distinguées.

Les formules utiles en français et en anglais

Lettres de candidature

Ouvertures

1. Je voudrais vous proposer ma candidature au poste de… annoncé dans… du…

2. Votre annonce parue dans… a retenu mon attention et je souhaiterais vous proposer ma candidature pour le poste que vous avez à pourvoir.

3. Je voudrais savoir si votre société a des postes à pourvoir qui correspondraient à mon profil.

4. J'ai appris par Monsieur…, un de vos fournisseurs, qu'il y aurait des débouchés dans votre société pour…

5. Madame… m'a informé qu'elle quittait votre société le… et si son poste n'a pas encore été pourvu je souhaiterais que vous examiniez ma candidature.

1. I wish to apply for the post… advertised in the… on…

2. I was interested to see your advertisement in… and wish to apply for this post.

3. I am writing to enquire whether you have a suitable vacancy for me in your organisation.

4. I understand from Mr…, one of your suppliers, that there is an opening in your company for…

5. Mrs… informs me that she will be leaving your company on… and if her position has not been filled, I should like to be considered.

Clôtures

1. J'espère recevoir une réponse de votre part et avoir l'occasion de vous rencontrer lors d'un entretien

1. I look forward to hearing from you and to being granted the opportunity of an interview.

2. J'espère que vous serez intéressé par ma candidature et que vous m'accorderez un entretien.

2. I hope you will consider my application favourably and grant me an interview.

3. J'espère avoir l'occasion de vous rencontrer lors d'un entretien au cours duquel je pourrai vous fournir des détails complémentaires.

3. I look forward to the opportunity of attending an interview when I can provide further details.

Renseignements favorables

Ouvertures

1. Monsieur ... s'est porté candidat au poste référencé ci-dessus / au poste de... et nous vous serions reconnaissants d'accepter de nous donner votre opinion sur son caractère et ses capacités.

1. Mr... has applied to us for the above post/position of... We should be grateful if you would give us your opinion of his character and abilities.

2. Nous avons reçu la candidature de Mademoiselle... qui nous a cité votre nom comme référence

2. We have received an application from Miss... who has given your name as a reference.

3. Je suis très heureux de l'occasion qui m'est ainsi donnée d'appuyer la candidature de Mademoiselle... à un poste dans votre société.

3. I am very glad of this opportunity to speak in support of Miss...'s application for a position in your company.

4. En réponse à votre récente demande de renseignement, nous vous informons que Madame... a été employée comme... pendant les deux dernières années.

4. In reply to your recent enquiry Ms... has been employed as... for the past 2 years.

Clôtures

1. Nous vous remercions de toute information que vous pourriez nous communiquer.	**1.** Any information you can provide will be much appreciated
2. Toute information que vous auriez la gentillesse de nous communiquer sera traitée de façon strictement confidentielle.	**2.** Any information you are kind enough to provide will be treated in strictest confidence
3. Je suis certain que vous serez pleinement satisfait du travail de Monsieur…	**3.** I am sure you will be more than satisfied with the work of Mr…
4. Je regretterai le départ de… mais je suis conscient que ses capacités exigent plus de perspectives que celles que nous pourrions lui offrir dans notre société.	**4.** I shall be sorry to lose… but realise that her abilities demand wider scope than are possible at this company

Renseignements défavorables

1. Il m'est difficile de répondre à votre demande de renseignements au sujet de Monsieur… C'est une personne très agréable mais je ne peux pas en mon âme et conscience vous le recommander pour le poste que vous mentionnez.	**1.** I find it difficult to answer your enquiry about Mr… He is a very likeable person but I cannot conscientiously recommend him for the vacancy you mention.
2. Le travail effectué par… était en dessous de niveaux attendus et nous avons ressenti le besoin de nous passer de ses services.	**2.** The work produced by… was below the standards expected and we found it necessary to release him.
3. Sa médiocre gestion du temps était très gênante et provoquait des dysfonctionnements dans l'activité du service.	**3.** Her poor time-keeping was very disturbing and caused some disruption to the work of the department.

4. Nous avons constaté que par son comportement elle avait une influence néfaste sur les autres salariés du département

4. We found her attitude quite a bad influence on other staff within the department.

5. Bien que... ait toutes le qualifications requises pour accomplir ce travail, je n'ai personnellement aucune preuve qu'elle en ait l'autodiscipline et la fiabilité nécessaires

5. Although... possesses the qualifications to perform such work, I have seen no evidence that she has the necessary self-discipline or reliability.

Offres d'emploi

Ouvertures

1. Je vous remercie d'avoir participé à l'entretien du... dernier et j'ai le plaisir de vous proposer le poste de...

1. Thank you for attending the interview last..., I am pleased to offer you the position of...

2. J'ai le plaisir de vous confirmer la proposition qui vous a été faite hier lors de l'entretien pour le poste de...

2. I am pleased to confirm the offer we made to you when you came for interview on...

3. Pour faire suite à l'entretien que vous avez eu hier avec..., j'ai le plaisir de vous proposer le poste de... à compter du...

3. Following your interview with..., I am pleased to offer you the position of... commencing on...

Clôtures

1. Nous vous serions reconnaissants de nous adresser le plus tôt possible une confirmation écrite nous indiquant votre accord sur le poste de...

1. Written confirmation of your acceptance of this post would be appreciated as soon as possible

2. Veuillez nous confirmer par écrit que vous acceptez le poste tel qu'il vous a été présenté et que vous prendrez vos fonctions le...

2. Please confirm in writing that you accept this appointment on the terms stated and that you can commence your duties on...

3. Nous aurons plaisir à vous accueillir dans notre personnel et souhaitons que vous vous épanouissiez dans vos nouvelles fonctions.

3. We look forward to welcoming you to our staff and hope you will be very happy in your work here.

Démission

Ouvertures

1. J'ai le regret de vous annoncer que je quitterai la société à compter du...

1. I regret that I wish to terminate my services with this Company with effect from...

2. Je vous confirme par ce courrier mon intention de donner ma démission. Je travaillerai jusqu'au...

2. I am writing to confirm that I wish to tender my resignation. My last date of employment will be...

3. Ma famille ayant décidé de déménager je suis au regret de devoir vous donner ma démission.

3. As my family have decided to emigrate I am sorry to have to tender my resignation.

Clôtures

1. J'ai été très heureux de travailler dans cette société et je vous suis très reconnaissant de l'aide et des conseils que vous m'avez apportés au cours de cette période.

1. I have been very happy working here and am grateful for your guidance during my employment.

2. Je suis désolé que ces circonstances me conduisent à quitter la société.

2. I am sorry that these circumstances make it necessary for me to leave the Company.

Références

Ouvertures

1. Monsieur… a été employé dans cette société du… au…

2. Mademoiselle… a été salariée de cette société dès sa sortie de l'école en… jusqu'à ce qu'elle émigre au Canada en mars…

1. Mr… has been employed by this Company from… to…

2. Miss… worked for this company from leaving college in 19— until she emigrated to Canada in March 19—

Développement

1. Mademoiselle… jouit d'une excellente santé et a une bonne maîtrise du temps

2. Madame… fait tous les efforts nécessaires à tout moment pour s'acquitter rapidement de ses tâches et s'est toujours montrée une employée dynamique et consciencieuse

3. Mademoiselle… a grandement contribué au fonctionnement du département… et a toujours accompli son travail de manière professionnelle et fiable

4. Monsieur… a fourni une aide considérable à ses collègues pour l'amélioration des méthodes et du matériel pédagogiques et a également rédigé un certain nombre de brochures d'orientation qui sont d'une aide précieuse pour les autres enseignants

1. Miss… enjoys good health and is a good time-keeper

2. She uses her best endeavours at all times to perform her work expeditiously and has always been a hard-working and conscientious employee

3. Miss… made a substantial contribution to the work of the… department, and always performed her work in a business like and reliable manner.

4. Mr… gave considerable help to his colleagues in improvements of teaching methods and materials and also produced many booklets of guidance which are proving valuable to other teachers.

Clôtures

1. C'est avec plaisir que je puis vous recommander chaleureusement et sans l'ombre d'une hésitation…

2. Nous souhaitons que… rencontre le succès qu'à notre avis il mérite.

3. Je serais désolé de le voir partir mais je suis conscient que ses capacités exigent de plus vastes perspectives que celles qu'il aurait pu trouver ici.

4. C'est en toute confiance que je peux vous recommander

1. I have pleasure in recommending … highly and without hesitation.

2. We hope that … meets with the success we feel he deserves.

3. I shall be sorry to lose his services but realise that his abilities demand wider scope than are possible at this company.

4. I can recommend Miss… to you with every confidence.

17

Voyages et hébergement

Les passeports

Les visas

Les voyages en avion/bateau

L'hébergement à l'hôtel

Les itinéraires

Les formules utiles en français et en anglais

Dans l'organisation de voyages d'affaires, il arrive qu'il soit nécessaire de faire établir ou renouveler un passeport, d'obtenir le cas échéant des visas, de prendre des billets d'avion ou de bateau et de réserver des chambres d'hôtel. Il peut être également nécessaire de prévoir des itinéraires pour les déplacements professionnels.

Les demandes de renseignements dans ces domaines sont généralement faites d'abord par téléphone auprès d'une agence de voyages qui se chargera de la plupart de ces démarches pour votre compte. Il suffit alors de confirmer par écrit les arrangements faits.

Ce chapitre traite de toutes les lettres concernant l'organisation de voyages et notamment d'un document essentiel pour les déplacements d'affaires : l'itinéraire.

Les passeports

Un passeport est un document d'identification émis par le Gouvernement d'un pays pour assurer la protection de ses ressortissants à l'étranger. Les Français peuvent l'obtenir dans les commissariats, les mairies et les préfectures en se munissant des pièces justificatives et du timbre fiscal.

Le délai d'obtention peut prendre de deux à cinq semaines en fonction de la période. En cas d'urgence professionnelle, une visite à la préfecture peut parfois en accélérer la livraison si les motifs sont sérieux et réels.

Les passeports français sont valables cinq ans. Les enfants de moins de quinze ans doivent figurer sur les passeports des deux parents. Tous les détails concernant les passeports figurent sur le formulaire de demande de passeport.

Les visas

Des visas sont encore nécessaires pour se rendre dans certains pays. Ils peuvent être obtenus par le biais des agences de voyages qui généralement se chargent de tout type de visa. Sinon, les visas pour les pays qui les exigent encore peuvent être obtenus auprès des consulats des pays concernés.

Les demandes de visas doivent être retournées avec le paiement et les pièces requises. Elles peuvent comprendre le passeport du demandeur, des photos, un certificat de vaccination ou le livret de santé, le titre de transport et parfois une déclaration de l'employeur ou de toute autre caution garantissant financièrement le voyageur au cours de son déplacement à l'étranger. De plus en plus, des autorisations électroniques de voyage suffisent lorsqu'il y a accord entre les pays concernés.

Demande d'information sur les visas

378

Messieurs,

Notre directeur commercial, Monsieur Robert Didot envisage de se rendre en Algérie dans deux mois pour affaires.

Je crois savoir qu'un visa est nécessaire et je vous serais reconnaissant de m'adresser toute information sur les pièces requises.

Monsieur Didot quittera Paris le 5 août pour une tournée professionnelle en Algérie. Sous réserve qu'il obtienne le visa nécessaire, il a l'intention de se rendre à Alger.

L'objectif du voyage de Monsieur Didot en Algérie est d'obtenir des informations sur les dernières nouveautés en matière pédagogique dans le pays, notamment par l'utilisation de la presse. Il prévoit de rencontrer les responsables de l'éducation au ministère, dans les universités, les établissements techniques et commerciaux et toute autre entité d'enseignement ainsi que les principaux libraires. La société se porte garante financièrement du séjour de Monsieur Didot et prendra en charge toutes ses dépenses.

N'hésitez pas à me contacter si vous aviez besoin de renseignements complémentaires.

Veuillez croire, Messieurs, à l'expression de mes salutations distinguées.

Les voyages en avion / bateau

Il y a deux catégories de voyageurs – les hommes d'affaires et les touristes. Ceux qui se déplacent pour affaires se décident d'habitude au dernier moment et, d'une façon générale, réservent leurs billets d'avion directement auprès des compagnies aériennes, souvent par téléphone. Les touristes passent généralement par les agences de voyages et prévoient leurs déplacements très longtemps à l'avance.

Demande de renseignements concernant les vols

a) La demande

Dans ce fax, le signataire s'enquiert auprès du service de réservations d'Air France des horaires concernant les vols Paris - New York.

379

> Notre société prévoit d'organiser un certain nombre de voyages d'affaires à New York au cours des trois prochains mois.
>
> Pourriez-vous m'envoyer une documentation concernant les vols (aller et retour) les horaires et les prix pour des voyages en aller simple et en aller et retour ?
>
> Nous serions particulièrement intéressés par toute information sur les vols à prix réduits.

b) La réponse

La réponse à la fois polie et coopérative inspire confiance.

380

> Nous vous remercions vivement de nous avoir interrogés le 5 septembre dernier.
>
> Vous trouverez ci-joint un dépliant vous donnant les horaires des vols aller et retour entre Paris et New York ainsi que les tarifs dans lesquels vous trouverez des détails à la fois sur les vols réguliers et les vols à prix réduits. Comme vous le constaterez à sa lecture, le prix de certains vols à prix réduits peuvent valoir un tiers seulement du prix des vols réguliers.
>
> Le visa d'entrée aux États-Unis n'est plus nécessaire pour les ressortissants français.
>
> N'hésitez pas à me contacter si je puis vous être de quelque secours.

Demande de renseignements concernant les ferries

On peut se rendre en Angleterre également par ferry. Dans ce courrier, le signataire interroge un opérateur réputé sur les ferries.

a) La demande

381

Madame / Monsieur,

Nous voudrions, avec des collègues, nous rendre en Angleterre en voiture avant la fin de l'année.

Pourriez-vous m'adresser une documentation sur votre service de ferry, notamment vos conditions et tarifs pour une Mercedes et trois passagers de Calais à Douvres ?

J'emprunte le ferry pour la première fois à cette occasion et ne connais pas très bien les formalités à accomplir, aussi vous serais-je reconnaissant de toute information que vous pourriez me fournir.

Veuillez croire, Madame / Monsieur, à l'expression de mes salutations distinguées.

b) La réponse

382

Cher Monsieur,

Je vous remercie de votre courrier du 5 août nous interrogeant sur notre service de ferry sur l'Angleterre.

Vous trouverez joint un dépliant vous donnant toutes les informations nécessaires ainsi que les tarifs et les horaires.

Les formalités d'embarquement ont été simplifiées pour les ressortissants français. Il vous suffit de vous présenter à nos bureaux de Calais une heure avant le départ muni des documents suivants :

- votre billet,
- les papiers de la voiture,
- votre permis de conduire,
- la carte verte d'assurance,
- une carte d'identité ou un passeport en cours de validité.

A l'intérieur de l'Union européenne, il n'est plus nécessaire pour les ressortissants des pays membres d'avoir de macaron indiquant le pays d'origine de la voiture.

N'hésitez pas à me contacter si vous souhaitez d'autres renseignements. D'ici là je vous souhaite un bon voyage à bord des ferries trans-Manche.

Veuillez croire, cher Monsieur, à l'expression de mes sentiments les meilleurs.

L'hébergement à l'hôtel

La plupart des grands hôtels font partie de chaînes et les demandes de renseignements doivent être adressées aux directeurs. Pour les petits hôtels, les demandes de renseignements doivent être adressées aux propriétaires qui généralement sont également les gérants.

Lorsque vous demandez des renseignements en vue d'une éventuelle réservation, assurez-vous que les principes suivants sont respectés :

- Faites une lettre courte et concise.
- Exprimez vos besoins clairement et précisément; pour éviter tout malentendu, donnez le jour et la date pour lesquels vous voulez réserver ainsi que la durée exacte du séjour si celle-ci est connue (par exemple du lundi 6 au vendredi 10 juillet inclus).
- Précisez si possible les heures d'arrivée et de départ.
- Si le calendrier le permet, demandez une confirmation de la réservation.

Réservation d'une chambre d'hôtel par une entreprise

Dans cette demande de renseignements, une entreprise s'adresse au directeur d'un hôtel à Paris pour avoir des informations sur l'hébergement.

a) La demande

383

Madame / Monsieur,

Notre entreprise aura un stand au prochain Salon de l'Industrie à la Porte de Versailles et nous devons prévoir l'hébergement de plusieurs membres de notre personnel.

Pourriez-vous nous adresser votre dépliant et nous communiquer vos conditions pour un séjour en demi-pension ? Nous vous serions reconnaissants de nous indiquer également si vous avez une chambre double et trois chambres simples disponibles du lundi 13 au vendredi 17 mai inclus.

Souhaitant une réponse rapide de votre part, nous vous prions d'agréer, Madame / Monsieur, l'expression de nos salutations distinguées.

b) La réponse

384

Remercier.
Joindre la brochure

Chère Mademoiselle,

Je vous remercie de votre courrier du 15 mars.
A votre demande, je vous adresse un exemplaire de notre brochure dans laquelle vous trouverez toutes les informations nécessaires.

Répéter le nombre de chambres et les dates pour éviter toute erreur

Nous avons pour le moment une chambre double et trois chambres simples disponibles du lundi 13 au vendredi 17 mai inclus. Toutefois, comme nous abordons la pleine saison et qu'il risque d'y avoir de nombreuses réservations pendant cette période, nous ne saurions trop vous conseiller de réserver dès à présent.

Mentionner les avantages de l'hôtel, ce qui créera une relation cordiale et amènera d'autres affaires à l'avenir

Comme vous le constaterez dans la brochure, l'hôtel est moderne et je suis certain que vos collègues s'y sentiront très à l'aise. Nous sommes très bien desservis par les transports en commun sur la Porte de Versailles qu'on peut atteindre en quinze minutes.

Souhaitant recevoir votre confirmation rapidement, je vous prie de croire à l'assurance de ma considération.

385

Thank you

Dear Miss Johnson

Thank you for your letter of 15 March.

Enclose brochure

As requested I enclose a copy of our brochure in which you will find all the necessary details required.

Repeat details of rooms and dates to avoid misunderstanding

We presently have one double and three single rooms available from Monday 13 to Friday 17 May inclusive. However as we are now entering the busy season and bookings for this period are likely to be heavy, we recommend that you make your reservation without delay.

Refer to advantages offered by the hotel – this will build up a cordial relationship and could lead to further business

You will see from our brochure that this is a modern hotel and I am sure your staff would be very comfortable here. We are well served by public transport to Earls Court, and it should be possible to reach there within 15 minutes.

I hope to receive confirmation of your reservation soon.

c) La confirmation de réservation

Il vous faudra normalement appeler d'abord l'hôtel pour faire votre réservation et la confirmer aussitôt par écrit.

386

Cher Monsieur,

Pour faire suite à votre courrier du 17 mars et à notre communication téléphonique d'aujourd'hui, je vous confirme la réservation d'une chambre double et de trois chambres simples avec salle de bains du 13 au 17 mai inclus sur la base d'une demi-pension. Les noms des clients sont les suivants :

Monsieur et Madame Philippe André
Monsieur Geoffroy Richard
Mademoiselle Lise Nunes
Monsieur Guillaume Darmon.

La note sera réglée par Monsieur Philippe André, Directeur général de notre société.

Veuillez croire, Cher Monsieur, à l'expression de nos salutations distinguées.

387

Dear Mr Nelson

Thank you for your letter of 17 March and our telephone conversation today.
I confirm reservation of one double and three single en suite rooms from 13–17 May inclusive, with half-board. Names of guests are :

Mr & Mrs Philip Andersen
Mr Geoffrey Richardson
Miss Lesley Nunn
Mr Jonathan Denby

The account will be settled by Mr Philip Andersen, our Company's General Manager.

Yours sincerely

Autre exemple de réservation d'hôtel

a) La demande

388

Madame / Monsieur,

Je serai de passage à Paris la semaine prochaine et je voudrais réserver une chambre simple pour les nuits des mercredi 18 et jeudi 19 octobre.

J'ai beaucoup apprécié mes séjours précédents au Bristol. J'aime particulièrement les chambres qui donnent sur le jardin, et si l'une d'entre elles était disponible à ces dates je souhaiterais que vous me la réserviez.

J'espère arriver à l'hôtel à temps pour le déjeuner le 18 et j'en repartirai après le petit déjeuner le 20.

Veuillez croire, Madame/Monsieur, à l'expression de mes salutations distinguées.

b) La réponse

389

Chère Madame,

Nous vous remercions de votre courrier du 10 octobre.

Nous avons appris avec plaisir que vous aviez apprécié vos séjours précédents au Bristol. Malheureusement, nous ne disposons plus de chambres donnant sur le jardin pour les dates que vous souhaitez. Toutefois, nous avons quelques chambres agréables du côté sud de l'hôtel, loin de la circulation et avec une jolie vue sur le parc et le lac avoisinants.

Le prix de ces chambres est de 130 euros et vous en trouverez tous les détails dans la brochure jointe.

J'ai momentanément pris une option pour l'une de ces chambres pour les nuits des mercredi 18 et jeudi 19 octobre.

Je vous remercie de me confirmer cette réservation aussitôt que possible.

Veuillez croire, Chère Madame, à l'expression de mes salutations distinguées.

Réservation de chambres à l'étranger

Le signataire s'adresse à un hôtel à l'étranger qui lui a été recommandé par un collègue.

a) La demande

390

> Madame / Monsieur,
>
> Votre hôtel m'a été vivement recommandé par un de mes amis qui y a séjourné l'an dernier.
>
> J'arriverai à Hanoi à 17 h 30 le lundi 15 avril par le vol AF 24 en compagnie de trois collègues. Nous voulons passer quatre jours sur place du 15 au 18 avril inclus avant de partir par nos propres moyens en voiture pour le Cambodge.
>
> Veuillez me faire savoir si vous avez quatre chambres simples disponibles pour cette période et le montant global de notre séjour dans votre établissement. Je crois savoir également que vous organisez des excursions locales et nous souhaiterions recevoir votre documentation à ce sujet.
>
> Dans l'attente d'une prompte réponse de votre part, je vous prie de croire, Madame / Monsieur, à l'expression de mes salutations distinguées.

b) La réponse

Dans sa réponse, la personne en charge de la réservation prend la peine de signaler les avantages de la position de l'hôtel et les modifications intervenues depuis le séjour du collègue du signataire de la demande de renseignements.

391

> Cher Monsieur,
>
> J'ai appris avec plaisir que l'hôtel du Lion vous avait été recommandé.
>
> Vous trouverez joint un dépliant illustrant les multiples avantages des installations de l'hôtel. Vous y noterez les récentes améliorations apportées à l'aménagement autour de la piscine avec l'adjonction d'une salle de gymnastique et de loisirs.
>
> Pour les excursions, nous travaillons avec l'agence Tourasie et vous trouverez également jointe leur brochure pour des excursions d'une journée ou d'une demi-journée. Vous n'aurez aucun problème à réserver ces excursions une fois sur place.
>
> Je me suis permis de vous prendre une option sur 4 chambres simples du 15 au 18 avril pour un prix global équivalent en dôngs de 110 euros par nuit. Nous vous

maintiendrons cette réservation jusqu'au 1er mars et nous souhaiterions une confirmation de votre part avant cette date.

Nous pouvons prévoir de vous faire chercher à l'aéroport par notre navette gratuite pour l'arrivée du vol AF 24 à 17 h 30 le 15 avril. Il vous suffira de nous le signaler au moment de la confirmation de votre réservation.

Vous trouverez l'hôtel du Lion très pratique pour les déplacements aussi bien par train que par bus. Il est également situé à cinq minutes à pied du centre ville.

C'est avec plaisir que nous attendons la venue de votre groupe à l'hôtel du Lion et espérons recevoir votre confirmation avant le 1er mars.

Veuillez croire, cher Monsieur, à l'assurance de notre parfaite considération.

Les itinéraires

Un itinéraire fournit tous les détails d'un voyage jour après jour. Il fait état de toute l'organisation des déplacements, de l'hébergement et des rendez-vous. Il comporte habituellement des rubriques et des colonnes qui présentent l'information sous une forme agréable et surtout pratique quand il est utile de s'y référer.

392

Utiliser du papier vierge mais mentionner le nom de la société — **France Télécom**

Itinéraire de Madame Sandrine Tournier

Inclure le nom du voyageur, les lieux visités et la durée du séjour — Tournée au Viêt-nam et en Malaisie
7 - 19 juillet 20..

Dimanche 7 juillet
15 h 30   Départ de Roissy-Charles-de-Gaulle
(vol AF 101)

Présenter toutes les dates comme des manchettes — **Lundi 8 juillet**
18 h 30   Arrivée à l'aéroport d'Hanoi
(attendue par Claudine Bazin, de
Communication Asie)
Hébergement : Hôtel International, rue Basse.

Prévoir 2 ou 3 colonnes pour des raisons de commodité — **Mardi 9 juillet**
10 h 30   Mademoiselle Virginie Nung
de Communication Asie
Centre culturel français
14 h 30   Monsieur Marc Lim, Radio Asie,
Hôtel International

Mercredi 10 juillet
9 h 30 - 17 h 30   5e Conférence internationale des
Télécommunications

Utiliser les 24 h pour indiquer l'heure — **Dimanche 14 juillet**
15 h 45   Départ Aéroport d'Hanoi Terminal 2
(vol MH 989)
17 h   Arrivée à Kuala Lumpur
Hébergement : Hôtel Royal, Petaling Jaya

Lundi 15 juillet
10 h 30   Monsieur Richard Foo, KL talk
15 h 30   Madame Ong Lee Fong, Communications
Malaisie

Mardi 16 juillet
  11 h 30   Mademoiselle Sylvia Koh, Talklines

Vendredi 19 juillet
  23 h 30   Départ de Kuala Lumpur (AF 012)

Samedi 20 juillet
  8 h 30   Arrivée Paris Roissy-Charles-de-Gaulle

ST/BT

15 juin 20..

Les formules utiles en français et en anglais

Ouvertures

1. Je dois me rendre à... et je voudrais savoir si vous avez une chambre disponible le...

2. Je vous serais reconnaissant de m'adresser un dépliant

3. J'ai appris avec plaisir que notre hôtel vous avait été recommandé par...
qui a séjourné chez nous en...

1. I wish to visit... and would be pleased to know if you have a single room available on...

2. I should be grateful if you would forward a copy of your current brochure

3. I was pleased to hear that our hotel was recommended by... after his visit in...

Clôtures

1. Merci de joindre un dépliant à votre réponse.

2. J'espère recevoir une réponse rapide de votre part.

3. Je souhaite que vous puissiez nous recevoir.

4. Comme nous souhaitons nous organiser bien à l'avance, une réponse rapide de votre part nous arrangerait.

l. When replying please include a copy of your current brochure.

2. I hope to receive an early reply.

3. I look forward to hearing that you can provide this accommodation.

4. As we wish to make arrangements in good time I should appreciate an early reply.

18

Les documents de relations publiques

Les communiqués de presse

Les invitations

Les réponses aux invitations

Check-list

Les communiqués de presse

Il est très souvent nécessaire de rédiger un article ou un texte pour publication dans la presse ou tout autre média. En ces cas, il ne s'agit pas d'une lettre mais d'un communiqué. Un communiqué de presse est un bon moyen de faire connaître un certain nombre d'événements tels que :

- Le changement d'adresse de l'entreprise.
- Le développement d'une nouvelle activité.
- Le lancement de nouveaux produits.
- Les changements à la tête de l'entreprise.

Lors de la rédaction d'un communiqué de presse, respectez ce plan en quatre points :

1. Un titre accrocheur est essentiel. Puis captez l'attention du journaliste par un bon premier paragraphe qui résume les éléments les plus importants.
2. Faites des paragraphes courts et autonomes dans la partie développement. Le journaliste pourra les éliminer s'il le souhaite.
3. Adoptez un style vivant et tonique. Même un événement apparemment banal peut devenir une histoire croustillante grâce à un choix de mots judicieux.
4. Terminez en répétant le message essentiel. Une citation peut être utile dans le dernier paragraphe.

Lorsque vous rédigez un communiqué de presse essayez d'éviter qu'il ressemble à une invitation ou à une publicité. Il doit être libellé comme si vous étiez le journaliste, donc à la troisième personne. Une rédaction plate, floue, neutre et ennuyeuse n'ira pas plus loin que la corbeille à papier du journaliste. Utilisez des phrases courtes au style alerte et tonique et assurez-vous que vous n'avez oublié aucun point important.

393

Bouygues Télécom
spécialiste du téléphone mobile
21, rue Buffon, 75005 Paris
Tél. 33 01 45 88 48 00
Fax 33 01 45 88 48 01
E-mail Boutél@ int.com

ST/BT

Faire figurer la référence et la date. La date embargo est la date avant laquelle l'information ne doit pas être publiée — 15 juin 20..

Date de publication : immédiate

Bouygues Télécom recrute

Enoncer le message principal rapidement en introduction — Bouygues Télécom, spécialiste du téléphone mobile, a annoncé aujourd'hui l'ouverture d'un nouveau magasin consacré à l'équipement de bureaux. Plus de 50 postes sont ainsi créés.

Faire des paragraphes courts et autonomes – incluant tous les détails — Bouygues Télécom s'est imposé comme un des leaders dans le domaine de la communication mobile en France. Des accords de partenariat ont été établis avec de nombreux pays dans le monde.

Utiliser le double interlignage — La compagnie a annoncé son intention de se diversifier. Ce nouveau magasin de fournitures de bureau vendra de tout, de la papeterie et des consommables divers aux ordinateurs et autres matériels de bureau. Il se situera dans un lieu de premier choix au Parc de Villepinte aux abords de Paris, non loin de l'autoroute A1.

Une inauguration officielle est prévue le lundi 1er juillet avec des offres spéciales pour les 100 premiers clients et un grand tirage au sort à 17 h.

Boucler avec une conclusion ou une citation — S'exprimant sur cette ouverture, le Directeur général, Sandrine Tournier, nous a confié : « Je suis très enthousiaste à l'idée de ce nouveau magasin et je suis certaine qu'il se révèlera un énorme succès ».

Donner les coordonnées pour obtenir plus de détails/photos, etc. — Contactez : Diane Baudoin, Responsable marketing, Bouygues Télécom au 01 45 88 48 07.

394

Turner Communications
21 Ashton Drive
Sheffield
S26 2ES

uk

Mobile Phone specialists

Tel   +44 114 2871122
Fax   +44 114 2871123
Email TurnerComm@intl.

ST/BT

Include reference and date	15 June 20—
The embargo date is the date before which the information cannot be published	PUBLICATION DATE : Immediate
	NEW JOBS IN TURNER SUPERSTORE
Introduction : state the main message quickly	Mobile phone specialists, Turner Communications, have today announced the opening of their new store Turner's Office Supplies. More than 50 new jobs have been created.
Use short, self-contained paragraphs – include all essential details	Turner Communications have established themselves as leaders in the field of mobile communications in the UK. Roaming agreements have been set up with many countries throughout the world.
Use double spacing for the press release	The company has now announced that it is diversifying. Their new Office Supplies superstore will sell everything from stationery and office sundries to computers and other office equipment. It will be situated in a prime location at Meadowhall Retail Park on the outskirts of Sheffield, very close to the M1 motorway.
	A grand opening ceremony is planned to take place on Monday 1 July with special offers to the first 100 customers and a grand draw at 5.00 pm.
Round it off with a conclusion or quotation	Sally Turner, Managing Director, said 'We are very excited about this new office superstore and feel confident that it will prove to be an overwhelming success.'
State contact details (for further information, photographs)	Contact : Diana Wilson, Marketing Manager, Turner Communications Telephone: 0114 2871122

Les invitations

Les entreprises organisent souvent des manifestations spéciales pour faire connaître certains événements, par exemple :
- L'ouverture d'une nouvelle agence
- Le lancement de nouveaux produits ou services
- Le départ à le retraite d'un directeur
- Une fête anniversaire.

Les invitations officielles sont généralement imprimées sur du papier de belle qualité ou du bristol, format A5 ou A6.

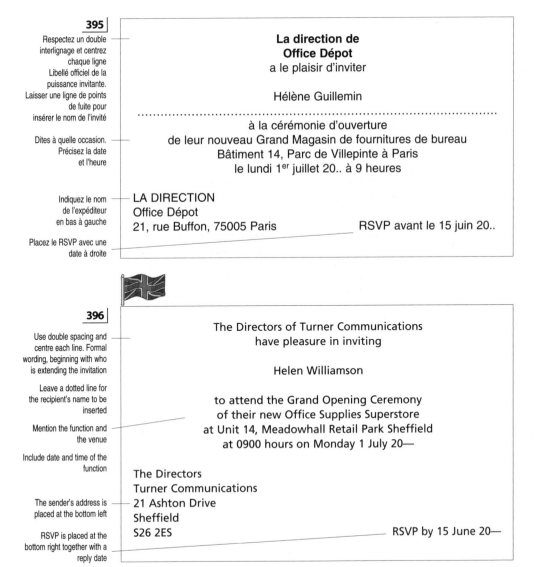

395

Respectez un double interlignage et centrez chaque ligne
Libellé officiel de la puissance invitante.
Laisser une ligne de points de fuite pour insérer le nom de l'invité

Dites à quelle occasion. Précisez la date et l'heure

Indiquez le nom de l'expéditeur en bas à gauche

Placez le RSVP avec une date à droite

La direction de
Office Dépot
a le plaisir d'inviter

Hélène Guillemin
....
à la cérémonie d'ouverture
de leur nouveau Grand Magasin de fournitures de bureau
Bâtiment 14, Parc de Villepinte à Paris
le lundi 1er juillet 20.. à 9 heures

LA DIRECTION
Office Dépot
21, rue Buffon, 75005 Paris   RSVP avant le 15 juin 20..

396

Use double spacing and centre each line. Formal wording, beginning with who is extending the invitation

Leave a dotted line for the recipient's name to be inserted

Mention the function and the venue

Include date and time of the function

The sender's address is placed at the bottom left

RSVP is placed at the bottom right together with a reply date

The Directors of Turner Communications
have pleasure in inviting

Helen Williamson

to attend the Grand Opening Ceremony
of their new Office Supplies Superstore
at Unit 14, Meadowhall Retail Park Sheffield
at 0900 hours on Monday 1 July 20—

The Directors
Turner Communications
21 Ashton Drive
Sheffield
S26 2ES   RSVP by 15 June 20—

Les réponses aux invitations

La réponse positive ou négative se fait généralement dans le même style que l'invitation reçue. Si on refuse l'invitation, il est de bon usage d'en indiquer les motifs.

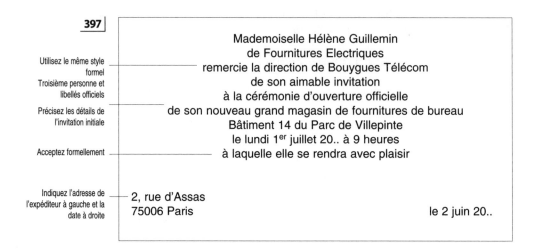

397

Utilisez le même style formel
Troisième personne et libellés officiels

Précisez les détails de l'invitation initiale

Acceptez formellement

Indiquez l'adresse de l'expéditeur à gauche et la date à droite

Mademoiselle Hélène Guillemin
de Fournitures Electriques
remercie la direction de Bouygues Télécom
de son aimable invitation
à la cérémonie d'ouverture officielle
de son nouveau grand magasin de fournitures de bureau
Bâtiment 14 du Parc de Villepinte
le lundi 1er juillet 20.. à 9 heures
à laquelle elle se rendra avec plaisir

2, rue d'Assas
75006 Paris   le 2 juin 20..

Check-list – Communiqué de presse

❑ Prévoir une date d'embargo (de publication).

❑ Trouver un titre accrocheur et tonique.

❑ Capter l'attention du journaliste par les points principaux dès le premier paragraphe.

❑ Utiliser un double interlignage pour la partie centrale.

❑ Faire des paragraphes courts et autonomes.

❑ Adopter un style vivant et alerte, même pour un sujet banal.

❑ Boucler avec une conclusion ou une citation.

❑ Prévoir le nom d'un contact et son numéro de téléphone.

19

L'organisation de rendez-vous, réunions et autres événements

Lettre sollicitant un rendez-vous

Lettre invitant un intervenant à une conférence

Lettre concernant l'organisation d'une conférence

Le programme d'une réunion

Note interne sur les points à mettre à l'ordre du jour

Note interne comportant un ordre du jour

Avis et ordre du jour

Dans la vie professionnelle, on organise tous les jours des rendez-vous, des réunions, des conférences ainsi que d'autres types d'événements.

Ce qui conduit les secrétaires, les administratifs et les organisateurs en général à rédiger de nombreux courriers, fax et autres documents.

Ce chapitre passe en revue les différents textes et documents d'accompagnement liés à cet aspect très important de la vie professionnelle au quotidien.

Lettre sollicitant un rendez-vous

a) La demande 1

398

Cher Monsieur,

Monsieur Charron de notre société m'a signalé votre récent retour de voyage du Moyen-Orient. Un certain nombre de questions se posent à propos de l'ouvrage que je suis en train de rédiger sur *L'Organisation des entreprises modernes* et dont j'aimerais pouvoir parler avec vous.

Je serai à Paris du 16 au 19 septembre et je me propose de vous appeler le 15 septembre pour convenir du jour et de l'heure où nous pourrions nous rencontrer.

Je me réjouis à la perspective de vous revoir et je vous prie de croire, Cher Monsieur, à l'assurance de ma parfaite considération.

399

Dear Mr Harrison

Our Mr Chapman has informed me that you have returned home from your visit to the Middle East. There are a number of points which have arisen on the book I am writing on Modern Business Organisation I should like the opportunity to discuss these with you.

I shall be in London from 16 to 19 September and will telephone you on Monday 15 September to arrange a day and time which would be convenient for us to meet.

I look forward to the opportunity of meeting you again.

Yours sincerely

b) La réponse

400

Cher Monsieur,

Je vous remercie de votre courrier concernant *L'Organisation des entreprises modernes.*

Je me réjouis de vous revoir pour en discuter. J'ai bien noté que vous alliez m'appeler le lundi matin et je souhaite que nous puissions nous voir soit le mardi, soit le mercredi après-midi.

Dans l'attente de cette réunion, je vous prie de croire, Cher Monsieur, à l'expression de mes sentiments les meilleurs.

c) La demande 2

401

Cher Monsieur,

Je suis très préoccupé par les difficultés que vous rencontrez avec la marchandise que nous vous avons livrée au début de l'année.

J'aimerais beaucoup pouvoir en discuter avec vous personnellement et je me demandai s'il serait possible de nous rencontrer lorsque je serai dans votre secteur le mois prochain. Ma secrétaire prendra bientôt contact avec vous pour convenir d'un rendez-vous.

Veuillez agréer, Cher Monsieur, l'expression de mes salutations distinguées.

d) La demande 3

402

Chère Madame,

J'aimerais que nous puissions nous rencontrer pour parler d'un certain nombre de sujets qui intéressent nos deux sociétés. Je serai à Nantes la semaine prochaine et je me demandai s'il serait possible que nous nous voyions le jeudi 12 septembre.

Ma secrétaire vous appellera dans les tout prochains jours pour confirmer ce rendez-vous ou, le cas échéant, en prévoir un autre.

Je me réjouis à la perspective de vous rencontrer.

Veuillez croire, Chère Madame, à l'assurance de ma parfaite considération.

Lettre invitant un intervenant à une conférence

a) L'invitation

403

Mentionner l'événement, le lieu, la date, l'heure et le nombre de participants attendus

Donner le titre de l'intervention, la durée et la rémunération éventuelle

Joindre le programme détaillé. Parler de l'hébergement

Demander des confirmations et des détails sur le matériel requis

Chère Mademoiselle,

Notre société organise une conférence à la Salle des congrès de la Baule du 4 au 6 octobre prochain sur le thème du Changement dans le rôle du management. Nous attendons une centaine de participants comprenant essentiellement des chefs d'entreprises en exercice ainsi que quelques enseignants.

Nous serions ravis si vous pouviez une fois encore intervenir sur le sujet de *La Communication efficace* le 5 octobre de 10 h 30 à 11 h 30. Nous sommes naturellement prêts à vous régler la somme habituelle de 100 € ainsi que vos frais de déplacement.

Vous trouverez joint un exemplaire du programme provisoire. Vous êtes bien sûr cordialement invitée à assister aux séances de la journée. Une chambre d'hôtel vous sera réservée pour la nuit du 4 octobre.

Nous souhaitons que vous puissiez répondre favorablement à notre invitation. Et ce faisant, pourriez-vous nous indiquer si vous aurez besoin d'un rétroprojecteur ou de tout autre équipement ?

Nous vous prions de croire, chère Mademoiselle, à l'expression de nos salutations distinguées.

b) La réponse acceptant l'invitation

404

Chère Madame,

Remercier —— Je vous remercie de votre lettre m'invitant à intervenir sur le sujet de La Communication efficace au cours de votre conférence du 5 octobre.

Je suis ravie de pouvoir accepter votre invitation et je vous confirme que je souhaiterai un hébergement pour la nuit du 4 octobre.

Parler de l'équipement nécessaire —— J'aurai besoin d'un rétroprojecteur pour ma présentation et j'espère que vous pourrez m'en fournir un.

Ajouter une touche personnelle à la conclusion —— Je me réjouis à la perspective de vous revoir ainsi que les autres membres de votre équipe lors de cette conférence et je vous souhaite plein succès dans son organisation.

Veuillez croire, Chère Madame, à l'assurance de mes sentiments les meilleurs.

c) La réponse déclinant l'invitation

405

Chère Madame,

Je vous remercie de votre lettre du 2 juillet.
Bien que j'aurais réellement souhaité pouvoir intervenir lors de votre conférence d'octobre, je regrette de devoir y renoncer car je serai à l'étranger à cette période. Je dois donc à mon grand regret décliner votre invitation.

Je vous souhaite plein succès pour cette manifestation.

Veuillez croire, Chère Madame, à l'assurance de ma parfaite considération.

Lettre concernant l'organisation d'une conférence

406

Mentionner l'événement, le lieu, la date, l'heure et les motifs de la lettre

Indiquer le nombre de participants attendus

Lister et numéroter les besoins

Demander des renseignements sur les installations et les coûts

Monsieur,

Notre société organise une conférence d'une journée le samedi 18 octobre de 10 h à 17 h et nous sommes à la recherche d'une salle qui pourrait nous convenir.

Nous attendons environ 200 participants et avons les besoins suivants :

1. Une bonne salle de conférence avec des sièges disposés en amphithéâtre.
2. Une petite salle adjacente pour y loger le matériel et les accessoires.
3. Un espace de réception pour accueillir et enregistrer les participants.
4. Le café de la matinée servi à 11 h 30 et le thé de l'après-midi à 15 h 30.
5. Un buffet servi à l'heure du déjeuner entre 13 h 00 et 14 h 00.

Si vos installations vous permettent de nous recevoir, veuillez nous communiquer les coûts impliqués. Lors de votre réponse, pourriez-vous nous faire parvenir des menus types pour un déjeuner sous forme de buffet ?

Dans l'attente d'une réponse de votre part, je vous prie de croire, Monsieur, à l'expression de mes salutations distinguées.

Le programme d'une réunion

407

Nom de la société	**Siemens Industries**
Accroche	**FÊTES DU CINQUIÈME ANNIVERSAIRE**
Date et réception	qui auront lieu le mercredi 17 septembre 20.. à l'hôtel Bristol à Paris
Sous-titre : préciser si le programme est définitif ou provisoire	PROGRAMME PROVISOIRE
Utilisez la formule sur 24 h avec ou sans la lettre h	18 h 00 Arrivée des directeurs et du personnel

18 h 30
   Arrivée des invités
   Les dossiers du 5e anniversaire seront remis aux invités à leur arrivée
   Cocktail

<table>
<tr><td>Lister les intervenants en donnant les précisions nécessaires</td><td>19 h 00
   Discours de bienvenue prononcé par Sonia Surger, Directeur du Marketing qui fera fonction de maître de cérémonie</td></tr>
<tr><td>Mettre entre parenthèses le nom des intervenants</td><td>19 h 15
   Discours d'ouverture (Sandrine Tournier, Directeur général)</td></tr>
</table>

19 h 30
   Séance de diapositives (Martine Ferrera, Directeur administratif)

20 h 00
   Buffet dînatoire

21 h 30
   Préposé aux toasts (Yann Stain, Directeur de Relations publiques)

21 h 45
   Discours de clôture (Sonia Surger, Directeur du Marketing)

Préciser l'heure à laquelle la réception se termine	Le bar sera ouvert jusqu'à 23 h 00

SS/ST

5 juillet 20..

Note interne sur les points à mettre à l'ordre du jour

408

NOTE INTERNE

À
Tous les Directeurs de départements

Disposer les rubriques comme d'habitude dans une note interne

De
Stéphane Bailly, Directeur administratif

Ref
SB/ST

Date
2 juillet 20..

Titre donnant le nom et la date de la réunion

RÉUNION OPÉRATIONNELLE - 15 JUILLET

Préciser le lieu, la date et l'heure

Veuillez noter que la prochaine réunion opérationnelle aura lieu dans la salle de conférence le mardi 15 juillet à 10 h 00.
Les points issus de notre dernière réunion à inscrire sous la rubrique Problèmes posés sont :

Citer tous les points déjà prévus à l'ordre du jour

- La nouvelle brochure (Sonia Surger)
- Le dîner dansant annuel (Martine Ferrera)

Fixer une date limite pour l'inscription des autres points à l'ordre du jour

Si vous souhaitez voir inscrire d'autres points à l'ordre du jour faites-le-moi savoir avant le 8 juillet.

Note interne comportant un ordre du jour

409

NOTE INTERNE

À
Tous les Directeurs de départements

Disposer les rubriques comme d'habitude — De
Stéphane Bailly, Directeur administratif

Ref
SB/ST

Date
2 juillet 20..

RÉUNION OPÉRATIONNELLE

Préciser le lieu, la date et l'heure — La prochaine réunion opérationnelle se tiendra dans la salle de conférence le lundi 15 juillet 20.. à 10 h 00.

Le baptiser « ordre du jour » — ORDRE DU JOUR

Ces trois premiers points de la « vie normale » d'une entreprise devraient toujours figurer —
1. Absences excusées
2. Compte-rendu de la dernière réunion
3. Problèmes posés dans le compte rendu
      3.1. Nouvelle brochure (Sonia Surger)
      3.2. Dîner dansant annuel (Martine Ferrera)

Il s'agit là de points spécifiques à la réunion —
4. Nouvelles agences (Sonia Surger)
5. Voyage en Extrême-Orient (Sandrine Tournier)
6. Conférence Européenne de Télécommunications (Yann Stain)
7. Fêtes du cinquième anniversaire (Sonia Surger)

Ces deux derniers points sont également habituels —
8. Divers
9. Date de la prochaine réunion

410

Company's name ———— **Turner Communications**

Title of meeting ———— **OPERATIONS MEETING**

Notice section : state
venue, time and date ———— The monthly Operations Meeting will be held in the Conference Room
at 1000 hours on Monday 14 July 20..

A G E N D A

1 Apologies for absence

Opening ordinary
business ———— 2 Minutes of last meeting

3 Matters arising from the Minutes

    3.1 New brochure (Suzanne Sutliffe)

    3.2 Annual Dinner and Dance (Mandy Lim)

Special business (note full
names in brackets) ———— 4 New branches (Suzanne Sutcliffe)

5 Far East Trip (Sally Turner)

6 European Telecommunications Conference (John Stevens)

7 5th Anniversary Celebrations (Suzanne Sutcliffe)

Final ordinary business ———— 8 Any other business

9 Date of next meeting

ST/BT

Avis et ordre du jour

411

Nom de la société —— **Bouygues Télécom**

Nom de la réunion —— **RÉUNION OPÉRATIONNELLE**

Partie avis : lieu, —— La réunion opérationnelle mensuelle aura lieu dans la salle de
date et heure   conférence le mardi 15 juillet 20.. à 10 heures.

ORDRE DU JOUR

Début habituel —— 1. Absences excusées
2. Compte rendu de la dernière réunion
3. Problèmes posés dans le compte rendu

Points particuliers et noms —— 3.1. Nouvelle brochure (Sonia Surger)
en toutes lettres entre   3.2. Dîner dansant annuel (Martine Ferrera)
parenthèses   4. Nouvelles agences (Sonia Surger)
5. Voyage en Extrême-Orient (Sandrine Tournier)
6. Conférence Européenne de Télécommunications (Yann Stain)
7. Fêtes du 5e anniversaire

Conclusion habituelle —— 8. Divers
9. Date de la prochaine réunion

INDEX

TABLE DES MATIÈRES

Deuxième partie
LES LETTRES PROFESSIONNELLES LES PLUS COURANTES   **51**

A Literary Journey
Visits to the Homes of Great Writers

Bateman's at Burwash in Sussex, the home of Rudyard Kipling.

A Literary Journey

Visits to the Homes of Great Writers

by Michael and Mollie Hardwick

Photography by Michael Hardwick

South Brunswick
New York: A. S. Barnes and Company

Library of Congress Catalogue Card Number: 71-99502

SBN: 498 07603 2

Printed in the United States of America

CONTENTS

The dates are the years in which the writers were associated with their houses.
Each chapter is illustrated by one or two photographs.

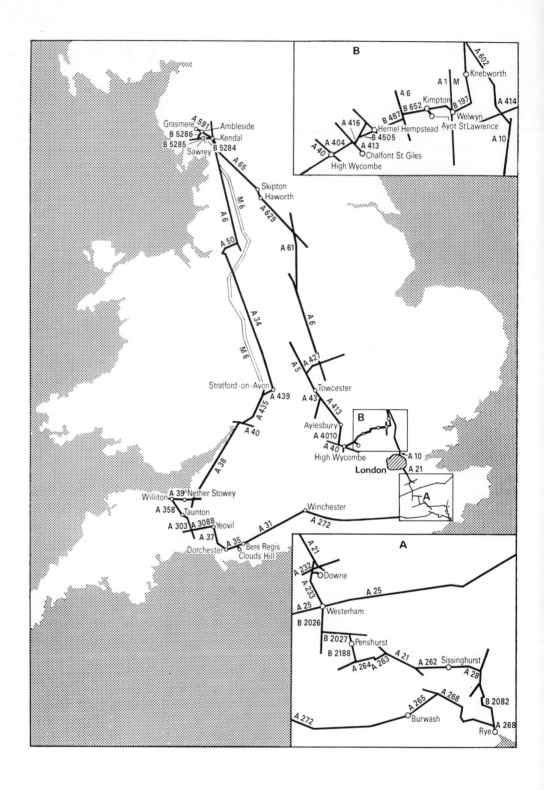

PREFACE AND ACKNOWLEDGMENTS

O F ALL the houses of famous people which the general public may visit, those of writers seem to us to stand in a class of their own. While we may admire with awe a nobleman's ancestral pile, most of us do not carry away from it much more than a sketchy knowledge of a being and a way of life far removed from our own; together perhaps with a slightly heightened appreciation of history, architecture and good taste.

With authors and poets we are on more familiar ground. Whether we have read their works, or enjoyed adaptations of them in broadcasting or the theatre or cinema, or merely plodded through them at school, there are points of recognition to make us feel that we are visiting the home of someone we have known, however slightly. If we find that we are amidst the surroundings which saw the birth of a favourite work, we are moved: should it be that we are standing, too, in the very setting of that invention, we know delight.

We thought it would be a pleasant notion to visit most of the writers' houses which are open to the public in England in order to discover something of what they meant to their eminent owners, in terms of the work they did and the lives they lived in them, and to try to convey some impressions that might transcend the guide-book. In doing so, we learned much that we had ignored or forgotten, and found ourselves reading with pleasure books by and about the writers which we might otherwise never have picked up. Even our attitude towards those of them who had always seemed unsympathetic in their ideas or lacking in personal attraction mellowed when we shared briefly what remains of the intimacy of their homes and inspected the little personalia which reminded us that they were, even the most celebrated of them, fellow human beings, not the demi-gods fame has made them seem. The first title to suggest itself for this book was 'An English Literary Pilgrimage'—and we rejected it out of hand.

This was no purely cerebral jaunt. It took us to some lovely parts of England and to a number of houses which we found inviting in their own right. They appeared, with exceptions, to fall into four types: the ancestral and baronial of the born aristocrats like Philip Sidney and Bulwer Lytton; the medium-sized country houses 'of character', as the estate agents would say, tracked down and cherished by such seekers after rural peace and quiet as Kipling, Henry James, Shaw, Darwin and Winston Churchill; the London homes of the urbanites, Johnson, Dickens and Carlyle; and the remote, modest cottages of the poets and the one mystic, T. E. Lawrence. We do not suggest that this grouping proves anything: but it was interesting to try to find out in individual cases why the house and locality had been chosen. With two passing exceptions we have not included birthplaces: we wanted houses in which people had lived of their own volition.

Certain impressions grew with every house we visited. One was the extraordinary 'presence' left in a house by its dwellers, leaving aside subjective fancy or associative ideas. Hughenden is as witty and good-natured as its Dizzy and his Mary Anne; Knebworth as romantically melancholy as Bulwer. We would have given a lot for the corresponding 'feel' of Lamb and Shelley and 'Lewis Carroll'.

Another reflection, and a sad one, is upon the deteriorating effect of time on the human countenance. In many of the houses we visited, portraits of the celebrated occupant at various stages of life were on show, a sequence one never sees in the ordinary home. Each of these impressed heavily upon us the contrast between unclouded, idealistic youth and sickly, disillusioned—even though famous—age.

The other thing that struck us was the inevitable presence of Shaw and Bulwer in the lives of their contemporaries, and of Keats in everyone's.

Any literary-minded car driver with a week to ten days to spare could make an itinerary out of this collection of houses for a pleasant circular tour that would take him to several refreshingly different regions and, except for passing through, no cities after London. Starting with the London houses, he would then drive into Kent, then Sussex, then along the coast across Hampshire into Dorset; up to Somerset, on to the Lake District and Yorkshire; thence back to London, to finish off with a few houses lying near by. This is the order in which we have presented our chapters: the entire journeying amounts to little more than a thousand miles of easily spaced divisions.

We do not claim to have included every house of this kind in England. A few more are in private hands, and though they may be opened for inspection periodically, or to special applicants, their owners are understandably reluctant to draw too much attention to them. One house, Jane Austen's, at Chawton, Hampshire, we exclude with regret because we could not obtain the special permission to take photographs which was so readily granted in every other case. William Morris's house at Kelmscott would have gone in, but was undergoing extensive renovation and was without its contents while the book was being prepared. Other omissions must be ascribed to limitations to this volume's size, or, quite simply, to our ignorance that the places have been preserved for the public to view.

PREFACE AND ACKNOWLEDGMENTS

If this book should move a few of its readers to visit some of these houses, and to find as a result new or renewed enjoyment in their former owners' writings, then its purpose will have been achieved.

We are grateful to the following for their assistance with this book:

KEATS HOUSE: London Borough of Camden, Mr A. Lee, Mrs C. M. Gee.

CARLYLE'S HOUSE: National Trust, Mrs Thea Holme, Mrs M. G. Boucher.

DICKENS HOUSE: The Dickens Fellowship, Miss D. L. Minards.

DR JOHNSON'S HOUSE: Dr Johnson's House Trust, Miss Margaret Eliot.

DOWN HOUSE: Royal College of Surgeons, Mr S. Robinson.

PENSHURST: Viscount De L'Isle, V.C.

CHARTWELL: National Trust, Miss Grace Hamblin, O.B.E.

SISSINGHURST CASTLE: National Trust, Mr Nigel Nicolson.

LAMB HOUSE: National Trust, Mr H. Montgomery Hyde.

BATEMAN'S: National Trust, Mr and Mrs Bruce Sutherland.

CLOUDS HILL: National Trust, Mrs P. Knowles.

COLERIDGE COTTAGE: National Trust, Mrs Eileen M. Dinham.

STRATFORD-ON-AVON: Shakespeare Birthplace Trust, Mr Levi Fox, O.B.E., Miss Shirley Watkins, Mr W. Harry Dyke, Miss H. Sheward.

HAWORTH PARSONAGE: The Brontë Society, Mrs Joanna Hutton.

DOVE COTTAGE: Dove Cottage Trust, Mr L. V. Rickman, Mr and Mrs E. Eastwood.

HILL TOP: National Trust, Mrs Freda Jackson.

HUGHENDEN: National Trust, Mr T. A. Jefferson.

MILTON'S COTTAGE: Milton's Cottage Trust, Mr and Mrs K. C. Meiklejohn.

KNEBWORTH: Lord and Lady Cobbold.

SHAW'S CORNER: National Trust, Mr and Mrs Hugh Broadbridge.

Mr Romilly Fedden of the National Trust.

Permission to quote from the following published works is acknowledged gratefully:

Rudyard Kipling's *Something of Myself*: Mrs George Bambridge and Macmillan & Co. Ltd.

The Letters of T. E. Lawrence, edited by David Garnett: the Executors of the T. E. Lawrence Estate, the editor and Jonathan Cape Ltd.

MICHAEL AND MOLLIE HARDWICK
Great Mongeham, Kent

Keats House was originally two dwellings, in one of which the poet spent his last three years of life. He composed some of his greatest poetry here and fell in love with a daughter of the family next door, Fanny Brawne.

KEATS HOUSE

Hampstead

JOHN KEATS 1818–1820

'IN THE SPRING of 1819 a nightingale had built her nest near my house. Keats felt a tranquil and continual joy in her song; and one morning he took his chair from the breakfast-table to the grass-plot under a plum-tree, where he sat for two or three hours. When he came into the house, I perceived he had some scraps of paper in his hand, and these he was quietly thrusting behind the books.'

The nightingales have flown from Hampstead, the plum tree has perished, but the house where John Keats lived with his friend Charles Brown, where he wrote, on such scraps of paper, some of his greatest poetry, and was most happy and most unhappy, stands today. Hampstead was a country village then, though conveniently near to London. Building, time and communications have urbanized it; but, by some touch of Keatsian enchantment, to pass through the garden gate of Wentworth Place, now called Keats House, is to enter a piece of that rural Hampstead of long ago.

The graceful, compact white house, which began as two houses, was built in 1815 by Charles Armitage Brown, a retired business-man turned author, and his friend Charles Wentworth Dilke. Dilke and his wife and small son inhabited the larger of the semi-detached pair; Brown, a bachelor, the smaller one. They were drawn to the district not only for its pleasant situation, but because 'dear Hampstead, revelling in varieties' was the home of Leigh Hunt and a centre of literary and artistic life. It was probably through Hunt, in 1817, that Brown met John Keats, the young poet whose genius was already acknowledged by men of vision, and 'in that interview of a minute inwardly desired his acquaintanceship, if not his friend-ship'.

Keats was then lodging in Hampstead. He went often to Wentworth Place to enjoy the company of the genial, down-to-earth Brown, to talk poetry and write it, to eat, and drink his favourite claret in Brown's parlour. In 1818 the two went on a Scottish walking tour. Not long after they returned, Keats moved to Wentworth Place alto-gether, after the tragically early death, from consumption, of his young brother Tom.

As one crosses the garden of Wentworth Place today, Keats's 'grass-plot' is as

1

green and well kept as ever. The ancient mulberry tree that he knew still drops its fruit on the grass. He and Brown did not use the handsome front door: their entrance was round the side, no longer now giving on to the garden but into the Chester Room, an extension built on by Eliza Chester, a retired actress who bought Wentworth Place in 1838, converted it into one house and added this handsome drawing-room.

The visitor today, using the main front door, enters what was originally the Dilke family's home. To the right of the hallway is their double drawing-room, graceful and essentially unchanged. Here is the pretty fire-grate at which muffins were toasted for Keats's tea, for Maria Dilke took a motherly interest in the young man. 'Mrs Dilke is knocking at the wall for Tea is ready,' he writes to his brother George in America. 'Yesterday when the tray came up Mrs Dilke and I had a battle with celery stalks.'

In this room is a fine Hepplewhite table which belonged to Leigh Hunt. Keats must have sat at it. On the wall is a painting by Keats's friend Joseph Severn of the poet beneath the trees by the Spaniards Inn at Hampstead, listening to a nightingale silhouetted against the moon: sentimental, like most of Severn's paintings of his idolized friend, but irresistibly evocative.

In a showcase in this room are some of the most poignant relics in the house: a portrait and some personal possessions of Fanny Brawne. During the Scottish tour Brown had lent his part of the house to a Mrs Brawne, a widow, and her two daughters and young son. Later, when the Dilkes moved to London, the Brawnes took over their half of Wentworth Place. It had been love at first sight when Keats had been introduced to the eighteen-year-old Fanny Brawne—tiny, beautiful, witty, fashionable, but sensible beyond her years. She was his first and only love. On Christmas Day 1818 they became secretly engaged.

Less than three years later he was dead, aged twenty-five. Fanny's miniature portrait shows a face sadly changed after twelve years without him. Her eyeglasses, also among these relics, are a pathetic reminder of the old age which she attained and he did not. The almandine engagement ring he gave her lies beside the brooch made like a broken lyre, its strings Keats's hair, which she wore until her death.

Passing through where once a wall separated the two dwellings one stands in the hallway of the Keats-Brown house. The Keats sitting-room, looking towards the back garden, is an authentic, restored replica of the room as he knew it and as Severn recorded it in his painting 'Keats at Wentworth Place', which hangs over the fireplace. The shutters Keats fastened are still in place. The carpet has been woven to the design of that shown in the picture. Copies of the chairs over which Keats would drape himself 'like a picture of somebody reading' have been arranged beside the french windows, as if ready for him to sit there again, book in hand, sometimes raising his head to watch the sparrows pecking about the gravel, as he loved to do. A portrait of his idol, Shakespeare, hangs where it used to hang, near

On such a 'sopha-bed' in this room in Keats House the poet lay after becoming stricken with consumption, hoping to glimpse his forbidden Fanny Brawne walking in the garden.

the bookshelf where he hid the scraps of paper on which he had just written the *Ode to a Nightingale*. The tiny room is still electric with his presence; not so much haunted as eternally possessed.

Across the hall is the larger sitting-room, which was Brown's. They used it as a communal living-room, and it too has been well restored to the likeness of the room Keats knew. In front of the window stands a 'sopha-bed' of the period, such as the one on which he lay when the tuberculosis that was to kill him had struck him down. 'How much more comfortable than a dull room upstairs, where one gets tired of the pattern of the bed-curtains!' From here he could watch life going past: gipsies on the Heath, a pot-boy with someone's lunch beer, labourers at work on the new houses, two old ladies with a lap-dog. Most eagerly of all he watched for Fanny, walking in the garden in hope of a glimpse of him. She was forbidden to visit him much, for fear of over-exciting him.

In the corner stands a grandfather clock which left the house with Brown in 1822 and has now returned from New Zealand where he died. On the wall are copies of grotesque heads from Hogarth's 'Rake's Progress', made by Brown; and on another wall a copy of Hogarth's 'Sleeping Congregation', which gave Keats 'a psalm-singing nightmare'. While he was still in health he wrote in this room some of his richest poetry during his golden year of 1819; and, in his last spring, many brave, infinitely sad notes to Fanny. 'All we have to do is to be patient ... I am kept from food so feel rather weak—otherwise very well ... illness is a long lane, but I see you at the end of it ... send me the words Good Night to put under my pillow.'

It was in his bedroom, enlarged since his day by the taking-in of a passage, that he first coughed the ominous spot of arterial blood which he knew to be his death-warrant. The room is almost unfurnished, but the bell-pull is still there which he must often have used to summon the devoted Brown, his nurse for many weeks during the winter of 1820. Over the fireplace hangs a copy of the last drawing made of him by Severn, as he lay on his death-bed in Rome in January 1821. With the cruelty of ignorance the doctors had banished him there, away from Hampstead and his friends, in terrible exile from Fanny. Downstairs, in a case in the Chester Room, is the last letter he wrote from Italy to Mrs Brawne. To Fanny he could bear only to add a postscript: 'Good bye Fanny! God bless you.'

The Chester Room is lined with cases housing other important letters of Keats and his circle. Many personal relics include his precious annotated volumes of Shakespeare, Chaucer and Milton, priceless clues to his mind and poetry. A lecture notebook from his days as a medical student contains languidly scribbled anatomical details jostled by delicate little drawings of flowers. The life-mask made of him by his friend Haydon gives a clear impression of the beautiful, virile face, while locks of his red-gold hair, lying near by, have scarcely faded.

The extraordinary affection which Keats inspired in his lifetime in those who knew him ('I am certain', Fanny Brawne said, 'that he has some spell that attaches them to him') has outlasted him. Wentworth Place was rescued from destruction by public subscription when so many other houses of the period perished. When it was damaged in the last war the Pilgrim Trust and the Keats-Shelley Association of America, Inc., were largely instrumental in restoring it. Those who care for it now, and maintain the Keats Memorial Library next door, have brought the house back as near as can be to the state it was in when Keats lived there, even to the detail of stripping the many layers of wallpaper and having copies made of the bottom layers which Keats knew.

It seems a house in which life has been suspended, energy interrupted. There is an air of unfinished business. One hesitates to leave. Then the front door closes, and one crosses again

> *. . . a lawn besprinkled o'er*
> *With flowers, and stirring shades, and baffled beams.*

In a tree, his favourite bird, the thrush, still sings

> *O fret not after knowledge! I have none,*
> *And yet the Evening listens.*

Of all houses, it is the one in which one could wish for a time machine; so that, returning to the year 1819, it might be possible to arrest tragedy with today's medical knowledge. But the gate closes: the hedge of laurustinus and china roses has gone: and we are back in Hampstead, NW3.

CARLYLE'S HOUSE

Chelsea

THOMAS CARLYLE 1834-1881

ONCE, Cheyne Row was orchard land, a pleasant neighbour of Shrewsbury House, one of the stately residences of Tudor Chelsea. The riverside village grew, and in 1708 were built the graceful red-brick houses that form Cheyne Row today. But between their building and 1834, when the Carlyles moved into No. 5, pretty, rural Chelsea had declined socially. 'Chelsea is unfashionable,' wrote Carlyle to Jane in Scotland. 'It was once the resort of the Court and great, however; hence numerous old houses in it, at once cheap and excellent.'

How the sage would stare if he could see Chelsea today, and study the local estate agents' advertisements! With what fanatic violence would he barricade himself into his Silent Room at the top of the house. Cheyne Row itself, however, is a peaceful thoroughfare still, leafy and pleasant, away from the Embankment traffic. The trees that were there when the Carlyles arrived were cut down soon after, but others have grown. The number on the handsome front door is changed—it is now No. 24—but otherwise Jane and Thomas would find its outward semblance very little different.

They took it on a year's lease, and lived in it for the rest of their lives: Jane died in 1866, Thomas in 1881. It saw their early poverty, when £2 10s. 0d. was far too much for Jane to pay for a much-needed sofa; it witnessed the happiest time of her not very happy life, when all her home-making instincts, energy and practical good sense went into creating this home for Thomas, her beloved, difficult husband. In 1834 he was unknown, *Sartor Resartus* not yet published, the *History of the French Revolution* only a plan for the future. He had renounced Christianity but declared war on atheism; he was at the start of his career as a philosophical radical giant among historians, and stern adviser to a fault-ridden world. Jane knew that he was going to be an important man. Gladly she agreed to leave Scotland and become a Londoner, if it would be best for Thomas. They arrived at Cheyne Row in high spirits. On the way, Jane's canary, Chico, had burst out singing. They took it for a good omen.

There are canaries in the dining-room window today. An agreeable room, Thomas considered this, when it had been made bright and comfortable by Jane during those

6

Thomas Carlyle converted an attic into this Silent Room in order to escape the noise of his Chelsea neighbours and their fowls; but his wife Jane called it the noisiest room in the house.

cheerful 'Gypsy days' of settling in: an old carpet from their Scots home nailed down by her own delicate hands, and patched up with bits of others; her table and little piano in position. Over the mantelpiece hangs Robert Tait's picture 'A Chelsea Interior'. It is like a reflection of the room and of the Carlyles of 1857: a haggard, bearded man and a sick woman, very different from the handsome young Thomas of Lawrence's drawing, and the deliciously pretty Jane, swan-necked, large-eyed, and bright-ringleted, of the loveliest miniature of her. Looking at Jane as one meets her in portrait after portrait, it seems astonishing that although her contemporaries called her many good things, they never called her a beauty. It was in this room that the gallant and impressionable Leigh Hunt, their neighbour, was warmly greeted by Jane one day, and celebrated it in verse:

> *Jenny kissed me when we met,*
> *Jumping from the chair she sat in;*
> *Time, you Thief, who love to get*
> *Sweets into your list, put that in!*
> *Say I'm weary, say I'm sad,*
> *Say that health and wealth have missed me,*
> *Say I'm growing old—but add*
> *Jenny kissed me!*

Weary, sad and old they all grew, but the kiss was immortal: and the very 'chair she sat in' is still in this room full of things they knew and touched.

The broad staircase 'with massive balustrade (in the old style),' as Thomas described it to Jane, leads to the first floor. The Carlyles were certainly not antiquarians, for in their great renovations of 1852 they had the pine panelling of the hall and staircase covered by wallpaper, and painted and grained to resemble wood. That the house preserves most of its ancient, mellow character today is certainly not due to Thomas and Jane. One feels that had their finances been up to it they would have modernized it briskly from attic to cellar. The first-floor library or drawing-room (it was used as both because of shortage of space) was enlarged, the panelling and 'queer old presses' flanking the fireplace removed, the fireplace rebuilt, the windows altered. The result is a largish Victorian room with no character of its own, only that of Thomas and Jane. Part of his library and much Carlyleana are here, including the thirty-two volumes of Goethe's works presented by Goethe, whom Carlyle revered as a god. The famous sofa is here, Jane's 1835 bargain, a luxury after the hard furniture they had had to put up with. 'Oh, it is so soft! so easy!' In 1849 Jane had written: 'I have been busy, off and on, for a great many months, in pasting a screen . . . all over with prints. It will be a charming "work of art" when finished.' It is such a charming work of art that one lingers by it, identifying the faces of actors and celebrities, almost following Jane's thoughts in the choice and arrangement of the prints.

In this room, where they had spent so many quiet domestic evenings, and had entertained such eminent but respectful guests as Dickens, Tennyson and Browning, Thomas sat alone after Jane's death, night after night, year after year, surrounded by memories of her; and here, in 1881, he died.

The room adjoining was Jane's bedroom. Her 'Red Bed', the four-poster in which she was born, slept for much of her life and was laid after death, shares domination of the room with the portrait of Thomas's mother over the fireplace—a fine Scots face that shows where some of his quality came from. It is not a fussy, feminine room, but, like Jane, orderly and demure. Under glass in this room and its dressing-room are fragile possessions—her belt and lace collar, some of her jewellery, including the ring of linked dolphins she wore on the day she died, scraps of faded writing, locks of hair. The walls are thick with sketches and photographs—one of Nero, the little black and white dog, Jane's 'inseparable companion during eleven years', whose grave is in the pleasant garden one sees from the window. One side of Jane's life in the house is a chronicle of bitter war against the Victorian housewife's enemy, bugs. It is an incredible thought, as one walks through those spotless rooms today, that in Jane's time every wainscot, every bed, might be a lurking-place for them. They are constantly recurring features in the saga of the Carlyles' amazing series of domestics— thirty-four maids in thirty-two years, not counting temporary helps. There was almost no accident or misdemeanour beyond their scope: drunkenness, violence, 'little misfortunes' (one of them born in the back dining-room while Thomas was taking tea with a lady visitor in the front one), lies, thieving, china-smashing and falls. The kitchen, then so cheerless, now a charming living-room, was the home by day and night of these girls. Their wages were pathetically small, but for Jane they nearly all seemed to have a devoted affection that withstood her scoldings.

The top floor of the house is all Thomas, for this is the attic study he designed as a sound-proof room where he could write in peace, free from the acoustic agonies inflicted on him by neighbours and their fowls. It was a complete failure. Through its skylight came all sorts of other distracting sounds he had never noticed before. 'The noisiest room in the house,' Jane pronounced it. But Thomas used it as a study for twelve years, and wrote *Frederick the Great* in it. Its cases, walls and bookshelves hold countless reflections of the man, his mind and his works—books, autograph letters, portraits, busts, prints, manuscripts. There is a unique scrap of manuscript, salvaged after the first volume of *The French Revolution* had been burnt to ashes by a too diligent housemaid and heroically rewritten, in a new form. '*That* first volume could not be written again, for the spirit that animated it is past; but another first volume I will try.'

Yet, although Thomas Carlyle, the man, is clearly present in the room, the author is elusive, for we are conscious that the works that flowed from the great and serious mind are now gathering dust on library bookshelves. He was revered in his lifetime: 'I would go at all times farther to see Carlyle than any man alive,' said Dickens. He was an inspiration to Ruskin, Keir Hardie and the early Socialists. Then he became a memory of an arresting figure seen about Chelsea in the wide-brimmed hat that still hangs in his hall; then a statue on the Embankment. Now he lives on largely through his house, and his wife.

In the many portraits and photographs of Thomas and Jane there is all their married life, with its underlying melancholy. In her pocket-book, Jane had written prophetically:

> *In Friendship's arms each heart reposes;*
> *There soul to soul pours out its woe;*
> *My lips an oath forever closes,*
> *My sorrows God alone can know.*

And there is a line inscribed on a decorated box in the drawing-room: 'Lennoxlove, 1825. All was rapture then, which is but missing now.'

There had been an earlier sweetheart than Thomas, a broken engagement. But that she loved Thomas greatly there is no doubt. Her mysterious illnesses, which change her in her portraits from a smiling young beauty into a grey-haired woman with the shadow of death and fear of madness in her face, owed much to deep, if subconscious, frustration. Thomas often briskly told her that the cure for her troubles was work. In the first half of the nineteenth century there was no work she could do, other than household management, except for the work she might have done, and did not. Thomas's letters are good, but hers are superb. She was in fact a born author. At her last meeting with Dickens she had given him the first part of a plot for a novel, which deeply impressed him. After her sudden death he reflected: 'No one now to finish it. None of the writing women come near her. . . .'

Thomas himself had unknowingly summed up his wife when he said of Coleridge that the poet was 'a melancholy instance of a genius running to waste'.

But her immense humour, as well as her sadness, is in the house. She who loved cleanliness and order would rejoice to see it now, shining as home-made beeswax polish could never make it; would revel in the garden where she planted so much that was to live on after her, and in the transformed old kitchens. And she would cherish the small dog who follows Nero's old walks, and sleeps in Nero's places, and is called Thomas.

DICKENS HOUSE

Doughty Street, Bloomsbury, London

CHARLES DICKENS 1837–1840

DOUGHTY STREET was a splendidly exclusive place to live in 1837. The wide street of tall Georgian houses was shut off at each end by gates and the forbidding presence of a watchman. Gray's Inn lay to the south of it, the Foundling Hospital to the north. It was with pride and pleasure that young Mr and Mrs Charles Dickens, baby Charley and Mrs Dickens's sister Mary moved into the twelve-roomed house, No. 48, during the last weekend of March. Dickens referred in a letter to 'the worry and turmoil of moving', but his orderly nature and delight in new places must have made the settling-in period a happy time for his family.

Doughty Street is still a quiet, dignified thoroughfare, though the gates have gone and the watchman has long since been promoted. The Foundling Hospital has disappeared, with its clock 'lower than most of the rest, and nearer to the ear', that was usually slow, lagging behind the other London chimes 'to strike into the vibration alone'. Gray's Inn, with its memories of Mr Perker, Mr Phunky and the youthful clerk Dickens, has lost its ancient peace, shaken by the roar of Holborn and the ring of the demolisher's hammer. But 48 Doughty Street remains, and is known as the Dickens House.

The hammers were hovering over it in 1922, when some members of the Council of the Dickens Fellowship stepped in and averted its destruction. They bought it, opened it to the public in 1925, and elected a permanent body of trustees to look after it and retain it in perpetuity as a memorial to Dickens, a library and museum for all Dickensians. And so, of all the houses in which Dickens lived in London, only 48 Doughty Street remains structurally unaltered, and so furnished and arranged that we can reconstruct the life of the young Dickenses in their tenancy of it.

The sturdy door opens, and the visitor stands in the hall; cheerful Pickwickian scenes look down from the walls. The dining-room, with curved doors and wall, is immediately to the left. Its candles were lit and tables spread on the evening of 2nd April 1837, a day or two after they had moved in, for the first anniversary of the marriage of Charles and Kate. They spent a happy evening: Charles sparkling with wit, affection and family pride in his wife and bouncing son; Kate beautiful, languid,

11

already a little slow-going for her dynamic husband; and Mary, seventeen years old, 'young, beautiful and good', 'the grace and life of our home', her brother-in-law called her. Charles's sixteen-year-old brother Fred was there, too, enjoying the general grown-upness of the occasion, and the port.

Now the room is full of relics of this time, and later, dominated by a bust of Dickens in his prime and a grandfather clock with a curious history. It once stood in a coach office at Bath, the property of Moses Pickwick, whose name Dickens borrowed for his immortal character. In the little parlour behind the dining-room Dickens's early love affair with Maria Beadnell is reflected. Maria, disguised as a milkmaid, simpers and languishes at the artist as no doubt she did at the young man who wrote ardent dreadful verse to her:

> Life has no charms, no happiness, no pleasures, now for me
> Like those I feel when 'tis my lot, Maria, to gaze on thee.

She treated him badly, and he never quite recovered from it. Perhaps it was on the rebound that he married the very different Kate Hogarth. Their marriage licence is here, and the record of their children's births, inscribed by Dickens in the family Bible. There are relics of less fortunate children: the wretched little boys at Greta Hall school in Yorkshire, the original of Dotheboys Hall, and a blacking-pot that recalls Dickens's own youthful slavery at the blacking factory.

A familiar figure is waiting on the first landing. It is the Little Midshipman himself —the very one described in *Dombey and Son* as standing outside Sol Gills's shop to advertise his nautical instruments—which, says Dickens, 'thrust itself out above the pavement, right leg foremost, with a suavity the least endurable, and had the shoe buckles and flapped waistcoat the least reconcileable to human reason, and bore at its right eye the most offensively disproportionate piece of machinery'.

Dickens had no eye for antiques. The Midshipman is in fact a perfectly charming little figure of about 1750, elegant, smart as paint, perhaps the most beautiful object in the Dickens House. He looks towards the door of the drawing-room, which holds a vast Dickens Reference Library, and the desk at which he gave his readings. Here, in the April of 1837, the first visitors to the new house assembled. Richard Bentley, the publisher, left his impression of the evening:

'Dinner in Doughty Street. I the only stranger. Mr Dickens sen., Miss Hogarth, Miss Dickens, the Misses Hogarth. It was a right merry entertainment; Dickens was in force, and on joining the ladies in the drawing-room, Dickens sang two or three songs, one the patter song, "The Dog's Meat Man",

In less than three years' residence here in Doughty Street Charles Dickens wrote his first, freshest novels and came to fame; but he also suffered the traumatic experience that would shadow his life.

and gave several successful imitations of the most distinguished actors of the day. Towards midnight (it was Saturday) I rose to leave, but D. stopped me and pressed me to take another glass of Brandy and water. This I wd. gladly have avoided, but he begged Miss Hogarth to give it me. At the hand of the fair Hebe I did not decline it.'

There were to be parties in plenty, but never again quite such a merry evening. Just a week later 'the fair Hebe' was dead.

From the drawing-room a flight of stairs leads up to the bedroom floor. In the front bedroom slept Charles and Kate, in the smaller back one, Mary. On Saturday, 6th May, they had all come in from the theatre, high-spirited and chattering. Mary seemed perfectly well. There was nothing to prepare Kate and Charles for the violent illness which struck her during the night. In the early afternoon of Sunday she died in Dickens's arms. What caused the tragedy will never be known, for the Births and Deaths Registration Act was not to come into force for a few weeks yet.

Dickens never, in a sense, recovered from this blow. Like Maria Beadnell's rejection, it had a permanent traumatic effect on his sensitive nature. Subconsciously dissatisfied with life by the side of the earthy, too fertile Kate (she was already pregnant again, and miscarried with the shock of Mary's death), he had idealized his young sister-in-law as perfect femininity. Death enshrined her for ever, made her the unreal smiling wax doll without human faults who appears over and over in his novels— Rose Maylie, Little Nell, Agnes. Her portrait is in the bedroom she occupied; she looks plain, long-nosed, slightly rabbit-mouthed, not to be compared with her sister Kate. But the artist (Phiz) may well have maligned her. It was this face that Dickens saw before him all his life, in dream and vision, always beckoning. The only known letter in her handwriting is in this room.

A beautiful Cattermole drawing of Little Nell in the setting of her grandfather's shop hangs above the desk used by Dickens as a lawyer's clerk in Gray's Inn. Perhaps the desk was in his mind when he visualized Bob Cratchit in that tank-like little office, perched on his stool and 'driving away with his pen, as if he were trying to overtake nine o'clock'. We are not told the amount of Bob's weekly wage, but it appears from a page of a petty cash book here that Dickens earned thirteen shillings and sixpence.

The opposite wall is covered with a vast canvas. A lighthouse dominates a seascape of swirling waves, tempestuous sky and storm-wrecked ships. It is in fact a piece of scenery, the act-drop for Wilkie Collins's drama *The Lighthouse,* performed by Dickens's talented amateur theatrical company in 1855. Huge as it is, it took the artist, Clarkson Stanfield, only a couple of mornings to paint. He had been ill, and felt himself past painting large canvases. But Dickens argued with him. 'I would not have this—I declared he must paint bigger ones than ever, and what would he think of beginning upon an act-drop for the proposed vast theatre at Tavistock House?

He laughed and caught at this, we cheered him up very much, and he said he was quite a man again.' All his life Dickens could charm almost anyone into almost anything.

In the front bedroom is a painting to which one returns again and again. 'Dickens's Dream', by R. W. Buss, one of the original illustrators of *Pickwick*, shows a contemplative Dickens, his chair drawn back from his desk, the air around him filled with the fairy shapes of his characters, some coloured, some only sketches, for the painting is unfinished. One tiny creature perches on his knee. The picture is a perfect expression in paint of Dickens's almost trance-like state when writing: 'The tale . . . has great possession of me every moment in the day, and drags me where it will.'

His study is on the first floor. In this small room, looking out over a struggling Bloomsbury garden, he wrote his earliest, freshest novels: the end of *Pickwick*, the whole of *Oliver Twist*, *Nicholas Nickleby*, part of *Barnaby Rudge*. His mind then, and later, can be seen at work in his manuscripts, some of which are here, together with a fine collection of his works as they appeared in monthly parts, and a full set of his first editions. Over the room presides a copy of Maclise's famous portrait of him at twenty-seven, the vivid face—'what a face to meet in a drawing-room!'— turned towards the light, almost feminine in its delicacy yet wholly masculine in the fire and intensity of the expression. The luxuriant brown hair falls to the shining collar of the dandified coat, a strong, slender hand rests on the manuscript as if drawing inspiration from the touch of the paper. 'Here we have the real identical man Dickens,' said Thackeray of this painting; and here we have the young man who lived at 48 Doughty Street at the time of the upspringing of his genius, knowing some poverty, some disappointment, some grief, but nothing of the 'old unhappy loss or want of something' which haunts the bearded, lined face of the later portraits.

During the two years and nine months that the Dickens family lived in this house, Dickens's fame as an author became established. It saw parties, conferences with publishers and illustrators, Dickens and Hogarth family gatherings. Two children were born here, Mamey and Katey, and the house began to shrink. Returning after a summer spent at Petersham and Broadstairs, they found it seemed smaller than before. Kate, never very slender, was putting on weight; perhaps she found the stairs too much for her. House-hunting began again.

Many houses associated with Dickens are still to be seen in various parts of the country. Of them all, the one in Doughty Street is the most extensively preserved as he knew it.

DOCTOR JOHNSON'S HOUSE

City of London

SAMUEL JOHNSON 1749–1759

THOMAS CARLYLE was seeing London, and its literary shrines. Of one he wrote, disgusted at its descent in the world:

'We ... lately discovered Gough Square, and ... the very House there, wherein the *English Dictionary* was composed. It is ... a stout old-fashioned, oak-balustraded house: "I have spent many a pound and penny on it since then," said the worthy landlord: "Here, you see, this Bedroom was the Doctor's study; that was the garden" (a plot of delved ground somewhat larger than a bed-quilt) "here he walked for exercise; these three garret Bedrooms" (where his three Copyists sat and wrote) "were the place he kept his—Pupils in". *Tempus edax rerum!* Yet *ferax* also: for our friend now added, with a wistful look, which strove to seem merely historical: "I let it all in Lodgings to respectable gentlemen; by the quarter or the month; it's all one to me."'

Time, the Eater of Things, has been persuaded to disgorge 17 Gough Square. A succession of less respectable gentlemen brought it down in the world until 1911, when it was rescued and restored to its original state as nearly as possible. In the last war enemy action seriously damaged the garret of *Dictionary* fame. Now the house is whole again. Once a lighthouse of benevolence and high thought, it is now a calm island away from the seething tides of Fleet Street, ignoring alike the distant shrieks of traffic and the rattle of printing-presses.

Here Doctor Johnson came in 1749, after a series of unsatisfactory lodgings. Perhaps Tetty, his beloved wife, temporarily betook herself to the pleasant heights of Hampstead, leaving her husband to deal with the removal, and particularly the setting-up of the Garret for the preparation of his greatest work. He had announced its appearance two years earlier, and had been contracted by five booksellers. Before this date there had been a mysterious gap in the Doctor's life; his career is

Doctor Samuel Johnson spent ten years in this house in Gough Square, off Fleet Street, and reached the zenith of his fame with the publication of his Dictionary.

16

scantily documented during 1745 and 1746. These are significant years, for they were those of the Jacobite Rebellion led by Prince Charles Edward, and its tragic sequel. Boswell cautiously remarked 'that he had a tenderness for that unfortunate House (of Stuart) is well known; and some may fancifully imagine that a sympathetic anxiety impeded the exertion of his intellectual powers'. Some have fancifully imagined even more, that he was an active Jacobite. It is a romantic but unlikely guess, and Boswell himself concludes that Johnson's zeal had cooled as his reason had strengthened.

No. 17 Gough Square must have pleased the Doctor, though his poor eyesight would prevent him from fully appreciating the beauties that strike us today. It is a graceful, plain, four-square house, built about 1700, its panelling American white and yellow pine. Johnson must have loomed large in it. He was a huge man for his times, five feet eleven in his stockings, according to Mrs Thrale. Fanny Burney considered that 'he has naturally a noble figure; tall, stout, grand and authoritative; but he stoops horribly; his back is quite round ... his vast body is in constant agitation'. His nervous mannerisms, the *folies de touche* that beset him, his badly fitting, dirty clothes, unhygienic habits (he admitted to Burney that he had 'no passion for clean linen') made him socially difficult. Not, however, socially unacceptable, for his mighty mind, his amazing wit, his rolling Augustan prose and pontifical pronouncements, had made a strong impact on the literary world of London even by the time he was forty and living at Gough Square. These, and an indefinable quality of likeability which comes to us only in hints; for the eighteenth century was not wont to analyse charm, other than that of a sexual nature. He had a giant's humour, was 'incomparable at buffoonery', was basically kind. 'He was always indulgent to the young, he never attacked the unassuming, nor meant to terrify the diffident,' said his defender Miss Burney.

In January 1749 he had published *The Vanity of Human Wishes* and had seen (imperfectly, so bad were his eyes) his tragedy *Irene* put on at Drury Lane by his ex-pupil David Garrick, whose showy villa he rather envied. Perhaps the comeliness of Gough Square consoled him a little. He settled down there to produce his periodical *The Rambler*, which was written in *Tatler* form and became highly popular. Undoubtedly much of his time was spent in the Garret, a long, airy room stretching the full length of the house. This, said Boswell from hearsay (they did not meet until 1765), 'he had fitted up like a counting-house ... in which he gave to the copyists their several tasks'. Five of the copyists were Scotsmen: a tartan thread is conspicuous in the tapestry of Johnson's life.

By 1752 he was fully occupied with the *Dictionary*, fighting down his native, often-deplored 'idleness' to heave his bulk up the slender garret stairs and return once more to the task. The day's labours completed, he would lumber downstairs to the elegant withdrawing-room, where Tetty and tea were awaiting him, the table set with delicate china such as that still kept in the room (though these particular

This long garret was fitted up by Johnson like a 'counting house' for his team of assistants to work on the Dictionary. *The room was restored after Second World War air-raid damage.*

Dresden cups belonged to Mrs Thrale and a later time in Johnson's life). He was 'a lover of tea to an excess hardly credible,' said his biographer Hawkins. 'Whenever it appeared, he was almost raving.' One imagines him beating on frail porcelain with one of the silver teaspoons preserved here, seizing the iron sugar-tongs and throwing in lump after lump.

In March 1752 tragedy struck at 17 Gough Square, for Tetty died. The Widow Porter had been fifty-six at the time of their marriage—twenty-one years older than her bridegroom. His friends could not understand his devotion to her. They called her a nagger—'A clean floor is *so* comfortable,' she would point out to the untidy Samuel—and described her as fat, painted, fond of the bottle to the extent of being 'always drunk', and of doubtful reputation. Against this we know that Johnson adored her with a romantic, almost mystic love, and that his grief at her death was terrible. He prayed, pathetically, 'if Thou hast ordained the Souls of the Dead to Minister to the Living, and appointed my departed Wife to have care of me, grant that I may enjoy the good effects of her attention and ministration whether exercised

19

by appearance, impulses, dreams or in any other manner . . .' And he put her wedding-ring in a little round wooden box, inscribing in it: 'Eheu! Eliz. Johnson, Nupta Jul. 9, 1736, Mortua, eheu! Mart. 17, 1752.'

It was a giant's sigh of grief. Speaking of her in later years, he would add fondly: 'Pretty creature!' Her portrait in the withdrawing-room shows her fair and good-humoured, distinctly handsome, a Restoration lady rather than a Georgian.

Though he had lost Tetty, he now acquired a new companion: Francis Barber, the young Negro servant from Jamaica, recently freed. 'He was in great affliction,' recorded Francis of his master, speaking of this time. Johnson had him well educated and treated him generously and kindly, even after Francis had deserted him; and when the young man rebelled against service in the Navy in 1759 got Tobias Smollett to write to John Wilkes pleading for his release, for 'no man will be a sailor who has connivance enough to get himself into a jail'. 'The Grand Cham of Literature' won his case, and Francis returned to his service.

Another companion, from this time onwards, was Miss Williams, a blind Welsh-woman who had been a friend of Tetty and had attended her deathbed. Again, the Doctor's friends (who seem to have been notable for jealousy) were catty about Miss Williams, calling her peevish, and dirty in her habits. But Boswell thought of her as 'of more than ordinary talents', and her presence must have been a comfort to the widower, now more than ever bedevilled by the black dog of melancholy. The room that was hers faces the withdrawing-room, of which the landing panels are hinged so that one spacious apartment could be made for festive purposes. Alas, there were no such gaieties at Gough Square, nor such an air of quiet elegance as prevails today, disseminated by fine furniture of the period. 'Good books . . . very dusty and in great confusion' lay about; the floor was 'strewed with manuscript leaves', observed Boswell of a later lodging, and so it must have been at Gough Square, where also he kept his 'apparatus for the chymical experiments' which were his hobby. He would lie abed till noon, probably in the room which is now the library, rising tousled and unbathed ('I hate immersion!' he growled). One of a long line of cats would probably share his breakfast. Friends would call, and book-sellers interested in the progress of the *Dictionary*.

At last, in August 1755, it was published in two volumes folio (the first edition can be seen in the dining-room) for the admiration of the world, which, says Bozzy, 'contemplated with wonder so stupendous a work achieved by one man'. Super-seded now by other works, it still makes amazing reading; erudite, exhaustive, startlingly original in the breadth and personal colour of its definitions. 'Excise', for instance, is 'a hateful tax levied upon commodities, and adjudged not by the common judges of property, but wretches hired by those to whom Excise is paid'. Johnson candidly confessed that he was not infallible. Asked why he had wrongly defined the word 'pastern', he replied: 'Ignorance, Madam, pure Ignorance.'

The *Dictionary* brought him fame, but little money at first. He set to work again on a mass of essays and dissertations, thankful that the failing sight of one eye had improved. In 1758 came his new periodical paper *The Idler*. Next year he suffered his second personal loss: his mother died in Lichfield, aged ninety, before her son could visit her. He wrote tenderly to her in her last illness: 'You have been the best mother, and I believe the best woman in the world.' Boswell was told by Strahan the printer that Johnson wrote *Rasselas, Prince of Abyssinia*, to pay for her funeral.

In the spring of 1759 he removed from Gough Square to chambers in Staple Inn, and thence to others until he reached Bolt Court, the house now destroyed by fire, where he reached the zenith of his fame and died in 1784. Of all his residences in the London he loved ('Why, Sir, you find no man at all intellectual who is willing to leave London') only Gough Square remains. Of his possessions few are there, for he neither collected nor left behind him the things of this world. Two—both chairs— bring the man himself before us: one, a fine piece of furniture which the Great Lexicographer begged of his bluestocking friend Elizabeth Carter because he found it so comfortable; the other 'Dr Johnson's dining-chair' from the Old Cock Tavern, grotesquely shaped yet well adapted to hold that vast form.

And so he lumbers down the steps of 17 Gough Square, toward the Thrales, Boswell, Reynolds, and Westminster Abbey. . . .

DOWN HOUSE

Downe, Kent

CHARLES DARWIN 1842–1882

THE *Origin of Species* and *The Descent of Man*, works that revolutionized scientific thinking and rocked the previously firm throne of Victorian piety, were evolved and written in what is still one of the most secluded places in England. The Kentish village of Downe is only a stone's throw from the boundaries of Greater London, but it has changed little in the century and more since Charles Darwin and his family went to live there. The little church they attended stands firmly in its centre; the 'pot-house' where they lodged while house-hunting remains, though dignified to an inn. The winding lane that leads to Down House, the home they took in 1842, is no broader. Pigs root beside it, horses at grass leap and frisk, the fields are wide and fertile.

'The country is extraordinarily rural and quiet with narrow lanes and high hedges . . . it is really surprising to think London is only 16 miles off,' wrote Darwin to his sister. He needed quiet for his scientific studies and for the nervous trouble which beset him all his life. The London house which had been the first home of Charles and his young wife Emma was becoming too small for the growing family. There were two children already and another on the way. Emma perhaps looked back wistfully to the gaieties of London, for she was a gregarious, lively girl, revelling in the parties that made her husband ill and in the theatres he disliked. Determined to make a success of her marriage at all costs, she had turned her back on these pleasures and given up her life to child-bearing and looking after the ailing Charles. He had never been well since the voyage of the *Beagle* brig, from 1831 to 1836, which had been the turning-point of his career; his *Geological Observations* and *Zoology of the Voyage of H.M.S. Beagle* had placed him, at the age of thirty, among the leading scientists of the day.

Emma was disappointed and depressed at the first sight of the house, which Charles had to admit was 'ugly . . . looks neither old nor new', and by its solitary position; nor was her first view of it improved by the fact that she was suffering from severe toothache and headache. Charles liked it, because of its 'capital study', large rooms and quantity of bedrooms available for family, domestics and visitors: Emma was not only wife but cousin, one of the great Wedgwood family of Staffordshire, an

22

Charles Darwin formulated his evolutionary theories and wrote The Origin of Species *and many other works during forty years spent in his remote Kentish home.*

affectionate and united clan. He liked the cherry and walnut trees, the magnolia and mulberry whose presence might mean that the place was not too cold in winter, but doubted the capabilities of soil full of chalk flints. He paid about two thousand pounds for the house, considering it a bargain, and the family moved in on 14th September. Though its façade is plain enough, time has mellowed it into a kind of grace. The main structure belongs to the late eighteenth century. The Darwins' improvements included a new study and a drawing-room with veranda.

One enters now the original hall, small, hung with decorous religious prints; and there, in bronze effigy, the familiar bearded figure leans back in a chair, as in a throne of knowledge, slumped and sagacious. Behind him, let into a pane of glass, are the scribbled signatures of two eighteenth-century children: his famous grandfather, Erasmus Darwin, and sister Susannah. Erasmus, that powerful personality, is to be met with all over Down House, in portrait, letter rhyme and treatise.

On the left of the inner hall a door leads to the New Study, intended by Charles to be an improvement on his old work-place, but only used for the last two years of his life. Now it is a cheerful room dedicated to a pictorial exposition of 'The Grand Darwinian Theory', of which Victorian students sang:

> *Your attention, ladies—let me win it;*
> *Just think of this theory for a minute,*
> *Is there really not something distressing in it,*
>   *To think you sprang from a monkey?*
> *That delicate hand was a monkey's paw,*
> *Those lovely lips graced a monkey's jaw . . .*
> *Those sparkling eyes a monkey did lend,*
> *From a monkey you borrowed this Grecian bend,*
>   *By this grand Darwinian Theory.*

On the brightly coloured walls charts and illustrations tell the story of Evolution, a dramatic single sentence heading it: 'The earth began as a whirling mass of hot gases . . .' Sounding names follow each other—Cambrian, Silurian, Triassic, Jurassic. Primeval things come up from primeval slime, swimming or crawling; the great lizards browse, fight and die. Ape-man rears unsteadily on hind legs, and begins to co-ordinate hands and brain, to be followed by Man himself. It is a triumphant progress, brilliantly deduced by Charles Darwin from intensive studies which brought him to the conclusion that in all living organisms the characteristics of offspring are determined by the process of natural selection, which eventually produces something quite different from the original ancestors. 'We may safely infer that not one living species will transmit its unaltered likeness to a distant futurity. . . . And as natural selection works solely by and for the good of each being, all corporeal and mental endowments will tend to progress towards perfection.'

He wrote these words and the rest of *The Origin of Species*, published in 1859, in the old study, which lies to the left of the inner hall. In every respect, even to a pervasive smell of chemicals, it appears to be still in use. On a library table is a motley collection of objects that led to the *Origin*. Pill-boxes, labelled in minute writing, contain dried beetles and small insects. Small bottles still hold their chemical contents, with here and there a warning: 'POISON. Potassio-ferrous cyanide'. Fossils, flints and chalk formations (some of them from the kitchen garden he had distrusted), a prism, a flask of oil, were all the humble instruments of his great research. His microscope is on the window-sill, beside it the revolving, wheeled stool he used for propelling himself effortlessly about the room on his weaker days. In a screened-off corner are the bath, wash-stand and chamber-pot he kept here, so that he might waste as little time and energy as possible going up and down the stairs. On the desk where he wrote his works are two of them—a *Memoranda of Vegetation* and a *Monograph on the Fossil Balanidae and Verrucidae*. For nearly forty years he worked

The old study at Down House and its contents are still as they were when Darwin thought, experimented and wrote here. Few rooms in the world have seen more profoundly influential work achieved in them.

here, dissecting, analysing, thinking and writing: it is perhaps one of the most important rooms in the world.

The old dining-room, next to the study, has become the Erasmus Darwin Room, set out with signs and tokens of the famous naturalist and philosopher, whose genes had obeyed his grandson's theory by descending in an altered and improved form. His portrait by Joseph Wright of Derby, one of his patients, shows a large, genial man, capable of such frivolities as the 'Letter to Miss Seward's Cat' which one can read in a show-case. The owner of Dear Miss Pussy, something of a beauty, had hoped to marry Dr Erasmus, but he had chosen elsewhere; so Anna Seward, the Swan of Lichfield, bluestocking and poetess, narrowly escaped being Charles Darwin's grandmother. One wonders what the genetic result might have been.

A gentle piece of irony shares the showcase with Miss Seward and Pussy. It is a set of verses by Dr Darwin, an 'Ode on the Folly of Atheism'. 'Dull Atheist!' sharply observes the Doctor,

> *Could a giddy dance*
> *Of atoms lawless hurl'd,*
> *Construct so wonderful, so wise,*
> *So harmoniz'd a world?*

Well, perhaps not quite lawless, his grandson may have reflected.

The new dining-room, at the back of the house, is full of Darwin treasures and relics. Besides a model of the *Beagle*, there are its log and Darwin's notebooks of the voyage (the foundations of his later studies), an excited young man's record of a strange, unparalleled trip.

Another case contains feminine, charming things: two botanical fans, a lock of Emma's golden-brown hair, a fairer lock, set in a brooch, from the head of her daughter Anne Elizabeth, who died, aged nine, in 1851. Of ten children, they were to lose three, ironic demonstration of Darwin's theory that over-population, by the law of Nature, is virtually impossible. The children who survived seem to have had a remarkably happy and free life, and to have been very close to their parents. No stern patriarch ruled at Down; Charles was as instinctive a father as Emma was a mother, and their offspring fully repaid their un-Victorian tolerance. Their portraits, painted soon after their marriage, show countenances equally blended of good nature and good sense, and there is a distinct family likeness between them. Charles had thought his own face far too 'ugly' to win such a girl as Emma Wedgwood. His daughter Henrietta wrote; 'He had the strange idea that his delightful face, so full of power and sweetness, was repellently plain.' But he need not have worried. Emma was in love with him, and seems to have remained so all her life.

His older image, in flowing beard, cloak and wideawake, looks down on cases that hold such intimate and sad relics as his daily health notes, and recipes for a healthy life: 'Breakfast, 1 cup of cocoatina, slowly sipped'. It is not very surprising that his diet benefited him little.

The most curious item here is an immensely detailed Darwin pedigree. The names it includes are fantastically famed, nearly every noble family in England contributing —Beauchamp, Ferrars, de Stafford, Howard, Knollys, Paget—while farther back are Frankish and Scots kings, even Alfred the Great. As an exercise in heredity it is almost unmatched.

The leisure hours of the family were passed in the new drawing-room at the back of the house, one of those added by the Darwins. It is a fine, light, spacious room, looking out on to the pleasant gardens. Emma would rest on her sofa, which is still in the room: in courtship days Charles had dreamed of 'a nice soft wife on a sofa, with good fire and books and music perhaps'. Reading to him was a particular accomplishment of hers; and when she played for him on her Broadwood piano, which still stands by the window, her music-canterbury beside it, his dream was amply fulfilled.

Charles Darwin died at Down House on 19th April, 1882, aged seventy-four. After long years of semi-neurotic and undiagnosed ailments, angina had caught up with him. He wrote letters and made experiments to the last, his last work being a note to the periodical *Nature* on 'The Dispersal of Bivalves'. The odium attached to his demolition of the Old Testament view of Creation had largely disappeared, and they buried him, not in Downe churchyard where he had hoped to lie beside his brother, but in Westminster Abbey. Emma followed him in 1896, but was buried in the little churchyard of Downe. She had spent her last summer as she would have wished, cheerful, active, surrounded by grandchildren, and still reading Charles's *Journal*. 'It gives me a sort of companionship with him which makes me feel happy,' she told Henrietta.

After they were gone, Down House became a school, fell empty again and began to decay. It was preserved by the efforts of the British Association for the Advancement of Science, and by funds provided by the London surgeon Sir George Buckstone Browne. Back to the house, from the generous hands of descendants and friends, came Darwin possessions, manuscripts, pictures and relics. Administered today by the Royal College of Surgeons, it remains as he knew it, the place that gave him forty years of seclusion for his studies, land for his experiments and very great domestic happiness.

A diorama of Mulberry Harbour at Port Arromanches on D-Day plus 109—23rd September 1944—dominates one wall of Sir Winston Churchill's library at Chartwell.

CHARTWELL MANOR

Westerham, Kent

WINSTON SPENCER CHURCHILL 1922–1965

ONE DAY in 1922 a family party drove into Kent in an old Wolseley car. They passed through the village of Westerham, birthplace of the hero of Quebec, and ascended the long, twisting hill overlooking the Weald, the heart of the 'Garden of England'. After a few more minutes' drive between massed ancient trees and great rhododendrons, the car pulled up sharply, to turn into the sudden entrance of a small, red-brick manor house.

For the next few hours the visitors roamed everywhere about the deserted, neglected house and explored the vast estate. As they progressed, enthusiasm waxed: until, when it came to the moment to leave, the leader of the expedition had become too excited to remember to switch on the car's ignition and release the handbrake, omissions which were not discovered until a band of willing helpers had pushed the vehicle several hundred yards without avail.

In this way Winston Churchill and his family found and bought Chartwell, their home of homes for the rest of his life: the haven of which he would say, 'Every day away from Chartwell is a day wasted.'

He had needed none of his family's urging to buy it. Whether consciously or not, he had recognized at once in the modest manor which had stood unoccupied for more than a decade a place where he would find relaxation from the pressures of public life, necessary peace for literary composition and occupational therapy in the form of practical work. A smaller man with smaller ideas might have been daunted. Parts of the house dated back to Edward III: it is said that Henry VIII stayed in it on his way to visit Anne Boleyn at Hever. It was not in perfect condition, within or without. Unkempt trees overshadowed windows, creepers threatened walls: there were 82 acres of undeveloped grassland, trees and a small lake.

According to his daughter Sarah, the new owner would at first have been happy to have left the place much as it was. It was his devoted, perceptive wife who lit the fuse which, after a slow-burning start, fired the explosion of practical handymanship which was to bring him so much creative satisfaction, while relaxing him mentally and refreshing his ever-active mind. Soon he was building walls, then cottages, doing much of the work with his own hands with the assistance of a professional mate;

29

making a swimming pool, complete with a powerful heating installation concealed in a tree trunk; excavating a dam, landscaping an island; not to mention rearing Golden Orfe carp in a shaded pond, painting landscapes and still-lifes out of doors and in the studio he had created, and working on monumental literary projects.

In time the house would grow to contain nineteen bedrooms, eight bathrooms and many other apartments: yet, passing through its front door today, over flagstones which extend on into the entrance hall itself, one finds it surprisingly compact and not at all a reflection of one of the largest of larger than life men. There is drama, but in undertone. The dominant theme is homeliness and warmth, a legacy from Lady Churchill's influence which was such upon both the house and its master that many who came there have testified that Churchill at Chartwell was quite a different being from the belligerent, stubborn warrior of Whitehall.

Perhaps the feature for which the visitor is least prepared is the abundance of colour. Instead of the expected dignity of sombre shades and imposing furniture, there is the harmonic grace of pastel-coloured shades, with a predominance of blue, and a great deal of light, air and modernity. The windows frame living landscapes, and the walls bear Sir Winston's own landscapes and still-lifes, vivid and extrovert, as well as other contemporary artists' works: there is nothing in the way of stern ancestors or dark Old Masters. The long, airy drawing-room, which has heard decades of talk by countless fascinating people, is a symphony in sunshine yellow, taking its colour-note from Lady Churchill's dress in her portrait by Douglas Chandor. The light sparkles in the Lalique cockerel, given to her by General de Gaulle. Beyond its perch, the card table is set ready for the game of bezique, which Sir Winston so much enjoyed.

A cigar box rests beside his place. More ornate cigar boxes appear to have been to Sir Winston what toast racks are to young marrieds: everybody gave him one, from Haile Selassie to the City of Westminster. With the cups won by his racehorses, the crystal bowls shaped like ancient galleys manned by bears and dragons and given to him by Stalin, and countless other gifts, trophies, decorations and awards, they are on show either *in situ* or in the well-designed museum rooms which have had to be created to contain the memorabilia of this man who received so many tokens of the gratitude and esteem of the world. The variety of uniforms to which he was entitled recall his many-sided service, while a wittily arranged selection of his favourite hats for various pursuits remind us, if it were necessary to do so, of the range of facets his character displayed.

The round table of the long, light dining-room is set for tea. Chartwell stands on a slope, so that one descends to this room by a number of stairs, at the foot of which stands a long, low dresser. It was on this that Churchill the artist arranged the bottles depicted in one of his best paintings, 'Bottlescape'. It hangs over the dresser now. This big room, able to hold several score people, judiciously distributed, was where he indulged one of his favourite pastimes, going to the cinema. Staff and all were

30

Winston Churchill and his family considered this home for over forty years. He declared: '*Every day away from Chartwell is a day wasted.*'

invited, if not commanded, to the weekend film show, perhaps of a film provided by its distributors in advance of its general release. He would return to certain favourites again and again: *Lady Hamilton* with Vivien Leigh and Laurence Olivier was one of the chief among them.

Emma's Nelson is permanently present in the form of a small bust on the desk in the study upstairs. A little replica of Napoleon stands a few inches away, amongst the family photographs, the signed picture of Jan Smuts and an effigy of Winston Churchill's favourite kind of dog, a poodle. It is a telltale collection on a surprisingly small desk. There is nothing modest about the room itself, one of the only remaining features of the Edward III structure. Its large floor enabled its owner to pace unconfined under the high roof timbers from which a replica of his Garter Banner hangs. As he paced he dictated, while secretaries, working in half-hour stints, took down his words in shorthand, then hurriedly typed them, barely keeping up with the

31

flow of thought and utterance. He was happiest in this room, working in this way. Generally late at night and in the small hours of morning, he would walk this floor, the unforgettable voice rumbling steadily away as he composed majestic sentences for his books or went over a new speech again and again, listening to his cadences, matching expression and pitch to meaning, until perfection was achieved. This oral method of 'writing' accounts for the matchless quality his prose possesses of making the reader hear the author's voice declaiming to him, insisting on his unflagging attention and participation in the great events and decisions it describes, and recalling its author vividly in every rolling phrase.

It was here, while he inhabited the political wilderness in the 1930's, that he wrote his great ancestral biography, *Marlborough: His Life and Times*, while simultaneously throwing off articles for newspapers and such popular journals as the *Strand Magazine* in order to make money. Much of all his subsequent writings, including those colossal undertakings *The World Crisis*, *The Second World War* and *A History of the English-Speaking Peoples*, were done at Chartwell, so that this study has perhaps seen the composition of more enduring works of history and literature than any other room in the world.

Teams of assistants often helped him, and of course there were, and are, countless books of reference about the place. Yet there are fewer than one might expect, no doubt because their owner's head was a crammed reference library, and what it could not wholly provide an assistant could check and complete. The actual library, on the floor below the study, is quite small, dominated on one side by Frank O. Salisbury's familiar portrait of the war-time Prime Minister, its eyes for ever fixed on the other side of the room, where a large diorama shows Mulberry Harbour at Port Arromanches on D-Day plus 109—23rd September 1944.

Literary genius was only one of Winston Churchill's attributes. Of the authors whose homes have been included in this volume, only he and Philip Sidney are comparable as the possessors of so many qualities of such high order. There is a blood relationship between them: and, more coincidentally, their houses lie not many miles apart. Sidney's time was short, and his memory lives largely in the words of those who felt privileged to know him. Churchill, as brilliant recorder of the world-stirring dramas in which he played a leading role, has set down his own chronicle. One of the most heartfelt passages in it occurs in *The Gathering Storm*, the first volume of his account of the origins and conduct of the Second World War, published in 1948. Describing his decade out of office before that conflict, he relates how he spent the years at Chartwell and pursued practical activities, concluding: 'Thus I never had a dull or idle moment from morning till midnight, and with my happy family around me dwelt at peace within my habitation.'

To visit the house to which he was referring whenever he spoke of 'home' is to come closer to the human soul within the superman.

PENSHURST PLACE

Kent

PHILIP SIDNEY 1554–1586

THE SIDNEYS are its soul, but it was there long before they came. There was a Manor of Penshurst at the time of the Norman Conquest, when it was granted to the De Pencestres, first of a line of ringing names to be coupled with it. Stephen de Pencestre died and was buried in the chancel of the village church of St John the Baptist. Through his daughter, the manor passed to Sir John De Pulteney, a rich wool merchant who surpassed Whittington by becoming four times Lord Mayor of London. It was he, about 1340, who built the nucleus of the present Penshurst. He intended it to be a fortified manor, but its aspect today is utterly peaceful. The sheep graze languidly; a gardener moves leisurely about the lawns forming a margin between the house and its small, dry moat; cats by the stables wash in the sunshine.

Now the home of Viscount De L'Isle, v.c., Penshurst is open to the public for much of the year, a stately home without gimmicks. Its visitors in the main come to see a beautiful house, interesting contents, a notable garden. Some, however, come because Penshurst was the home of one of the greatest of Englishmen, Sir Philip Sidney.

The house came to the Sidneys in the short reign of Edward VI, who bestowed it on Sir William Sidney, his 'trustye and wellbeloved servant'. He had married Lady Mary Dudley, daughter of the great Northumberland; their 'well-mixed offspring', Philip, was born at Penshurst on 30th November 1554. The Graces smiled on him from the first. His father was handsome and, more rarely in those times, 'of large heart and sweet conversation'. His mother was beautiful until smallpox, caught while nursing Queen Elizabeth, caused her to hide her face beneath a black velvet mask and live in seclusion at Penshurst, where, for this sad reason, there is no portrait of her on the walls. Her son Philip grew, happily enough, along with his brother Robert and sister Frances, learning his lessons from his mother, playing in the great walled garden.

> Thou hast thy orchard fruit, thy garden flowers,
> Fresh as the air, and new as are thy hours . . .
> The blushing apricot and woolly peach
> Hang on thy walls that every child may reach.

33

So wrote Ben Jonson while guest at Penshurst of a later Sidney child. Shrewsbury Grammar School took Philip from his home when he was ten, and he met Fulke Greville, his schoolfellow and lifelong friend. Greville, like almost everybody else, was captivated on sight by Philip's peculiar charm: 'Though I lived with him and knew him from a child, yet I never knew him other than a man: with such staidness of mind, lovely and familiar gravity, as carried grace and reverence above greater years. His talk ever of knowledge, and his very play tending to enrich his mind.'

His spell is hard to recapture now, but his pictured face, with its grave, sweet expression, and the quality of his verse, suggest that he was one of those rare souls that come to earth every few centuries or so, of a higher type than the rest of us, with a natural virtue transcending contemporary morals or customs, and with a glowing genius for friendship. Keats, in a later age, is one of those; T. E. Lawrence another; St Francis of Assisi perhaps an earlier one.

This highly civilized character, 'the courtier's, soldier's, scholar's eye, tongue, sword,' at his command, some of the greatest poetry of the Elizabethan age flowing from his pen, only lived to be thirty-two, yet his short life was packed with achievement. Much of it was spent away from Penshurst, travelling abroad with his tutor Languet on the Grand Tour, and as Elizabeth's ambassador, or at the Queen's court of Whitehall, and Wilton, the home of his sister, Lady Pembroke. His *Arcadia* gives a glimpse of Penshurst:

> ... *built of fair and strong stone, not affecting so much*
> *any extraordinary kind of fineness, as an honourable*
> *representing of a firm stateliness.*

The Kentish landscape seems to be reflected in that of Arcadia.

> ... *meadows enameled with all sorts of eye-pleasing flowers* ...
> *the pretty lambs with bleating oratory craved the dams' comfort;*
> *here a shepherd boy piping, as though he should never be old.*

It is impossible to know when and where he wrote the great *Astrophel and Stella* poems, which tell part of the story of his love for Penelope Devereux, to whom he had been betrothed until her sudden marriage with the unpleasant Lord Rich. Why the engagement of Philip and Penelope was broken off will also never be known. Perhaps it was fortunate that they never married and settled down into more prosaic relations, for the lost love became his Stella, unobtainable as Keats's 'Bright Star', for ever celebrated in a series of matchless songs and sonnets.

Her face, one of the loveliest of the sixteenth century, is not at Penshurst; but in the State Dining-Room is a rare portrait of the girl Philip later married, Frances Walsingham, and their daughter. The stiff convention of contemporary portraiture, with its emphasis on clothing and ornament, may not have dealt with Frances very

Penshurst Place—this immaculate example of the less grandiose type of stately home has been the seat of the Sidney family for centuries. The peerless Philip Sidney was born here in 1554.

fairly. Compared with Stella, she is a plain wench, and there is something slightly enigmatic about their marriage.

There are few relics of Philip at Penshurst now, so many possessions and manuscripts having been destroyed in a fire at Wilton. The helmet carried at his funeral, one of the few state funerals in history given to a commoner, is preserved, and a darkened scrap of looking-glass, part of a mirror belonging to him. Everything else has gone as irretrievably as his tomb in Old St Paul's, destroyed in the Great Fire.

Another literary association with Penshurst is recalled by one of the many ancestral portraits on the walls. The most enchanting of all the faces is that of Lady Dorothy Sidney, Philip's niece. She was the 'Sacharissa' of the poet Edmund Waller, who lived not far away and often visited Penshurst as a close family friend. He wrote her verses, good and bad, the best and most famous of them being *Go, Lovely Rose*.

The reluctant lady of those lines was Sacharissa herself. Waller's poetry and passion were not enough for her, and after keeping him in long suspense she became the Countess of Sunderland. Of all Sidney ladies she seems to have been the most gracious, intelligent and (*pace* Waller) sweet-natured. A *Tatler* writer, long after, said of her: 'The fine women they show me nowadays are at best but pretty girls to me, who have seen Sacharissa, when all the world repeated the poems she inspired.'

This book is concerned essentially with the literary features of the houses described, and some of them have indeed little or nothing else to commend them to the visitor. Penshurst is the chief exception. Its history has been so long, and so peopled with high-born folk, that its interest lies on several planes. It has, for instance, the finest remaining baronial hall from the fourteenth century, a vast, towering space where, in the time of Edward III, lord and lady, knight and seneschal, steward, soldier, page, dog-boy and swineherd crowded together in the communal life of a defended manor, while music played in the gallery and smoke swirled from the huge fire in the centre of the floor up to the great chestnut roof, which, its timbers blackened, still remains intact. Edward IV, the White Rose, radiant over the defeat of Lancaster, dined here, and later Henry VIII. Penshurst made an elegant prison for the children of Charles I. There is something of them all to be seen in it, and, even more movingly, the carven figures of ten ordinary men and women of the fourteenth-century house-hold, most of whom would have been wiped out soon afterwards by the Black Death.

Late in the seventeenth century Penshurst fell into danger of decay; but it is to the credit of later owners, not least the present one, that it is to be seen today as an immaculate example of the less grandiose of stately homes. A pleasing thought is that the man who first came to its rescue was Percy Bysshe Shelley's uncle John. Poetry and Penshurst have never been far apart.

SISSINGHURST CASTLE

Kent

VICTORIA SACKVILLE-WEST and HAROLD NICOLSON 1930–

IN 1930 Harold Nicolson and his wife, Victoria Sackville-West, decided that after fifteen years in their small but comfortable fifteenth-century home, Long Barn, near Sevenoaks, Kent, the time had come to look for another country house. Their reason sounds chords familiar today: the farm land next door was going to be 'developed'.

Instead of finding one of those elegant, modernized period houses in a rural setting with which Kent abounds, they bought an uninhabitable ruin, with the prospect of having to spend more than as much again to put it into any semblance of comfortable order.

Nicolson had recently returned from his last diplomatic post, in Germany, and was embarking, with many misgivings, on journalism. His wife had just finished writing what would become her most successful novel, *The Edwardians*, reflecting her girlhood at Knole. Freed from concentration, she was able to search for the new home; and within a few days she had found what she conceived to be ideal. With their schoolboy sons, Ben and Nigel, a secretary and all the family dogs, they inspected the place formally the next day. 'We go round carefully in the mud,' Nicolson recorded in his diary. 'I am cold and calm but I like it.' She had already written in hers: 'Fell flat in love with it.'

They had found (an enterprising estate agent had suggested it, with more hope, one imagines, than optimism) Sissinghurst Castle, two miles from Cranbrook in the Weald of Kent. It was not a castle; and those parts of it that had not been demolished for their materials were in ruins. As long before as 1752, Horace Walpole had visited it, and found 'a park in ruins and a house in ten times greater ruins'.

There had been a house at Saxingherste as early as the twelfth century. New owners had pulled the place down at the beginning of the sixteenth, leaving only the moat of the original ground scheme. They built a large new house, in the Elizabethan three-sided fashion, which began to share the family's decline in the mid seventeenth century. No longer wanted as a family home, it was leased to the government. Doors and windows were sealed, and several hundred French seamen, captured during the Seven Years War, were marched in. In due course there were some three thousand prisoners at Sissinghurst, and the place had acquired the reputation of a hell-hole. Edward Gibbon, the future historian, then doing service with the Hampshire Militia, was one of the guards in 1760. He recorded: 'The duty was hard, the dirt most oppressive . . .' The prisoners, harshly guarded and hungry, in cold, filthy rooms, protested in vain; so they burnt all the woodwork for firewood and smashed everything of no use to them. Besides reducing the house to a shambles they unconsciously dignified it in name: from their habit of referring to it as 'le château' it became, and remains, Sissinghurst Castle. Most of it was pulled down by subsequent private owners, the only inhabitants until 1930 being farm labourers, living poorly in the ruins.

When the Nicolsons found it, it had been used for many years as a rubbish dump. Tin cans, broken bedsteads, rusted farm implements and piles of long-decayed vegetable roots lay everywhere. All that remained of the buildings were a low range of about 1490 which had been converted in Victorian times into the parish workhouse; the Elizabethan brick tower, standing apart; and a cottage, once the end of the long Elizabethan south wing. Vita Sackville-West wrote later: 'Yet the place, when I first saw it on a spring day in 1930, caught instantly at my heart and my imagination. I fell in love; love at first sight. I saw what might be made of it. It was Sleeping Beauty's Castle: but a castle running away into sordidness and squalor; a garden crying out for rescue. It was easy to foresee, even then, what a struggle we should have to redeem it.'

Visitors to Sissinghurst Castle today can only imagine the struggle; for the result is so perfect that the buildings seem to have been in constant occupation, while the vast and varied gardens are amongst the finest in England. Over a period of years the Nicolsons and, during holidays from Eton, their boys paid working visits of a few days' duration, living in gum-boots, sleeping on camp-beds in the one habitable room of the tower and eating cold food. Harold Nicolson revealed an unexpected talent for garden design, complemented perfectly by his wife's practical knowledge. 'Profusion, even extravagance and exuberance, within the confines of the utmost linear severity,' was their guiding principle in reshaping the wilderness into gardens which combine the dignity of formal design with the inspired appeal of informal planting. The former stable changed into a vast library; a granary was made into accommodation for the boys; the cottage became the Nicolsons' living quarters and Harold Nicolson's work-place; and the first-floor room in the tower was annexed by Vita Sackville-West as her sitting-room and study.

Sissinghurst is now the home of the Nicolsons' youngest son, Nigel, and his family. He made it over to the National Trust in 1966, since when it has been attracting even greater numbers of visitors than it did before. The gardens have been open to the public for some years, for, although Vita Sackville-West was anything but a gregarious, out-going person, she was proud of her creation and liked people to come and admire it. She would come out to talk with them sometimes, able to do so

A squalid prison for French seamen in the Seven Years War, the sixteenth-century 'castle of Sissinghurst' was a ruin when Harold Nicolson and Vita Sackville-West bought it in 1930. They transformed it into a much visited showplace.

Flowers always adorn the desk where Vita Sackville-West worked in her sanctum in the Elizabethan tower. The photograph is of one of her few close friends, Virginia Woolf.

because she knew that it was her right to break off the conversation at whatever point she wished and return to her privacy. People about the place did not distract her. She was not a writer of routine habits like her husband. He, with his Foreign Office background, displayed obvious unease if kept from his typewriter during working hours. She, of the poetic temperament, would happily potter in the garden at any hour until, in her own good time, she would drift to her room and begin to work. Equally she would remain there until she had done all she wished: oblivious to time, to hunger, to cold, to discomfort. Often she would work in the unheated room until the small hours of the morning. Domestic affairs meant little or nothing to her. She resented the implication of inferiority in womanhood, and always wished she had been a male. At her death, her son records, she was found to possess one evening dress, which no one could remember having seen her wear. It was thirty-five years old. Her world was the poet's, the novelist's, the gardener's; and she achieved great things in all three spheres.

The room has been preserved as she left it when she died in 1962. It is a work room most writers would envy: isolated in the tower, lit by windows from which, she used to say, she could see without being seen, lined with books of reference, mainly about English literature, history and travel, especially in Italy, and gardening. A photograph of one of her few close friends, Virginia Woolf, is on her desk beside ones of the Brontë sisters and Harold Nicolson. Within arm's reach of her chair are still the books she used in writing her last biographical work, *Daughter of France*.

Although her best works, the novel *The Edwardians* and the long poem *The Land*, were finished before ever she saw Sissinghurst, she composed in this room such fine things as *The Dark Island, Pepita, Saint Joan of Arc, The Garden* and the poem *Sissinghurst*.

Harold Nicolson's own Sissinghurst books include *Diplomacy* and the revised *Peacemaking*, and his notable biographies of George V, Curzon and Dwight Morrow. But a work surpassing any other Sissinghurst writing is the diary which Harold Nicolson kept without a break from 1929 until 1964. Every day after breakfast he recorded, on one of his three typewriters (named Rikki, Tikki and Tavi), the events and thoughts of the previous day. The loose sheets of paper were then consigned to a filing cabinet and almost never looked at again. Ultimately there were some three million words, seen by nobody else, written with no specific intention and certainly not with thought of publication.

Now edited by Nigel Nicolson, himself an author and publisher, Harold Nicolson's diaries and the letters between him and his wife constitute a brilliant reflection of the years they span and what must be a unique record of a marriage. Despite the numerous and considerable differences between the couple in temperament and inclinations, they achieved perfect understanding. Their devotion is mirrored not only in their words but in their restoration of the home they loved. The expression 'Another quiet day at Sissinghurst' was a standing family joke of the Nicolsons: it was also their ideal.

LAMB HOUSE

Rye, Sussex

HENRY JAMES 1897–1916
A. C. and E. F. BENSON 1918–1940

IN 1896 Henry James was in his early fifties, a bachelor, and famous. Such works as *Portrait of a Lady, The Europeans, Washington Square, The Bostonians* and *The Princess Casamassima* had established him in the eyes of readers on both sides of the Atlantic as the 'interpreter of his generation': especially that generation of his fellow Americans who had 'discovered' Europe. Like many of them, he had chosen to make Europe his home; though instead of Florence or Paris, he had opted for England.

He lived in London. In a typically English fashion—although officially still an American citizen—he generally took his summer holidays at some such genteel seaside resort as Bournemouth or Torquay. But this year he went into Sussex, to occupy a friend's cottage overlooking the ancient and picturesque Cinque Port of Rye. He found the town itself attractive, but one feature of it irresistible. This was a red-brick house of Georgian construction but much longer history, occupying a watchful position at the bend of the cobble-stoned West Street, its long, high garden wall broken by an appealing garden room, jutting out into and above the street at right angles to the house itself. It was this unusual feature, seen in a coloured sketch at a friend's house in London, that had prompted James to stroll across and, as he put it, 'to make sheep's eyes at it, the more so that it is called Lamb House'.

He was enchanted and longed to occupy the house. There seemed little hope of that, since it was in family occupation. Still, before leaving Rye the envious author left his name and his hopes with a friendly ironmonger, who, little more than a year later, transmitted the unexpected news that the house was Henry James's for the asking. The owner had died suddenly; his son preferred the golden frenzy of the Yukon to the peace of Rye; James could have Lamb House on a long lease at 'terms quite deliciously moderate'. He accepted at once. After he had been in occupation only two years he was offered the freehold, again at a most reasonable figure, and became the proud owner.

'There are two rooms of complete old oak—one of them a delightful little parlour, opening by one side into the little vista, church-ward, of the small old-world street, where not one of the half-dozen wheeled vehicles of Rye ever passes; and on the

42

Henry James was enchanted by the house during a chance visit to Rye in 1896. Chance made him its owner soon after, and it was his favourite home for nearly twenty years.

other straight into the garden and the approach, from that quarter to the garden-house aforesaid, which is simply the making of a most commodious and picturesque detached study and workroom,' he wrote to his sister-in-law.

There were other rooms, equally charming when redecorated, and about an acre of lawn and mature garden, bounded by the old wall on which long-established fruits flourished. 'The house is really quite charming enough in its particular character, and as to the stamp of its period, not to do violence to by rash modernities; and I am developing under its inspiration the most avid and gluttonous eye and most

43

infernal watching patience in respect of lurking "occasions" in not-too delusive Chippendale and Sheraton,' he declared in that prolix style which characterized both his writing and his speech.

When, in 1950, twenty-four years after Henry James's death, the house was presented to the National Trust, the contents which his 'infernal watching patience' had enabled him to amass were not given with it, but were sold at public auction. A few years ago Lamb House acquired as tenant a distant kinsman of Henry James, the author H. Montgomery Hyde, who has since managed to retrieve many items. Others have returned through the Trust and from generous donors, so that Lamb House today, if not just as James knew it, has a charm which reflects truly what he termed that 'quiet essential amiability' which made him return there gratefully after every enforced absence.

Only one principal feature is no more: the garden-house which a German bomb destroyed in 1940. In the warmer months he worked in it, dictating steadily to his secretary, wandering to the window to gaze down at some passer-by while grasping for the exact word or seeking the logical ending for one of his meandering sentences. When the weather grew cool he transferred to the cosier Green Room, on the first floor of the house itself, where his ruminative view was of the lawn, an ancient mulberry tree, now no more, and many roses: a vista which delighted him by its very Englishness. In these surroundings he wrote some of his best novels and tales, among them *The Wings of the Dove*, *The Golden Bowl* and *The Ambassadors*. Lamb House served as the model for Mr Longdon's in *The Awkward Age*, and is the setting for the ghost story *The Third Person*.

James was himself the very model of a literary gentleman of high eminence: large, stout, dignified, rather pompous, yet with touchingly absurd little affectations and mannerisms. He was a familiar figure in Rye, out with his little dog for his regular afternoon stroll, his hat, gloves and stick selected precisely from the collection which always lay on the table in the fine entrance hall, according to whether his footsteps were to bend towards the surrounding Romney Marsh, or to the golf club, or on a round of calls about the town. In the evening he would work again, unless there were guests in the house. There were many visitors in the course of a year, including such literary colleagues as Chesterton, Belloc, Conrad, Max Beerbohm, Kipling and Walpole. He took an almost child-like delight in showing off his beloved house and garden to them. So many of us soon take for granted that which we once coveted: not so Henry James with Lamb House. As age and ill health hemmed him in, restricting his movement and making him spend more time in London, farther from the hard winters of the Marsh and closer to his heart specialist, he yearned anew for 'the blessed, the invaluable, little old refuge-quality of dear L.H.'.

He asked to be taken there in his last illness, but it was not feasible. He died, a British citizen at last, in February 1916, having been just sufficiently conscious to recognize that the insignia they brought to his bed was the Order of Merit.

Henry James wrote of the 'quiet essential amiability' of the elegant Lamb House: but it is familiar to readers of a later owner, E. F. Benson, as the home of that most un-amiable spinster, 'Miss Mapp'.

Through his nephew, Henry James, jnr., the house soon passed into the joint tenancy of two notable authors who had been frequent visitors, the brothers E. F. and A. C. Benson. A. C., Master of Magdalene College, Cambridge, occupied Lamb House during the university vacations, and in the comparatively short time spent there until his death in 1925 wrote several volumes of fiction and memoirs. E. F. Benson, who had hitherto lived in the house only when his brother was absent, enjoyed full occupation for fifteen more years, dying in 1940. During that time he brought Lamb House a new, though to most people anonymous, celebrity, as 'Mallards', the home of his abominable fictional spinster Elizabeth Mapp, the central figure of a frequently reprinted series of comic novels, including *Miss Mapp, Our Lucia, Trouble for Lucia* and others.

45

Rye, whose river is the Tillingham, is confessedly the 'Tilling' of these delightful books, peopled with characters epitomizing the snobberies, jealousies and petty machinations of an English parochial society. In the Preface to the first of them, Benson wrote: 'I lingered at the window of the garden-room from which Miss Mapp so often and ominously looked forth. To the left was the front of her house, straight ahead the steep cobbled way, with a glimpse of the High Street at the end, to the right the crooked chimney and the church. The street was populous with passengers, but search as I might, I could see none who ever so remotely resembled the objects of her vigilance.'

Although there is today only a commemorative tablet in place of the garden-room where Henry James dictated and Miss Mapp contrived her catty schemes, the picture of Lamb House is at once recognizable. Whether or not the residents of Rye identified themselves (or, more likely, each other) in the townsfolk of 'Tilling', the maliciously observant author continued to enjoy their respect: they elected him their mayor three years running.

BATEMAN'S

Burwash, Sussex

RUDYARD KIPLING 1902–1936

I T IS the house of *They*. In that incomparably haunting story, Rudyard Kipling chose the neighbourhood of Washington, Sussex, for the house which the traveller discovered at the end of a track that appeared to lead to nowhere.

There is no such house near Washington; but it is impossible to approach Bateman's, near Burwash, without feeling that here *is* 'Hawkin's Old Farm', where lived the blind woman who had gathered about her the souls of dead children.

Here are the 'carpeted ride', the great still lawn, the yews which, in the traveller's day, were clipped into the shape of horsemen, ten feet tall; and 'the ancient house of lichened and weather-worn stone, with mullioned windows and roofs of rose-red tile'.

The reason for the poignancy of *They* lies at Bateman's. Kipling came here in 1902, three years after the death at six years old of his eldest child, Josephine. In the house of the dream-children the bereaved father in the story found his lost child again; and for Kipling, Josephine, though she died in America, must have been here always, unseen but present and dear.

This is the home that Kipling had sought for years. He was thirty-six when he came here, with the fame of his great Indian stories and his poems around him. He and his American wife, Caroline Starr Balestier, had lived in her native country for some years, but now they wanted to settle permanently in England, in 'a real House for keeps'.

It was in Kipling's alarming Locomobile, known as Jane Cakebread Lanchester— Kipling was one of the earliest motorists—that he and Caroline came to Bateman's, and, seeing the house, cried: 'That's her! The Only She! Make an honest woman of her—quick!'

They had previously suffered from a house with a bad Feng Shui—'Spirit of the House'—which had produced in them 'a gathering blackness of mind'. But at Bateman's the Feng Shui was good, Kipling decided on entering: 'No shadow of ancient regrets, stifled miseries, nor any menace, though the "new" end of her was three hundred years old.'

The house lay in a remote valley, not particularly accessible from the little village of Burwash. It had peace and great beauty and was highly favourable to writing.

47

'*That's her! The Only She!*' *cried Rudyard Kipling and his wife when their house-hunting ended at Bateman's in 1902. The house has poignant associations with some of his finest stories.*

Kipling, no longer preoccupied with the East, became a teller of English tales and a singer of English songs. Bateman's is the house of *Puck of Pook's Hill* and *Rewards and Fairies*, stories of history and legend that grew naturally from the beautiful, mysterious Sussex landscape that surrounded the house: 'the woods that know everything and tell nothing'.

Bateman's stands golden and beautiful in its fine formal gardens, which seem to grow naturally from the countryside, yet make a perfect setting for the house. 'Like a beautiful cup on a saucer to match,' a member of the Kipling family put it. Sussex ironmasters built it and lived there in the early seventeenth century. Kipling mentioned them, the Collins family, in the story *Hal o' the Draft*. Hal tells Dan and Una how, in the days of Elizabeth and the first James, 'the valley was as full o' forges and fineries as a May shaw o' cuckoos'. A handsome fireback in an upper room at Bateman's shows an ironmaster of the period.

From the garden a deep porch, carved with Kipling initials, leads into the large hall where Kipling used to take tea and chat with farm bailiffs, neighbours and distinguished visitors; for, as he said, 'sooner or later all sorts of men cast up at our house'. Fine Jacobean panelling is here, and the first relics of Kipling's India that the visitor will see: mantelpiece brasses and an Indo-Chinese chest said to have belonged to the last King of Oudh.

On the right of the entrance, the small but impressive dining-room is hung with a remarkable wall-covering of Cordova painted leather, once of dazzling silver but now tarnished with age. In the drawing-room, where there hangs a painting of Rudyard Lake, in Staffordshire, the origin of Kipling's Christian name, the furniture waits as if for the family to return. The house's contents have been preserved and arranged so that Kipling would still find everything in its old place.

A noble staircase leads to the upper floor. Half way up it John Collier's portrait of Kipling compels the visitor to halt with its steady gaze. Other portraits and a bronze bust grouped near here make his personality even more dominant than in the downstairs rooms. The spectacled eyes follow one everywhere, humorous, kindly, yet strangely stern: the eyes of 'a master mariner who has kept long night watches upon perilous seas'.

Kipling's study is one that any author could envy: large, light, airy, and with a whole library of reference works lining sagging shelves from floor to ceiling. The enormous table at which he wrote still has his 'writing tools' laid out on it, though, to judge by his own reference to it, rather more tidily than he would have known:

'I always kept certain gadgets on my work-table, which was ten feet long from North to South and badly congested. One was a long, lacquer, canoe-shaped pen-tray full of brushes and dead "fountains"; a wooden box held clips and bands; another, a tin one, pins; yet another, a bottle-slider, kept all manner of unneeded essentials from emery-paper to small screw-drivers; a

Kipling's study at Bateman's is as he left it: his chair raised on blocks, 'writing tools' in readiness, big waste-paper basket awaiting the endless drafts and revisions which littered his way to perfection.

paper-weight, said to have been Warren Hastings'; a tiny, weighted fur-seal and a crocodile sat on some of the papers; an inky foot-rule and a Father of the Penwipers which a much-loved housemaid of ours presented yearly, made up the main-guard of these little fetishes.'

Most of them are there today, even down to the little fur-seal. His blotting-paper bears the shadow of his handwriting, and the pewter inkpot the shadow of his small

50

vanity, in the form of the titles of his works, scratched by him into the metal. Beneath the desk stands a telling reminder of his professionalism, a vast, woven waste-paper basket, large enough to receive the endless drafts and revisions which littered his progress towards perfection. His walnut writing chair stands on blocks, so that he could sit in perfect comfort. It is drawn up ready for work, and pipe and pipe-cleaners lie ready to hand. Above the mantelpiece hangs Sir Philip Burne-Jones's painting of Mrs Kipling. There are photographs of Josephine and of Kipling's father. A showcase contains such treasures as pieces of the *Victory*'s bunting and the iron-work pen-case mentioned in *Kim*. There is room in this study, as there was in its owner's life, for more than the preoccupations of his trade.

Next to the study is a large room now used for exhibitions. It contains the fireback showing the Sussex ironmaster, and eight plaques by Kipling's father, a skilful artist, illustrating stories from his son's books.

Down in the garden the yews have stood sentinel since the year Kipling came to Bateman's. Most of the pleasing garden effects were created by the Kiplings them-selves, making use of flowering shrubs and rare trees, though a white willow, with an enormous circumference, is possibly more than three centuries old. A large inviting lily pond is the same in which their children and their friends used to bathe and row in small boats. Children were always welcomed at Bateman's. They take to it strangely when they visit it today.

Through the garden gate is a wild garden containing the graves of family pets; and at the end of it is the Dudwell trout stream where Kipling used to fish in 'a sort of thick, sleepy stillness smelling of meadow-sweet and dry grass'. It is the Friendly Brook of *A Diversity of Creatures*, and the old mill near by is to be found in *Traffics and Discoveries*.

On a sundial in the garden Kipling engraved the words 'It is later than you think'. Close to it is the original stone which marked his grave in Westminster Abbey. He died at Bateman's, aged seventy, on 18th January 1936.

CLOUDS HILL

Wool, Dorset

T. E. LAWRENCE 1923–1935

IN THIS region of surprises a main road abruptly becomes a topless tunnel of giant rhododendrons: a seemingly aimless track leads to a nuclear power station: a seaward highway skirts unexpectedly the foot of the Iron Age earthwork, Maiden Castle, itself astoundingly huger than anticipated.

Then there is that other road which turns out of lush Dorsetshire greenery into a shadeless desert of raw, yellow and white clay, all ridges and depressions with surfaces trampled hard and scored by what look uncommonly like tank tracks. Yes, we think: not unlike a real desert remembered in the Middle East after tank warfare; and at that moment there is a clattering roar, and the dark green snout of some armoured vehicle of a kind unfamiliar to us rears up monstrously over one of the ridges. It hangs momentarily, then topples, to go jauncing off at high speed in the direction of a distant ugliness which can only be a military establishment.

We are soon told by notices that all this is Bovington Camp, the headquarters of the Royal Tank Regiment, formerly the Tank Corps: and we know that we shall have to turn and drive back one mile northward along that desert road, for we have missed our objective. And as we drive we remind ourselves that now we are travelling the way he came that evening of 13th May 1935, when, at high speed, he swerved his motor-cycle to avoid two boys on bicycles, went out of control, was thrown over the handlebars and fatally injured. We pass what must have been the very spot, and almost at once see the little National Trust signboard, so unobtrusive beside a high wooden gate and fence that it had escaped us first time; and there, equally self-effacing, as though hiding from our intrusion, is Clouds Hill.

In fact, T. E. Lawrence—or Private Shaw, as he was at the time—had no notion that any habitation lurked there when he was passing one evening in 1923 and paused at the sound of hammering amongst the trees. He investigated, and found to his surprise a small, derelict cottage. A Pioneer sergeant from the camp, named Knowles, was doing the hammering. Having built himself a bungalow in the hollow across the road he was now filling his spare time by leisuredly restoring the near-ruin.

'I covet the idea of being sometimes by myself near a fire,' Lawrence wrote soon afterwards to a friend, telling him that he had taken the cottage 'with the hope of

While serving as a private at the Royal Tank Corps camp near by, T. E. Lawrence found the secluded cottage derelict. He restored it and made Clouds Hill the oasis and only settled home of his remaining years.

having a warm solitary place to hide in sometimes on winter evenings'. He rented it at first, then bought it with money raised from the sale of a gold dagger he had brought from Mecca, and joined Sergeant Knowles in the now purposeful task of making it habitable. Later he was writing from there to another of his many correspondents:

'. . . the cottage is alone in a dip in the moor, very quiet, very lonely, very bare. A mile from camp. Furnished with a bed, a bicycle, three chairs, 100 books, a gramophone of parts, a table. . . . No food, except what a grocer and the camp

53

shops and canteens provide. Milk. Wood fuel for the picking up. I don't sleep here, but come out at 4.30 p.m. till 9 p.m. nearly every evening, and dream, or write or read by the fire, or play Beethoven and Mozart to myself on the box.'

A vision of contentment arises from those words, and at the thought of the contrast between cottage and barrack life. But contentment was not much known to T. E. Lawrence, or Private Shaw, or Aircraftman Ross, or whatever else he called himself, or wherever else he went. For his sanity's sake he needed a degree of privacy, in the same way that he had to try to outstrip thought and frustration by hurling himself about the country at enormous speed on his motor-cycle. Another man of his inclinations might have turned monk, or at least made of Clouds Hill a monkish cell. This could not be Lawrence's way. For reasons which it is hard for ordinary minds to grasp, he had deliberately forsaken the legendary heights he had attained as the hero-figure 'Lawrence of Arabia', in favour of self-abasement in the lowest ranks of the services. 'The man at the bottom sees most,' he told a friend. The Royal Air Force had been his choice. Compelled to leave it because of the publicity he attracted, he joined the Tanks, hated it, but would not toss in his hand and deliver himself up to serve his country in one of the high capacities more appropriate to a war-time leader and Fellow of All Souls. Life at Bovington Camp tormented him: he longed to return to the Air Force, though only on his own terms: he analysed himself remorselessly, found endless fault with his achievements, qualities and character: he threatened suicide.

This was the frame of mind he brought with him to Clouds Hill in the evenings, and assuaged with music and quiet and sometimes conversation with a few intelligent comrades from the camp, or with some distinguished person visiting him. One of the former, Alec Dixon, a Tank Corps corporal then, has pictured a typical evening:

'T.E. was an expert at "mixed grills" where men were concerned. He presided over the company, settling arguments, patiently answering all manner of questions, feeding the gramophone, making tea, stoking the fire and, by some magic of his own, managing without effort to keep everyone in good humour. . . . Some of us used chairs, others the floor, while T.E. always ate standing by the end of the wide oak mantelshelf which had been fitted at a height convenient to him.'

One of the eminent visitors, E. M. Forster, has recalled of that sitting-room:

'It was, and it is, a brownish room—wooden beams and ceiling, leather-covered settee. Here we talked, played Beethoven's symphonies, ate and drank. We drank only water or tea—no alcohol ever entered Clouds Hill. . . . T.E. slept in camp, coming out when he could during the day, as did the rest of the troops.'

Later, when his translation of Homer's *Odyssey* brought him money, he was able to pay for improvements to the place, though he did many of them himself: but it remained essentially the 'one man house', as he described it in a letter to Sir Edward Elgar, telling him of the joy his music had given to the little gatherings in front of the great gramophone horn in the attic-like sitting-room. This is the house as we find it still: still brownish with wood and leather; still book-lined and gramophone dominated; still one man's place, essentially the retreat of a bachelor who would not have cared, as most of us might, to make his private sanctum as different as possible in softness and colour from the barracks hut a mile away, lest the contrast prove too difficult to tolerate. It is compact, but not at all cosy: ascetic, lacking an atmosphere of ease. There is no concession to domesticity: not even the luxury—or burden—of a kitchen. Three glass domes, in what Lawrence termed the Eating Room, used to cover respectively bread, cheese and milk. They are the only acknowledgment of any appetite not emotional or intellectual.

Even sleeping was a haphazard business at Clouds Hill. Lawrence would lie comfortably in his sleeping-bag, marked *Meum*, on the great leather divan in the Book Room downstairs. Another such bag, inscribed *Tuum*, was available for one guest, who would use it on the ship's bunk in the Eating Room. Other visitors were content to lie where they could: on the leather settee of the Music Room, or in the ugly square Book Room chair in which Lawrence liked to sit reading, his book propped against a metal stand of his own design. Also designed by him, and wrought locally, were the three-part fender and the holders for the candles which, with oil lamps, provided the only illumination. There is no electricity connected.

Lawrence's own books are gone, but the shelves are filled with less precious copies of them. The additions to the contents as he knew them have been made with admirable restraint, consisting mostly of photographs, paintings and drawings of him by various eminent hands, and some of his own photographs of the sites of the archaeological work in Asia Minor and Egypt before the First World War which brought him the knowledge of the Arab character that he was soon to turn to such inspired use in engineering and leading the revolt against the Turks. There are also some of the line drawings and pastels by Eric Kennington which illustrated the 1926 subscribers' limited edition of *The Seven Pillars of Wisdom*, to remind us that it was in this retreat that Lawrence did a great part of the work on his masterpiece.

It was typical of him that Bernard Shaw's fulsome praise of *The Seven Pillars* provoked, as well as pleasure, despair. 'There's another ambition gone, for it was always in my hope to write a decent book: and if I've done it there seems little reason to do another.'

'What muck, irredeemable, irremediable, the whole thing is!' he wrote to Edward Garnett on another occasion. 'How on earth can you have once thought it passable? My gloomy view of it deepens each time I have to wade through it. . . . There isn't a scribbler in Fleet Street who wouldn't have got more fire and colour into every paragraph.' This was the note in which he declared '. . . I'm no bloody good on earth. So I'm going to quit. . . .'

55

The urgent intercessions of Garnett, Shaw, John Buchan and others turned the threat aside, and Lawrence lived on to write further at the simple table desk, lighted by the Music Room skylight. His longed-for return to the Royal Air Force meant leaving Clouds Hill for long periods, but he returned whenever he could and, in 1935, retired there. For a time the cottage became a place of siege, as reporters and photographers persisted in trying to make him talk and pose. He locked himself in, opening the door once, briefly, to reach out and punch a photographer. Only when he ran out of firewood and could no longer stand the din of stones being tossed on to the roof did he come out. It was a distressing incident, which would never have occurred if he had given a brief press conference and stood for a few pictures. His refusal merely served to intensify rumours that he was about to assume some major role connected with the country's defence. As Bernard Shaw had said of him, he had an extraordinary talent for backing into the limelight, that 'limelight of history [which] follows the authentic hero as the theatre limelight follows the *prima ballerina assoluta*'.

Soon, however, the disturbance was over, and Lawrence was left in what should have been peace. He was depressed and unoccupied, unable to think of writing anything more demanding than a few letters, irritated by the ceaseless fluttering of a bird against his window-pane. But he wrote to Lady Astor, on 8th May, that wild mares would not persuade him away from his 'earthly paradise' of Clouds Hill. Besides, he added, there was 'something broken in the works . . . my will, I think'.

Five days later, driving back from sending a telegram to Henry Williamson, agreeing to discuss a proposal that Lawrence might be the one man capable of negotiating successfully with Hitler, he had his fatal accident. What might perhaps have culminated in a return to major service to his country was, ironically, brought to nothing by a cause other than his often repeated refusal to accept any further responsibility in his life. He died six days later. He was forty-six. He is buried not far from Clouds Hill, in the country churchyard of Moreton, in a simple grave that is always covered with flowers.

COLERIDGE COTTAGE

Nether Stowey, Somerset

SAMUEL TAYLOR COLERIDGE 1797–1799

'BEFORE OUR door a clear brook runs of very soft water,' wrote Samuel Taylor Coleridge in 1797, soon after his arrival at the picturesque thatched cottage in Nether Stowey, Somerset, which his friend from university days, Thomas Poole, had found for him in his native village.

Today the stream which runs before the cottage door is strictly vehicular. In high summer the former 'lonely farmhouse between Porlock and Linton, on the Exmoor confines of Somerset and Devonshire' looks balefully on to a never-ending bustle of holiday traffic entering the street of the village which scarcely existed in the 1790's. Not many of the motor-cars bring visitors to the cottage: it is still remote in terms of deliberate pilgrimage, and there is nowhere much for the chance passer-by to pause and park before the flood bears him on. Also the cottage is a good deal changed externally and internally from what it was; and only one room—the original kitchen, now transformed into a small parlour-museum—is open to the public. All the same, 'Coleridge Cottage' is worth a visit, if only because the trouble has been taken to preserve it at all, a gesture, surely, which in this destructive age deserves encouragement. The literary interest of the place lies not in the exhibits it houses, but in the memory of its association with the composition of some epoch-making and still widely familiar poetry.

Coleridge, with his wife Sara, his infant son, the fated Hartley Coleridge, Nanny, their servant, and Charles Lloyd, a Birmingham banker's son who had attached himself as paying guest out of veneration for the poet, began their tenancy near to Christmas, and, despite the season, Coleridge was soon writing in a letter: 'Our house is better than we expected. There is a comfortable bedroom and sitting room for C. Lloyd and another room for us, a room for Nanny, a kitchen and outhouse. Before our door a clear brook runs of very soft water. We have a very pretty garden, large enough to find us vegetables and employment; and I am already an expert gardener, both my hands can exhibit a *callum* as testimonials of their industry.'

Not many months later he 'was fortunate enough to acquire an invaluable addition in the society and neighbourhood of one to whom I looked up with equal reverence whether I regarded him as a poet, a philosopher, or a man'.

57

This paragon was William Wordsworth, who, with his sister Dorothy, had settled at Alfoxden. They were not to stay many months in the neighbourhood; but poetry would have been notably the worse had they never come at all: for it was during a walk together in the Quantock Hills that Coleridge and Wordsworth conceived the idea of composing together that robust and universally admired ballad *The Rime of the Ancient Mariner*.

Neither the Wordsworths nor the Coleridges had much money, and the original notion was to compose something which would bring them a certain five pounds from the *New Monthly Magazine*. It was Coleridge who suggested basing a ballad on a dream recounted to him by a friend. Wordsworth, who had only just been reading a volume of seafaring reminiscences, put forward the idea of attributing the mariner's misfortunes to his having killed an albatross in the South Seas, 'and that the tutelary spirits of these regions take upon them to avenge the crime'.

They began to compose that same evening, but it was soon obvious that their respective styles of approach were not going to match. The truth seems to have been that while Wordsworth was doing his workmanlike best to contribute a share of the lines, Coleridge was in the grip of an inspiration of a kind that had never visited him before. Though he had scaled some heights already, he had suddenly, without expecting it, come upon the peak which he was to occupy so briefly before the long descent.

So Wordsworth withdrew, and we know *The Ancient Mariner* as Coleridge's. But their collaboration was not at an end. As Coleridge wrote down line after line of his narrative—it embodies, incidentally, a number of direct references to places in the Nether Stowey neighbourhood—it became obvious that the finished product, both in quality and sheer quantity, was going to be worth much more than the aimed-for five pounds. Then the two poets hit on a scheme arising from numerous discussions they had had in recent weeks on 'the two cardinal points of poetry, the power of exciting the sympathy of the reader by a faithful adherence to the truth of nature, and the power of giving the interest of novelty by the modifying colours of the imagination': in other words, poetry natural and supernatural. The thought struck them that it would be interesting to compose a series of poems of both kinds and publish them together in one volume. Wordsworth, who was already moving towards a style of poetry which would catch the fancy of the unintellectual public, undertook to contribute those verses which were 'to give the charm of novelty to things of everyday'. Coleridge would attend to those which would seek to present the imaginary with all the semblance and impact of the real—as he was already doing in the case of *The Ancient Mariner*. So was born the famous *Lyrical Ballads*, its very title revolutionary, whose contents marked a special point in the careers of two major poets.

Also at Nether Stowey Coleridge composed such fine things as *Frost at Midnight*, *Love* and the fragment *Christabel*; and it was there too that he 'wrote'

Then a lonely farmhouse, this was the Nether Stowey home of Samuel Taylor Coleridge for the brief period in which he wrote his most enduring works.

that enduring piece *Kubla Khan*, whose curious origin he described himself, in the third person:

'In consequence of a slight indisposition, an anodyne had been prescribed, from the effects of which he fell asleep in his chair at the moment that he was reading the following sentence, or words of the same substance, in Purchas's *Pilgrimage*: "Here the Khan Kubla commanded a palace to be built, and a stately garden thereunto. And thus ten miles of fertile ground were enclosed by

59

The parlour-museum was the kitchen in Coleridge's time. A laudanum bottle is on the mantelpiece: in this cottage he had his hallucinatory inspiration for Kubla Khan.

a wall." The Author continued for about three hours in a profound sleep, at least of the external senses, during which time he has the most vivid confidence that he could not have composed less than from two to three hundred lines; if that indeed can be called composition in which all the images rose up before him as things, with a parallel production of the corresponding expressions, without any sensation or consciousness of effect. On awaking he appeared to himself to have a distinct recollection of the whole, and, taking his pen, ink, and paper, instantly and eagerly wrote down the lines that are here preserved. At this moment he was unfortunately called out by a person on business from Porlock, and detained by him above an hour, and on his return to his room found, to his no small surprise and mortification, that though he still retained some vague and dim recollection of the general purport of the vision, yet, with the exception of some eight or ten scattered lines and images, all the rest had passed away like the images on the surface of a stream into which a stone has been cast, but, alas! without the after restoration of the latter.'

It is not certain whether Coleridge had in 1797 begun to turn to the opium which was soon to dominate his life and take away his poetic gift, so this may or may not have been an opium dream. Nor is it known who was this person from Porlock, or what his business, though many amusing speculations have been made. Could he have been a representative of the local chapter of the Secret Service, come to ask a few pointed questions about the inflammatory talk which had given rise to local suspicions that Coleridge, the Wordsworths and certain of their Radical visitors were somehow connected with spying for Buonaparte? At least, one might argue, the 'person's' visit must have been of some importance, since the inspired poet did not ask him to go away and return in an hour, or to sit quietly with the newspaper in another room, while he dashed off the rest of *Kubla Khan*.

No doubt the answer is much more prosaic. But it cannot be said that Coleridge's time at Nether Stowey was lacking in events, whose memory makes a visit to their scene worth while.

SHAKESPEARE'S STRATFORD-ON-AVON

WILLIAM SHAKESPEARE 1564–1616

THERE is no reference to Stratford-on-Avon in Shakespeare's plays. Strong hints appear here and there: the Forest of Arden; the entertainment of Christopher Sly by Marian Hacket, the fat ale-wife of Wincot or Wilmcote, the home of the poet's mother. An anonymous play of the 1590's contains a character called Philip Sparrow, who declares, 'I' faith, sir, I was born in England at Stratford-upon-Avon in Warwickshire', and goes on to add that he has a fine finical name. This is probably a veiled gibe at the young man from the country whose dramatic hits and high patronage aroused the splenetic envy of less successful playwrights.

The Shakespeare Identity Guessing Game has been played fervently and continuously throughout the last century and a half, with some astonishing suggestions for candidature and a firm majority vote that 'the Lad of all Lads was a Warwickshire Lad', his life neither better nor worse documented than that of his contemporaries. Indeed, far more remains of him than might be expected. He was highly sensitive to the ravages of Time and the demolition gang. 'When I have seen by Time's fell hand defaced The rich proud cost of outworn buried age; When sometime lofty towers I see down-raz'd, And brass eternal slave to mortal rage . . .' One fell hand or another has taken his London dwellings, his theatres, everything in the capital that was his; yet has mercifully spared four whole houses in his native town that he knew well and two outside it. The house he chose and lived in, New Place, was destroyed by an irascible eighteenth-century tenant, but his garden remains a garden still.

Stratford, a quiet market town when her astonishing son was born there in 1564, is a hub of tourism and culture today, somewhat overlaid with sophistication and the tedious commerce of the souvenir shop, its small streets choked with cars and coaches. Some rather nasty modern buildings have replaced decent old ones. Ancient inns, once 'simpler than the infancy of Love', have turned their attention to the provision of steaks and scampi. Yet the town has stubbornly retained her country air and a sort of rustic innocence. Catch her on a spring morning before the crowds have arrived, when there is dew on the grass of the water-meadows, and the scent of alyssum in the small bright gardens on Waterside is distilled honey, and you will see the essential Stratford, whom time cannot wither nor custom change to her lovers.

Although much impenetrable mystery surrounds Shakespeare, factual and circumstantial evidence leaves little or no doubt that this was the house in Henley Street, Stratford-on-Avon, in which the greatest of all writers was born in 1564.

All that remains of the house where Shakespeare died in 1616 are the foundations, the well and the gardens. An eighteenth-century clergyman, irritated by tourists, demolished it.

Across the old bridge from the south, across the swan-crowded Avon, the traveller sees for the first time the mellowed pink of the Memorial Theatre, crowned with the yellow flag that bears the falcon crest of the Shakespeares. The gentle slope of Bridge Street brings him in a few minutes to Henley Street, and the most famous of the Shakespeare properties: the birthplace.

Here John Shakespeare, bearer of arms, master-glover, landowner and alderman, was living when his third child, William, was born. The house was then two separate buildings, the 'West House' being the dwelling-place of the family, the 'East House' John's shop or warehouse. It remained in the hands of Shakespeares or Harts, descendants of Shakespeare's sister Joan, until the eighteenth century, suffered various vicissitudes, including the conversion of the East House to an inn, the Swan and Maidenhead, and then became a much exploited place of pilgrimage. That enthusiastic American Washington Irving was pained, on his visit in 1815, to find charlatanry and fakes, such as those objects made from the bard's mulberry tree 'which seems to have as extraordinary powers of self-multiplication as the wood of the true Cross'.

Since those days the responsible stewardship of the Shakespeare Birthplace Trust has made the house deserving of its countless visitors. Outside, it is a homely, substantial, half-timbered structure of Warwickshire stone and wood; inside, an Elizabethan home, comely and cheerful. Like the other Shakespeare properties, it has been handsomely furnished with Elizabethan and Jacobean articles. In the living-room, which would have been the general parlour, John would have sat by the hearth of an evening on just such a good carven chair, clay pipe in hand, Mary at the other side in her best branched gown, their growing family about them. Later this room may have heard William's announcement to his parents that he would have to marry Anne Hathaway of Shottery, and shortly too. To this house he must have brought her after marriage, to live with the old folk, as the custom was; and the children, Susanna and the twins Hamnet and Judith, were probably born here in the traditional birthroom, a bright, airy apartment of white plaster and solid timbers.

When the house was being restored in 1950, such small intimate relics were found as a wrought-iron brooch-pin of the sixteenth century, fragments of glass the Shakespeares may have looked through, old pipes, wine bottles and coins. Such mute witnesses as these, together with documents telling the story of the house and its inhabitants, rare books and manuscripts, are in the museum which is in what was once the East House. Upstairs is the only piece of furniture with a Shakespeare tradition, a desk from Stratford Grammar School, which legend says was Shakespeare's—leant on, written on, wept on by the sleepy, inky, much-beaten small boy who suffered from the Welsh pedagogue Jenkins and later pilloried him in a play as Sir Hugh Evans.

Outside the house has bloomed for a century a Shakespeare garden, full of

65

Perdita's flowers and Ophelia's, quince and medlar, willow and rose. Walk from Henley Street to the corner of Chapel Lane, and you find a garden that he knew: the Great Garden of his house, New Place, and the trim lawns that contain the foundations of the house itself, the family's drinking well, an intricate, fragrant Knott Garden such as Elizabethans delighted in, and a mulberry tree descended from one that he planted.

> *Of mighty Shakespeare's birth the room we see;*
> *That where he died in vain to find we try,*
> *Useless the search, for all immortal he,*
> *And those who are immortal never die.*

Unfortunately for Washington Irving's noble sentiment, the reason why we cannot find the room where Shakespeare died is that the Reverend Francis Gastrell tore it down along with the rest of New Place, in the middle of the eighteenth century, infuriated by the curiosity of tourists. It was not quite the New Place Shakespeare knew, having been partly rebuilt in 1702, but much must have remained of the house that was to Shakespeare what Gad's Hill Place was to Dickens, a fine residence, early coveted, won at last with patience, economy and toil.

He had left Stratford and his father's home in the mid 1580's, some say to follow the Players to London. From 1585 to 1592 are the 'lost years'. So far as is known, he had become a playwright in London, suffered at the hands of the fair cruel maid who was his unknown Dark Lady, had travelled through the dark night of the soul in this and other ways. His only son had died at the age of eleven. There may have been estrangement between himself and Anne, for there are such sinister pointers in the plays as that reference to 'the dark house and the detested wife'. But all the time he was saving money, avoiding the dissipations to which other theatre folk gave way: becoming a 'warm man'. He had kept up his connections with Stratford, where, tradition says, he returned once a year. In 1597 he bought New Place, paying £120 for it. Though still in and of the theatre, with a lodging in London, this was his home where he could enjoy the company of his growing daughters; where, looking out on to his garden, his flowers and fruit trees, dove-house and barns, he wrote his latest, most mature plays. Daughter-figures, Perdita and Miranda, appear in them. Jealousy and passion were past; the wise, weary Prospero retired to his study and indulged in a little gentle bargaining and litigation. Documents from this time, some of them bearing the crabbed signature with its arbitrary spellings, belong to the Birthplace Trust. On some appear the names of his neighbours—Thomas Quiney, the brothers Combe, Hamnet Sadler, who may have been godfather to his son, and Thomas Nash, the man who was to marry Susanna's daughter, Elizabeth.

The Nashes lived next door to New Place, in the house which now contains the New Place Museum of Local History. Its half-timbered front, replacing a Georgian one, gives a fair idea of how Shakespeare's dwelling looked. It is full of fine things, and has yet another of the lovely gardens which are so much part and parcel of the Shakespeare houses. Shakespeare must have known it well, as he did another house, Hall's Croft, a few minutes' walk away in Old Town. It belonged to Dr John Hall, who married Susanna in 1607. He was only twelve years younger than his father-in-law and seems to have been a favourite with him, as was Susanna herself: 'witty above her sexe', compassionate and cheerful, says her epitaph. Preserved in Hall's Croft are Dr John's medical notebooks, with their fascinating details of contemporary ailments, including those of his family and himself, but not, unfortunately, of Shakespeare. Part of Hall's Croft is used as a Festival Club.

The reality of Anne Hathaway's Cottage, a mile from Stratford, at Shottery, far surpasses those countless cliché reproductions on tea-cosy and ash-tray. It was Hewlands Farm in Shakespeare's day, and the woman he courted an 'old maid' of twenty-six. He was eighteen. The story of that courtship and of the events that led up to the mysterious and furtive marriage is all 'a blank, my lord'. They probably sat on just such an upright, uncomfortable courting settle as stands now in the house, watched sharply by Anne's stepmother Joan, and inquisitively by her three small half-brothers. Then, away from prying eyes, they wandered out into the orchard behind the farm, or across the fields to Luddington, in the peaceful early evening with Venus high in the sky above the apple boughs; and then Susanna was on the way, and the Worcester Diocese was being besought for a special licence for the couple to marry before, in every sense, Advent.

A few miles from Shottery is Wilmcote, and the home of Shakespeare's mother, the well-connected Mary Arden. It is the house of a well-to-do yeoman farmer of Tudor days, picturesque, sturdy and handsome. Not only the dwelling-house but the outbuildings have been preserved, and contain a collection of Warwickshire bygones: agricultural implements, bowls, churns and pails from the dairy, wheelwrights' tools, firearms, lanterns and stocks, all objects once handled by the rough palms of Dick the Shepherd, Robin Ostler, Greasy Joan, log-bearing Tom and their companion rustics. Asbye's Farm, as it then was, came to Mary Arden by her father's will, and young Shakespeare must often have visited it.

The outlying Shakespeare villages are all unspoiled and quietly charming, and the blossomy Vale of Evesham lies beyond them, a refuge on days when too many visitors overwhelm Stratford. On such days the seeker after peace and the purist may well complain. But Shakespeare, a good business man if ever there was one, would smile approval on any commercial enterprise that brought prosperity to his townsfolk. He would smile less warmly on the deterioration of train services that has taken place in recent years, making Stratford accessible from London only by the expenditure of infinite time and patience: a ludicrous situation for Britain's chief tourist centre. A case of 'Gallop apace, you fiery-footed steeds'.

DOVE COTTAGE

Grasmere, Westmorland

WILLIAM and DOROTHY WORDSWORTH 1799–1808
THOMAS DE QUINCEY 1808–1834

IN MAY 1799 William Wordsworth and his sister Dorothy decided it was time they settled down in a home of their own. Northerners born and bred (William's birthplace was Cockermouth, Cumberland, and he had gone to school at Hawkshead, between Windermere and Coniston), the brother and sister had for some years led a wandering life. The serious, idealistic young man and the delicately perceptive young woman, both raptly absorbed in the beauties of natural scenery and objects, were perfect companions each to the other. For a time they had been separated, when William's republican sympathies had taken him to France at the beginning of the revolution:

> '*And his heart was all*
> *Given to the people; and his love was theirs.*'

The development of the Terror, however, had appalled and disillusioned him, and a love-affair with the patriotic Annette Vallon had left him emotionally unsettled. He returned, chastened, to Dorothy and lyric poetry. A year and a half at Alfoxden, in Somerset, during which they were near neighbours of Coleridge, produced the *Lyrical Ballads*, so many of which dealt with Lake District scenes and characters. Then, after a short tour of Germany and an interlude at Sockburn-on-Tees, William and Dorothy set up house at Dove Cottage, hard by the lake of Grasmere.

It had once been an inn, The Dove and Olive-Bough: a name boding peace and contentment to the 'simple water-drinking Bard'. Dorothy was housekeeper and cook, William gardener and handyman. He wrote his poems and she her Grasmere *Journal*, which gives a detailed and intimate account of their life and is unrivalled among diaries for its frankness and sensitivity: Dorothy too had a poet's soul.

The cottage, as we see it today, is in essentials as it was at this happy time. It is small, unpretentious, white-painted; a typical Lakeland cottage surrounded by a sturdy stone wall. A room that was once a kitchen, later a parlour, leads into a pretty, part-panelled room that was first Dorothy's bedroom, then William's. It is cool, flag-floored, and contains an elegant wash-stand and toilet set that have come from the Wordsworths' next home, Rydal Mount. Among the portraits may be the very one which the young Keats identified when he dropped in at Rydal years later and found the elder poet from home: 'I was much disappointed. I wrote a note for him and stuck it over what I knew must be Miss Wordsworth's portrait.' On the staircase stands the cuckoo clock whose voice cheered and soothed the ageing poet, long after he had left Dove Cottage, through nights of insomnia and nightmare.

> *The mimic notes, striking upon his ear*
> *In sleep, and intermingling with his dream,*
> *Could from sad regions send him to a dear*
> *Delightful land of verdure, shower and gleam,*
> *To mock the wandering Voice beside some haunted stream.*

Wordsworth announced in a sonnet that he was not one

> *who much or oft delight*
> *To season my fireside with personal talk*
> *Of friends, who live within an easy walk,*
> *Or neighbours, daily, weekly, in my sight.*

Yet, with the friendliness of the north, these dropped in to visit, and were entertained to tea in the upstairs sitting-room where the poet also worked on the new edition of the *Lyrical Ballads,* or sat meditating 'in the loved presence of my cottage-fire'. Now the room contains Wordsworthian furniture and pictures. Then perhaps a poem finished and dictated to Dorothy, or the great Preface to the Ballads concluded (it has been described as the most original single document in the whole history of English criticism), he would go downstairs and engage in the healthy exercise of making the little stone stairway which still traverses the garden, or set off with Dorothy for one of their delightful walks:

> *My sister! 'tis a wish of mine,*
> *Now that our morning meal is done,*
> *Make haste, your morning task resign;*
> *Come forth and feel the sun.*

Sometimes William's sailor brother, John, accompanied them. One day in 1800 William and John set off on a visit. Dorothy's *Journal* records her feelings: 'My heart was so full that I could hardly speak to W. when I gave him a farewell kiss. I sate a long time upon a stone at the margin of the lake, and after a flood of tears my heart was easier.'

Her grief was comprehensible. She, who had been all to William, was to be supplanted in his love by another woman, Mary Hutchinson, who had been at school with William and had later become a friend of both. She was beautiful, kind, sensible, with an extraordinary gift of silence which must have been one of her chief charms.

Formerly an inn, Dove Cottage was the Lakeland home of William and Dorothy Wordsworth for seven years, and their opium-eating friend Thomas de Quincey's for the following twenty-six.

For some years, it seemed, she had haunted William's fancy. As long before as 1794 he had issued a romantic invitation to her to dwell with him in 'Grasmere's quiet Vale':

> *Yes, Mary, to some lowly door*
> *In that delicious spot obscure*
> *Our happy feet shall tend.*

On 4th October 1802 they were married. Dorothy was almost frozen with sorrow. She did not go with William to church. Sara Hutchinson, Mary's sister, 'dear little

Sara', prepared the wedding breakfast. The wedded couple returned, and Dorothy flew 'faster than my strength could carry me, till I met my beloved William, and fell upon his bosom'.

She had accepted the position, and they all settled down at Dove Cottage together. There was an element of melancholia in the situation, content as were William and Mary, and anxious as was William to show his sister that he loved her no less. Nearly all the short poems written before his marriage are concerned with her, written to celebrate their joy in Nature and his indebtedness to the 'dearest maiden' who had shown him in her 'gentleness of heart' the pleasures of leaf and flower, young lamb and green linnet. Then, Dorothy's wounded heart forgotten, he surged into his 'grand' period of poetry: *Intimations of Immortality, Resolution and Independence, Ode to Duty* and *The Prelude*. This Wordsworth's voice is 'of the deep; it learns the storm-cloud's thund'rous melody'. Too many poems of other periods were uttered with that other voice 'of an old half-witted sheep which bleats articulate monotony'.

In 1803 Mary, his early 'phantom of delight', had become 'a spirit, yet a woman too ... the reason firm, the temperate will, endurance, foresight, strength and skill'. She was now the mother of baby John, and in the next year of a daughter, Dora; in 1806 another boy, Thomas, arrived. The little house was getting smaller; Dorothy moved into the 'outjutting' room. Coleridge came to stay often, and long.

> Great wonder to our gentle tribe it was
> Whenever from our valley he withdrew;
> For happier soul no living creature has
> Than he had, being here the long day through.

There was another visitor to take up room.

> A noticeable man with large grey eyes,
> And a pale face that seemed undoubtedly
> As if a blooming face it ought to be,

wrote the poet, in one of his ovine lapses. It was Thomas de Quincey, philosopher, opium eater, dreamer and most delightful of men. He loved the Wordsworth women and children on sight, and they him. Of the poet he was just a little afraid. The austere, silent person of ascetic habit, tall, hawk-nosed and unsmiling, was a strange friend for the cherubic lover of life and woman. But friendship there was, and when the Wordsworths left Dove Cottage in 1808 De Quincey took it on a seven years' lease: he stayed there twenty-six years.

He was so delighted with his new home that he could not find time to write to his mother. For neighbours he had the Wordsworths, and the inevitable guest Coleridge; and near by at Elleray the stalwart John Wilson, dominant force of *Blackwood's Magazine* and later famous as 'Christopher North'. Walking, eating great Lakeland

71

teas, sailing on Windermere, entertaining friends: here were many of the 'constituents of happiness' he had drawn up on his first visit to Dove Cottage, lacking only No. 11, the education of a child. Even this was supplied. In 1814 he was introduced to the Simpson family from The Nab, an old farmhouse at the foot of Nab Scar. The daughter, Margaret, a beautiful, stately blonde, the 'beloved M——' of the *Confessions of an English Opium Eater*, bore him a child in November 1816. Money troubles had stood in the way of their marriage, and there had been some local cold-shouldering of Margaret, which Wordsworth, who was held in such respect, might have prevented by championing and protecting her. But the poet may well have thought De Quincey's playful affectionate manner towards Dorothy to have been a sign of matrimonial intentions. If so, he doubtless resented his friend's association with another woman, and one below him in station. A rift opened between the two families which was never quite healed.

In February 1817 De Quincey and his Peggy were at last married, and he brought her and the baby home to Dove Cottage. Here, in their first idyllic years together, he was a happy man. 'Candles at four o'clock, warm hearth-rugs, tea, a fair tea-maker, shutters closed, curtains flowing in ample draperies on the floor, whilst the wind and the rain are raging audibly without.' In 1817 opium entered his life again, in spite of Peggy's influence, and with it came pain, nightmare and the necessity to write for money. More children were born. Dove Cottage filled up with them and with their father's multitudinous books. In 1821 they were obliged to leave it and move to a larger one farther down the lake, the *Confessions* already written and published. In 1834 De Quincey finally, reluctantly, gave up the tenancy of Dove Cottage.

It is a quiet place, among mountains with clouds resting upon them, and by the calm lake; its singular air of peace not only, one fancies, the child of its situation, but of the long, contemplative hours spent in it by two remarkable literary men whose home it was.

HILL TOP

Sawrey, Lancashire

BEATRIX POTTER 1905–1943

'MY BROTHER and I were born in London; but our descent, our interest and our joy were all in the North Country.'
The writer is Beatrix Potter, an essential countrywoman who came into the world on 28th July 1866, in a terraced house in North Kensington. The north was in her blood, however, for Grandmother Potter had been Miss Jessie Crompton, of a family of violent individualists and eccentrics. 'Generations of Lancashire yeomen and weavers, obstinate, hard-headed, matter-of-fact folk,' Beatrix called them. Writing late in life, and with farming experience behind her, she said that she was a believer in breed: in the ability of a strongly marked personality to influence its descendants for centuries, just as a good bull, stallion or ram can become the ancestor of many champions.

It was a simile whose indelicacy would have horrified Beatrix's mother, and the cool, passionless society of Kensington. The small Beatrix was kept isolated as far as possible from the crudities of everyday life, a meek lonely child in a grim nursery, playing with three dolls and a flannelette pig. Behind the grave childish face and the smooth hair were a keen faculty for observation, a poetic imagination and an ardent love of Nature, shared by her younger brother Bertram. They were fortunate in that the parent Potters frequently left home on long visits to country houses, for Rupert Potter was a moneyed gentleman of leisure. There was Camfield Place, near Hertford; Chorley Hall, Grandmamma Potter's home; Wray Castle, on the shores of Windermere; and Dalguise House in Scotland. Around them Beatrix and Bertram roved, collecting plants and animals alive or dead; if dead, skinning and dissecting them for experimental work. The results they drew and painted, Beatrix with a phenomenal skill for her age. The living animals had names: a mouse called Hunca Munca, a hedgehog called Mrs Tiggy-Winkle.

Bertram escaped, in early manhood, from the claustrophobic life of Bolton Gardens, and became a farmer in Scotland. It was not given to Beatrix to join him or to strike out independently for herself. Like the dutiful Victorian daughter she was, she had to accompany Mamma and Papa everywhere, obedient to their every whim. Her mind—a strong, virile, Crompton mind—was unfolding, expressing itself

73

in her secret journals. For her own pleasure she drew and painted exquisite little studies from nature. She began to design Christmas cards. Her parents thought this a daring thing to do, and did not encourage it greatly. When it came to Beatrix becoming at first friendly with and then engaged to such a vulgar tradesman as a publisher, they were horrified and forbade the marriage. For once Beatrix gently defied them. But early and sudden death took Norman Warne away, and left Beatrix once more prisoner to a coldly demanding Mamma and an ailing, restless Papa. She had met Norman because his firm had published some tiny books she had written and illustrated—*The Tale of Peter Rabbit, Squirrel Nutkin, Mrs Tiggy-Winkle* and others—based on her own childhood pets and later animal friends, and set in delicate glimmering landscapes, idealizations of the Lakeland country she loved to visit. The family spent more and more time in the north. It did not shock or surprise the elder Potters when Beatrix, with a small legacy from an aunt and the *Peter Rabbit* royalties, bought Hill Top Farm, in the village of Sawrey that lies between Windermere and Coniston. It was to be an investment; a respectable sort of thing for a maiden lady no longer very young. There was no question of Beatrix making it her home, although she was now thirty-nine.

But from the moment she saw it it was the home of her heart: a little old farmhouse with an untidy pink rose straggling across its face, a flag floor in the kitchen, dark beamed ceilings and stout doors. Its windows looked down a winding path and over Esthwaite Water to Coniston Fells, a land which she was to make peculiarly her own.

She began to install herself in Hill Top, to implant her personality on it, improve and renovate it: the presence of Mr Samuel Whiskers and his brother rats had done much to harm the old fabric. She installed a 'hind', John Cannon, to look after the place while she was being dragged round England in the wake of her parents. What joy she had in exploring her 'investment'! A wall four feet thick, with a staircase inside it: she had never seen 'such a place for hide and seek'. Cannon was buying ewes—there would be lambs in spring. Young pigs were growing, Beatrix was planting cottage flowers in the garden, the gifts of neighbouring villagers. She was beginning to look like a villager herself, in her wooden pattens to keep out rain and mud, her thick skirts and the shawl over her head. Sometimes it was a sack, not even a shawl. There was little Kensingtonian about Miss Potter now, and if her parents noticed the change spreading into her life with them, we do not know their reactions.

In the eight years after she bought Hill Top she wrote thirteen books for children, six of which are set in Sawrey and particularly at Hill Top. The rooms, scenes and details which appear in the jewel-like small pictures are still to be seen there. The attic of the Roly-Poly Pudding; Mrs Tabitha Twitchit's grandfather clock; the wall where Tom Kitten and his sisters so naughtily climbed, the road down which the three Puddle-ducks stalked wearing the Twitchit family's cast-off attire; the dresser of *The Tale of Samuel Whiskers;* the farm on which Jemima Puddle-duck lived and made her seriously bad mistake about the foxy-whiskered gentleman: all the scenes

In her Lakeland farmhouse of Hill Top, Sawrey, Beatrix Potter found independence from domineering parents and the inspirations and setting for her animal stories and paintings.

of these books are to be found in and around Hill Top. You can see in a doll's house the actual plaster food that Tom Thumb and Hunca Munca found so unpalatable, and the French dolls that belonged to Beatrix herself. The china, the homely furniture, are all arranged as she specified in her will. She had described Hill Top as 'a funny house that would amuse children'; but it had become to her the epitome of all she had ever wanted. Her love, her diligent restoration, and above all her immensely strong personality, imposed a character upon the house as marked as that belonging to a place which has been the home of one family for many generations.

Yet it was never truly a home to her, in the sense of being a permanent dwelling-place. Captive still to convention and her parents, she could only snatch a week now and then to live at Hill Top. The cosy Lakeland cottage one sees today is a creation, the child of Beatrix's fancy. Its rooms are the magically cosy interiors of her paintings. It is not a place in which one feels that real people have been born, have lived and died (though no doubt many of them did, long before Miss Potter set foot in it), for it belongs to the birds and animals of her books, who have truck with neither birth nor death: only with their own immortality.

In 1909 she bought nearby Castle Farm. The purchase introduced her to a local solicitor, William Heelis. A friendship sprang up, and four years later they were engaged. At Bolton Gardens there were parental storms, painful scenes. But at last Beatrix got her way, and in October 1913 married 'Willie', the kindly man who was to be the perfect husband for her.

Now that she was Mrs Heelis, Beatrix Potter was briskly buried. The bustling Lakeland farmer had no time for her *alter ego*. What remained of that phantom (for had Beatrix Potter ever been quite real?) dwelt at Hill Top, kept as a house of happy memories, a retreat from too much company and a place to write in occasionally. A few books were published after her marriage, mostly built from material already collected. They lack the radiant quality of the earlier work. Now real animals took up her time: she became an expert on Herdwick sheep, and bred pigs who were less fortunate than Pigling Bland. She also bought land instead of painting it. Long before, Canon Rawnsley, a founder of the National Trust, had fired her with his own enthusiasm for preserving natural beauties, and she fulfilled his ideals as he could not have dared to hope. When she died in 1943 she left as her lasting memorial six thousand acres of Lakeland country, bequeathed to the National Trust; and among her bequests was Hill Top Farm.

'Tom Kitten's House' is a delight to children, and to all those who were once children and treasured those small tales and their characters. It seems strangely unconnected with Mrs Heelis, that formidable, tough farmer who does not even seem to have liked children very much. The lady of this house, one feels, is shy young Miss Potter, the sleeping princess of Kensington, who had the unusual happiness of seeing the dream of her life realized in every particular.

HAWORTH PARSONAGE

Yorkshire

THE BRONTË SISTERS 1820–1855

The house is old, the trees are bare,
And moonless bends the misty dome;
But what on earth is half so dear,
So longed for as the hearth of home?

The mute bird sitting on the stone,
The dank moss dripping from the wall,
The garden-walk with weeds o'ergrown,
I love them—how I love them all!

THE DANK MOSS still flourishes; the mute bird has been supplanted by the endlessly complaining rook; if the garden-walk is now trim, it is besieged on two sides by the weeds and tangle of soaking grass amongst the graves of children and short-lived adults. Haworth is an inhospitable-looking place even today: what it was like when Emily Brontë wrote her poem one can only shudder to imagine.

Yet she loved it, passionately. It was bleak, remote, pitilessly harsh: a killing place. The family had come from Hartshead, near Dewsbury, with some notion that the air of the hill top between Bradford and the empty moors would cure the invalid Mrs Brontë. It did not. She died, the first of almost all her family to do so there, murmuring: 'Oh, God, my poor children—oh, God, my poor children!'

Five small girls and one small boy were left to the somewhat inept handling of their father and a formidable aunt. The small Georgian house of Yorkshire sandstone, 'with not a tree to screen it from the cutting wind', was as cheerless as its surroundings. Charlotte Brontë's girlhood friend, Ellen Nussey, visiting the house in 1833, noted that there were no curtains to the windows and 'not much carpet anywhere.' The Reverend Brontë had a pathological horror of fire, largely as a result of having conducted so many child funerals after fires started by candles. Combustible furnishings were kept to a minimum.

There is a general absence of carpeting and drapes still, as part of the attempt that has been made to show the house as it was then. Yet there is an insistent air of

Gravestones in the churchyard of Haworth half surround the unlovely hill-top house where all but one of the Brontë family lived and died, and where two of fiction's most passionate masterpieces came astonishingly to be written.

cheerfulness about it, as if in delight that the grim days are no more. The rooms are brighter than one can imagine them having been: the added foyer and exhibition rooms make a healthy modern contrast, even if they have been criticized as anachronistic: the staff who attend to the hundreds of thousands of visitors are mostly, and appropriately, lively, handsome young women. But from the windows the unchanged scene catches the eye: empty moorland or gravestones.

Not long after their mother's death the four eldest Brontë girls were sent away to the Clergy Daughters' School at Cowan Bridge, near Kirkby Lonsdale. Insanitary conditions and harsh discipline were too much for them. Maria, aged eleven, was sent back to Haworth to die of consumption, followed by Elizabeth, aged ten, who died the month after 'of a low fever'. Charlotte and Emily survived, though the horror of their experiences never left them. For Emily the exile produced an almost manic attachment to the dismal parsonage which caused her intense suffering whenever she was forced to leave it again.

Back at Haworth the nine-year-old Charlotte became 'mother' to her younger sisters and brother. Their life was not unhappy, and for some years they were able to enjoy their companionship in peace. They came of mixed Irish and Cornish stock, a fertile mixture for imagination. While their father kept to himself in the small parlour off the hall, where his spectacles, pipe, tobacco box and matches lie today on the table beside the open Bible, giving a strong feeling of his presence to the room, they would gather round the fire in the kitchen behind the chilly dining-room, in the company of the family servant, Tabitha Aykroyd. While Emily baked bread and Charlotte ironed, Branwell and Anne listened with them to Tabitha's Yorkshire tales. Unhappily we cannot quite picture this cosy scene, for not much of the kitchen remains. Like some other parts of the house it was much altered by a later owner, and attempts to reconstruct it and furnish it with some of Tabitha's original utensils have only partly recaptured its character.

One day Mr Brontë brought home from Leeds a box of wooden soldiers for Branwell. From games with these the children built up a daydream kingdom, Glasstown, which developed into a whole fantasy life based on the imaginary country of Angria and the island of Gondal. All four of them wrote endlessly about the elaborate history and lore of these mythical territories; millions of words in all, as often as not in microscopic writing in little manuscript books as tiny as two inches long. 'We had very early cherished the dream of one day becoming authors,' Charlotte was to write in womanhood. Some of these miniature works are on show at the house, and perhaps the most poignant feature of the whole place is the tiny upstairs 'children's study', as they knew it, where they conducted the affairs of their imaginary domains and scratched drawings, still to be seen, in the plaster of its walls.

In their teens Charlotte and her sisters were sent away to be governesses. Left to himself, Branwell, the bright hope of the family, set up as a portrait painter in Bradford. But the dark influences were at work on him: he returned home in debt, took to heavy drinking and opium. The Black Bull in Haworth's steep, narrow main street became his second home. The visitor can still take a reflective drink there in 'Branwell's room'. Its sad modern *décor* has at least left the bell-pull intact, for one to imagine the insistent jangle as the unhappy Branwell summons yet another brandy.

In the Parsonage he and his father shared a bedroom. Both died in it. Branwell had another room for a small studio, which now contains some of his paintings. He had little training and no overwhelming talent for his art; but he painted portraits of his sisters which give an uncanny impression of what one feels must have been their true character.

In 1848, his white hope long since gone, he died of the consumption which was to claim them all. Three months later Emily followed him, refusing medical treatment to the last and dying on the sofa which is still in place in the dining-room. Anne died next year at Scarborough, where she had gone in vain to improve her health.

Only some three years had passed since Charlotte, Emily and Anne had produced their first work to be published, *Poems by Currer, Ellis and Acton Bell*. In the same year each sister had written a novel: Anne, *Agnes Grey*; Emily, *Wuthering Heights*; Charlotte, *Jane Eyre*. Incredibly out of three works produced simultaneously in this moorland isolation by spinster sisters of limited education and experience, two would gain places on the uttermost heights of English prose.

By 1849 Charlotte and her father were left alone. His sight was failing badly. Now famous, she stayed to care for him devotedly, making the house more comfortable and cheerful with furnishings bought out of her earnings. When she was thirty-six she received a proposal of marriage from her father's curate, Arthur Bell Nicholls. She seems not to have cared much for him, but he gradually won her affections. Her father opposed the marriage stubbornly, upsetting her cruelly; but, in his way, he was all too right. After a year of married happiness Charlotte died, her inherent consumption complicated by pregnancy. We can stand in the room in which she died, and where her mother had died so few years before, and look from the windows across that acre of graves. Near by are the two fir trees planted by Charlotte on her wedding day. She knew more happiness in that room than she can have anticipated from marriage.

The church beyond the graves is not that in which Mr Brontë preached. Eighteen years after his death—he was the only sturdy one, living to the age of eighty-four—the old church was demolished and the present one built. A Brontë Memorial Chapel was dedicated in 1964. Two pillars stand at its entrance: at the foot of one the entire family, except Anne, lie in their vault.

In 1876, four years too late to persuade Mr Brontë's successor not to alter the house, the Brontë Society was formed at a meeting in Bradford Town Hall. A small Brontë museum was opened above a bank in Haworth two years later. A long-lived native of Haworth, Sir James Roberts, who had actually spoken with Charlotte, bought the Parsonage in 1928 and gave it to the Society for a museum. Mrs Helen Safford Bonnell, of Philadelphia, entrusted to the Society her late husband's notable Brontë collection; and so the Parsonage became the rightful centre of Brontë scholarship and interest.

There are no Brontë descendants. Haworth Parsonage and its contents are all that are tangible of the once large household. To visit that Spartan refuge on a wuthering height, to imagine beyond the imposed cheerfulness back to the starkness of it in the 1840's, and then to be free to leave, is to come closer to the essence of the passionate masterpieces it saw conceived.

Charlotte Brontë's portrait gazes down into one of the rooms she made more cheerful out of her royalties from Jane Eyre. *She and her father were the family's only survivors, and her days too were numbered.*

HUGHENDEN MANOR

Buckinghamshire

BENJAMIN DISRAELI 1848–1881

SUMMER RAIN was falling on the gardens of Hughenden Manor when we arrived there. The primroses, Disraeli's own flower, were over; roses had taken their place. Pied wagtails pecked about on the lawn before the house, as their ancestors had done when the carriage swept round the drive, bringing Dizzy and his Mary Anne back from London to 'those beechen groves of Bucks which even Julius Caesar could not penetrate'.

The beechen groves of the Hughenden Valley are almost as rural as they were in 1848, when the manor became Disraeli's property. Only a mile and a half away is busy High Wycombe, its proximity seeming improbable. One reaches Hughenden by way of twisting country lanes. From its lodge-gate a path crosses a cattle-grid and winds up a hill, past little Hughenden church, to where the manor nestles in its park.

Its façade, a sort of neo-Jacobean, staidly pleasant, is not that of the original Hughenden. A house stood there in Norman times, the property of Odo, Bishop of Bayeux, later that of the Catholic Dormer family, of the Fourth Earl of Chesterfield of *Letters* fame and many others. What the Disraelis bought for £35,000 was a simple, countrified structure, eighteenth century in character, far from perfect to Victorian eyes. But the situation, the air, the beauty of the landscape, were irresistible to Benjamin Disraeli. He loved Buckinghamshire, knew it well (his father had bought a Tudor house at Bradenham in 1829) and, in 1847, with three important novels behind him and a dazzling career before him, he decided that it was time he became a country squire. Hughenden's 750 acres seemed the ideal estate for a man of ambition and large ideas. He had not quite enough money for the purchase; in fact, he had none at all. His father put up £10,000, and his friends the Bentinck brothers supplied the balance of £25,000. The large sum did not perturb him. He was potential leader of the Conservative Party in the House of Commons; it was suitable that he should be a landed proprietor, and besides, Mary Anne was very rich in her own right.

We see Hughenden today transformed by Mary Anne's money, in 1862–3. Disraeli's romantic fancy thought it 'restored to what it was before the Civil Wars in which cavaliers might roam and saunter with their ladye-loves'; but in fact it was remodelled

Benjamin Disraeli bought his country home, Hughenden Manor, in 1849 when he was novelist, aspiring country squire and would-be Prime Minister. He was penniless and had to borrow all the money.

by the architect E. P. Lamb into a pleasingly restrained essay in Victorian Gothic. Within the arches of the outer hall stand three statues: one of Disraeli when Earl of Beaconsfield, one of the Earl of Derby who was twice his Foreign Secretary, and one of a handsome but plebeian red lion. It was an old personal friend. When, as a fiery, flashy young man of twenty-eight, he had contested the seat of High Wycombe as a radical, he had addressed the townspeople in ringing tones and for an hour and a half from the portico of the Red Lion Inn. His romantic black ringlets streaming, his long, expressive actor's face, his gaudy clothes, his eloquence, were alike dazzling. 'When the poll is declared I shall be *there*'—pointing to the head of the red lion that strode above the portico—'and my opponent will be *there*,' indicating its tail. Exactly the reverse happened, but young Dizzy was undaunted. Two years later, asked at dinner by Lord Melbourne what he wanted to be, he replied calmly: 'I want to be Prime Minister.' Melbourne was sceptical and scathing. But of the new master of Hughenden, in 1848, he was forced to admit: 'By God! the fellow will do it yet.'

Disraeli called the hall within and its staircase his 'Gallery of Friendship'. In it hangs a portrait of the dashing Count D'Orsay, a friend to Disraeli and a lifelong influence on him, to whom he dedicated his early novel, the love-story *Henrietta Temple*. Another portrait, of George Smythe, later Seventh Viscount Strangford, shows the original of Coningsby, the hero of the first novel in Disraeli's political trilogy.

An unusual exhibit is the side of a coach. The Disraelis were driving one day to Westminster, where an important debate was to take place. When the coach door was opened, Mary Anne's finger was trapped in it. With superb bravery and self-control, she neither fainted, screamed nor cried, but laughed and chattered as usual, so that her Dizzy might not be upset and have his mind taken off the debate. It was typical of their relationship, and he kept the coach side.

The library of Hughenden was, in Disraeli's day, the drawing-room, and the present drawing-room the library. The roles of the two rooms were transposed by Major Coningsby Disraeli, who lived at Hughenden after his uncle's death. 'My collection is limited to Theology, the Classics and History,' Disraeli had said; but the works of Swift and Molière, and a *History of Agriculture in England*, share the shelves with the Hebrew and Chaldee Lexicon. Among the volumes are many with a royal inscription. Queen Victoria was gratified to hear him say 'We authors, Ma'am'. Her sole contribution to literature consisted of *Leaves from the Journal of Our Life in the Highlands*.

On the desk lies a luxury edition of *Faust*; on its richly embroidered cover the initial 'B' and the Beaconsfield crest. All over the house, and on unlikely objects, this appears; a touching little personal identification of the man who had begun life as a politically underprivileged Jew whose grandfather had come to England as an importer of Leghorn straw hats. There is pathos, as well as pride and power, in the face of the forty-eight year old Disraeli in Grant's portrait over the mantelpiece. The long dark Eastern eyes, the sensual mouth, the high, white brow with its tumble of dark ringlets, all give an impression of melancholy beauty, without the foppishness of Maclise's sketch of 'The Author of *Vivian Grey*' or the oriental suavity of *Punch*'s cartoons.

Even in the library is a touch of Mary Anne: her pretty foot, in marble. In the drawing-room she is omnipresent. It is a gay room, all gold and blue, approached through delicate Gothic arches, full of colour and detail. Flowers riot decorously on chair cover and footstool and in the enamelled medallions of the elaborate gilded chiffonier. Disraeli's love of bright ornament, Mary Anne's eagerness to please him and surround him with comfort, are everywhere visible. Her small, charming face, between heavy clusters of brown curls, looks gravely down at the room. She was not a girl when the ambitious young Benjamin Disraeli decided that the widow Mrs Mary Anne Wyndham Lewis would be a highly suitable bride for him. He was thirty-three, she forty-five, but rich. The man who had said, 'I may commit many

Disraeli's 'workshop', where he did much of his writing, was this small, homely room. Queen Victoria came to spend a contemplative hour in it after his death.

follies in life, but I never intend to marry for "love",' fell head over heels in love with Mary Anne. Their marriage was one of mutual devotion, of constant tender love and kindness, and 'unbroken happiness'. When she died, aged eighty, Disraeli replied calmly to Gladstone's advice to seek heavenly consolation: 'Marriage is the greatest earthly happiness, when founded on complete sympathy.'

Would Mary Anne, who on her deathbed had found strength to be mildly jealous of Queen Victoria's attentions to Dizzy, approve of the sharing of her drawing-room with the portraits of the two beautiful sisters, Lady Chesterfield and Lady Bradford? After her death he found great comfort in their friendship, and his affectionate heart turned towards lovely Selina Bradford. But she had a husband and family, and Dizzy was about to become Prime Minister. He proposed instead to the widowed Lady Chesterfield. She refused him, and Selina cooled off noticeably. In his last novel,

Endymion (named after that classic shepherd who had also loved a Selina), some of his feelings about this last bid for happiness are expressed. He had come to wish everything at the bottom of the Red Sea along with the Suez Canal shares.

Yet another woman dominates Hughenden's dining-room. Victoria, Elizabeth to his Leicester, gave him her portrait, painted after Von Angeli. It shows her elderly, cross, and apparently suffering from a severe cold, but she greatly admired it, and the great courtier whom she had created Earl of Beaconsfield no doubt said exactly the right things about it.

His 'workshop', as he termed it, is a simple, cheerful upstairs room, much as he left it. At its small table he wrote several of his works, including the unfinished last novel *Coningsby*, with its nostalgic beginning. 'Of all the pretty suburbs that still adorn our metropolis there are few that exceed in charm Clapham Common. . . .' A cluster of brown withered objects in a glass case are the corpses of primroses sent by Victoria for his funeral. She came to sit for an hour in this room after his death, and mourned him as she had mourned nobody but her husband. She had wanted to visit him as he lay dying; but Dizzy, quipping to the last, refused because 'she would only want me to take a message to Albert'.

Between 1852, four years after his purchase of Hughenden, and 1881, the year of his death, he was three times Chancellor of the Exchequer, twice Prime Minister, carried the great democratic Reform Bill of 1867, and reached the zenith of his fame with the Berlin Congress in 1878. It left little time for the writing of novels, which in earlier days had been both his political weapons and expressions of the non-political side of his nature: romantic, exotic, florid productions, extravagant as Bulwer Lytton's, yet full of an epigrammatic wit that anticipated the best of Wilde:

> 'My idea of an agreeable person is a person who agrees with me.'
> 'I have always thought that every woman should marry, and no man.'
> 'Sensible men are all of the same religion.'—'And pray what is that?'—
> 'Sensible men never tell.'

'I always intended to die in London,' he said. 'It gives one six months more of life, and the doctor can come to see one twice a day.' He did die there, but by his request his body was brought back to Hughenden, and buried with Mary Anne's in the little church where he had worshipped, on the slope of the hill below his gates, amid the funeral pomps and elegiac rhapsodies he would have thoroughly enjoyed.

> *Victoria's servant takes his rest*
> *Well-earned, and on his faithful breast*
> *Victoria's primrose wreath.*

He, of all returning spirits, would be most happy to see his home preserved as it was, his may trees and beech groves still unfelled.

'Some find a home in their country,' he had said. 'I find a country in my home.'

MILTON'S COTTAGE

Chalfont St Giles, Buckinghamshire

JOHN MILTON 1665

O N 7th July 1665 Samuel Pepys wrote in his Diary: 'The hottest day that ever I felt in my life . . . Lord! to see how the Plague spreads.' And he noted: 'I find all the town almost going into the country.'

It was on the hottest day of a summer over three centuries later that we 'went into the country' in the steps of one who had fled from the Plague in that terrible year. John Milton, poet and Parliamentarian, once Latin secretary to Cromwell, had fallen upon bad times. With the Restoration of Charles II in 1660 his occupation was gone, his political ideals destroyed, his name offensive at Court. Two of his anti-Royalist books had been burnt by the public hangman, and Milton himself was in danger. Under a less tolerant monarch than Charles he might well have lost his head, or met a worse fate—also at the hands of the public hangman; but he was fortunate, and remained undisturbed in hiding.

He was blind. 'His adversaries imputed his blindness as a judgement upon him for his answering the King's book (*Eikon Basilike*),' said a contemporary. The truth was that he inherited poor sight from his mother, and it had been continuously strained by close work over the years. Now it was gone altogether.

> *When I consider how my light is spent*
> *Ere half my days, in this dark world and wide,*
> *And that one talent, which is death to hide*
> *Lodged with me useless. . . .*

At the time of the Plague he and his family were living in Artillery Walk, Bunhill Fields, a place then on the outskirts of London and reasonably airy; but unfortunately for the Miltons it became the site of one of the largest plague pits, to which death-carts brought daily their loads of bodies. It may well have been the almost unbearable proximity of this mass grave which drove Milton to seek refuge in the country. It happened that the Quaker Thomas Ellwood, a friend and former pupil, was living with another Quaker family at Chalfont Grange, in Buckinghamshire. Milton applied to him and, says Ellwood, 'I took a pretty Box for him in Giles Chalfont, a mile

87

Blind and out of favour, John Milton came to live in his 'pretty Box' at Chalfont St Giles in 1665, when driven from London by the Plague.

from me, of which I gave him notice, and intended to have waited on him, and seen him well settled in it, but was prevented by . . . imprisonment.'

The 'pretty Box' is the only house occupied by Milton to survive today. All his City homes were swept away by fire and time; but the small neat cottage at Chalfont St Giles has been preserved by the Milton's Cottage Trust. In 1887, the year of Queen Victoria's Jubilee, it was decided to raise a fund for it in honour of Victoria and of one of her country's greatest poets; there was also, legend says, a threat that it might be taken to America and reconstructed there, brick by brick.

88

It has grown in beauty since Milton's day. A print of the early nineteenth century shows it starkly set at the end of the village, its front door and diamond-paned windows looking on to bare ground on which pigs root. Now its ancient rose-covered bricks are clothed with a luxuriant vine, and before it is a large, fragrant, cottage garden, a place of flowers, shady arbours, hidden lawns, and trees that gave a welcome shade the day we visited it. Was it here that he wrote, in the person of displaced Satan, that pathetic reference to the flowers he would never see again?

> *... With the year*
> *Seasons return, but not to me returns*
> *Day, or the sweet approach of even or morn,*
> *Or sight of vernal bloom, or summer's rose ...*

For here, dictating to his daughter, he completed the epic *Paradise Lost*, which he had begun in 1642 and had put aside for political activities. Thomas Ellwood, released from an Aylesbury prison, called on his friend 'to welcome him into the country'.

'After some common discourse had passed between us, he called for a manuscript of his; which being brought he delivered to me, bidding me take it home with me, and read it at my leisure; and when I had done so return it to him with my judgment thereupon.

'When I came home and had set myself to read it, I found it was that excellent poem which he entitled *Paradise Lost*.'

Ellwood again called on Milton, to return and praise the book, adding in his frank Quaker manner: 'Thou hast said much here of Paradise Lost, but what hast thou to say of Paradise Found?'

Milton did not reply, 'but sat some time in a muse'. When he had returned to London, and Ellwood visited him there, he produced another manuscript for his friend's approval, and 'in a pleasant tone' said: 'This is owing to you for you put it into my head by the question you put to me at Chalfont, which before I had not thought of.'

It was *Paradise Regained*. So the conclusion of one great poem, and the entirety of another, were inspired in the peace and seclusion of the cottage at Chalfont St Giles.

We do not know for certain in which room Milton dictated; but there is evidence to indicate that it was in the room to the right of the front door, now known as Milton's study. This room was larger in his time, for a hall-way has been made since. It is low-ceilinged, small and shadowy. His face looks out from print, bust and painting; young, smooth and serious in early years, embittered, ravaged by pain and trouble as he grew older. In the small library this room contains are all his works, including rare first editions of *Paradise Lost* and *Paradise Regained*, and the writings of many of his Puritan and Quaker contemporaries. The most personal relic is one with a mysterious history: it is a lock of Milton's hair.

There are three contradictory stories of its origin. The one usually accepted is that during repairs to St Giles's, Cripplegate, in the late eighteenth century, a coffin identified as Milton's was discovered and opened. The rector, before the remains were reinterred, cut off a lock of hair and preserved it. This seems a fairly likely story. Milton had been dead over a hundred years, but hair is more durable than flesh, and his was long and plentiful. (In the reign of George IV the coffin of Charles I was opened and locks of hair removed.) This frail, wispy tendril is greyish-blond— 'he had light brown hair, his complexion very fair,' says Aubrey. On the wall near by is a copy of that passionate, dazzled outburst by the young Keats, 'Lines on seeing a Lock of Milton's Hair'. It was not this lock Keats saw, but another, preserved in a silver reliquary and now lost.

Across the hall-way from the study is the other room open to visitors, now kept as a village museum. In the great open fireplace many a meal must have been cooked for the Milton family. A giant kettle dominates it, surrounded by spit-rack, ancient frying-pan, bottlejack and a 'hastener' for roasting joints—all the massive para-phernalia of seventeenth-century cooking, among other Buckinghamshire bygones. Paintings and photographs show how little the charming village of 'Giles's' has changed throughout the centuries. Its pond, its church, its green, its one long street, are not very different from what they were in the summer days when Elizabeth Milton and her stepdaughter Deborah did their shopping here, and took back ale from the inn to the man who sat at home in darkness, however bright the sun shone. There would not be much talk, in 1665, of Cromwell's visit to Mr Radcliffe of the Stone House, and of his soldiers' tents pitched in the fields round about. Now, in the little museum, one can see pikes which they left behind, and some of the cannon-balls with which they playfully shattered the church windows. Elizabeth and Deborah were no doubt discreet women, and disclosed little or nothing of Milton's connection with the tyrant Protector over whose death all England had rejoiced.

The Miltons did not stay long at Chalfont St Giles. They returned to London 'when the City was well cleansed and become safely habitable again,' says Ellwood. The modest, pleasant Quaker little knew what a debt English literature would owe to him, both for preserving her poet and inspiring his second great epic. And the cottage, the 'pretty Box', has well deserved its long life and the interest shown in it by visitors from all over the world.

SHAW'S CORNER

Ayot St Lawrence, Hertfordshire

GEORGE BERNARD SHAW 1906–1950

LONG AGO, in an idyllic high summer of pre-war childhood, one of the present writers was dared into approaching George Bernard Shaw in the Malvern Festival Theatre, during an interval of *Too True to be Good*, to ask for his autograph. The request was received with a curt 'No!' Many years later, and this time aptly enough in the cold of late autumn, she suddenly encountered, in a narrow St Albans lane, a tall, upright figure in a 'knicker suit' of grey-green, striding briskly over the cobbles, stick in hand but un-leaned-on, patriarchal beard streaming, an ancient hat of Carlylean distinction on the splendid head. A glance was exchanged: we were the only two living creatures in sight. He passed on. Was it imagination that his step had slowed ever so slightly, that he had looked for—even hoped for—a sign?

In the long interval between these encounters, he had been living at Ayot St Lawrence, Hertfordshire, his home since 1906. His wife preferred London and their flat at Whitehall Court, but G.B.S. spent more and more time at Ayot, the retreat he had chosen because he liked to get away from crowds.

Ayot, by and large, is no more accessible now than it was then. Signs to it from the main road beckon one on, and still one is no nearer. It is always two and a half miles away, until one learns the angle from which to approach and surprise it. The village street is still rurally pretty; nobody has put up the water tower, 'straight and stable, with a colonnade of pillars', which he thought would embellish the village; nor have any other of Shaw's hygienic but unaesthetic plans for Ayot come to pass.

The house itself, named by him Shaw's Corner, stands out among the ancient and lovely dwellings of the village because it is neither ancient nor lovely. It was at one time called the Old Vicarage, but was only built in 1898, a typical villa of the period. Shaw came here in 1906, middle-aged and red-bearded. His striking appearance earned him the sobriquet of 'Old Hair and Teeth' among the village children, who were more impressed by his looks than by his achievements, of which they knew nothing, though he was already world-famous as playwright, political firebrand and sage. At first he kept himself to himself. The First World War undermined his barriers, and the terrible blizzard which swept Hertfordshire in 1915 found him

91

working alongside the village men, sawing up fallen trees which were blocking the roads. There had been fears that this strange man might be a German spy: didn't he keep a light burning at night in an upstairs window? But he allayed such notions by offering his cellar as a shelter in case of air-raids, by giving neighbours of his garden produce, and by other courtesies. Nevertheless they knew to the end of his immensely long life little more of the real Shaw than can be surmised by standing at the wrought-iron gate of Shaw's Corner and gazing at the exterior of the house. To learn more one must go in.

The house has been National Trust property since 1950, the year of Shaw's death. He left no endowment for it, believing that the shillings would roll in as pilgrims flocked to the shrine in their millions. Happily for the Trust, it is a modest-sized shrine and not a mansion. It was his home for forty-four years, and the rooms in which he lived and worked are preserved almost exactly as he left them: so much so, that on coming into the hall one feels that one is visiting him, and that in a moment he will emerge, with a greeting or a 'No!'

The hall is comfortably cluttered. A touch of cosiness is given by one of those fireplaces in which a fire is never lit, but which holds a cheerful stove. The master of the house disliked central heating. In a corner sprouts a hat rack, a tree drooping with recognizable fruit, Shavian headgear that is as much a part of his public image as the beard and the eyebrows. His sticks stand below them, as if warm from his hand.

Surely he expects to return soon, for the piano is open; on its stand a copy of *Messiah* and a book of 'Old English Melodies'. A hall may seem an odd sort of place in which to keep the piano; not, however, if one's wife lies ill upstairs, and likes to hear the music floating up to her, and her husband's strong tuneful voice warbling operatic excerpts and the songs of his native Ireland. The piano is a Bechstein, a singularly plain upright, for the man who had been *The Star*'s music critic, Corno di Bassetto, hated grand pianos. During air-raid alerts in the Second World War he would sit at it, playing as loudly as he could, and roaring out airs from Italian operas. It had its uses; like the cycling machine in the corner for keeping an ageing body fit, slender and tough as whipcord. One can picture the ever-active Shaw leaping from the piano to pedal a brisk few miles before his sparse, vegetarian lunch.

Sunshine streams into the hall from the open doors of three rooms. One sees now that the house's slightly severe exterior is deceptive. It was built when the era of domestic slavery was nearing an end. The stairs are shallow, the rooms a comfortable size, the windows large. It is not pretty or romantic, but eminently sensible and suited to its owner, and must have made an agreeable contrast to the Shaws' old flat in the Adelphi, an Adamesque affair without a bathroom.

Off the hall to the left lies the heart of the house, the study. Here at 10.15 every morning he sat down to write, except on days when the outdoors would call him and he would cross the wide lawns to his little revolving hut in the trees, a study in

George Bernard Shaw took this former rectory at Ayot St Lawrence for peace and quiet in 1906, when he was fifty. He died here after a tree-climbing accident forty-four years later.

miniature, linked to the house by telephone. The desk in the study proper still bears his portable typewriter. He had typed, with two fingers, since typewriters had been invented, for any new mechanical device fascinated him, though he was nothing of a mechanic himself and left it to his secretary to change the ribbons for him. He managed his own files, each carefully if enigmatically labelled: 'Self', 'Touring', 'Languages', 'Keys and Contraptions', 'Novo', 'Russia'. Each cabinet contains something of his astonishing mind, and every object in the room is a clue to its workings.

The bookshelves hold many such clues. *Soviet Communism*, by his friends Sidney and Beatrice Webb, stands close to the collected works of William Morris, whose lovely daughter May Shaw had wanted to marry. Economic difficulties stood in the way, and May settled for a 'mystic betrothal'. The origins of *St Joan* are hinted at in *Historic Portraits, 1400–1600*, and in *The Trial of Jeanne d'Arc*. Many writers have left larger libraries, but few are so indicative of their owner as this one.

Two well-used cameras have come to permanent rest beside the desk. Photography was Shaw's hobby for fifty years, a hobby he loved but never mastered. His doggerel 'Rhyming Picture Guide to Ayot St Lawrence', the last thing he ever wrote, is illustrated by photographs touching in their amateurishness. Bad lighting obscures detail, the tops are cut off buildings, strange angles distort views. There is an utter lack of composition sense, typical of the man who lauded art yet had no ordinary sensual appreciation of beauty, as the ugly furniture of his house testifies.

Charlotte Shaw presides over the drawing-room next door. Over the mantelpiece is her portrait, painted before her marriage, showing a piquant, clever face, her beauty that of the mid twentieth century rather than of her own time. Suffragette, Fabian, playwright, translator, intellectual in her own right, 'the green-ey'd Millionairess' subdued her own talents to her amazing husband's, marrying him in middle age to become his helpmate and companion. Shaw jokingly said that she had married him because he was a genius. Perhaps her nature required greatness to serve. She subdued her own personality so firmly that there is little of it in this room where visitors were received. It is, if anything, the room of someone addicted to serendipity, the snapping-up of trifles—small pieces of china, an unlovely but curiously charming pair of owl effigies: again the obvious absence of sensuousness, a no-nonsense attitude to life.

Similarly the dining-room next door is a cluttered, personal room, its furniture functional, with no pretensions to the aesthetic or the antique. Shaw's ancient 'wireless' set stands by the worn-springed armchair which still bears the mark of his head. He ate at the round table, reading or listening to a news bulletin. He had been converted to vegetarianism by the example of Shelley, and followed it rigidly, affecting to despise the pleasures of eating and looking forward to the time when all should live on air.

When the Archbishop in *Back to Methuselah* says, 'Our English people are the wonder of the world. They always were. And it is just as well; for otherwise their sensuality would become morbid and destroy them. What appals me is that their amusements should amuse them,' he is the mouthpiece of the ascetic Irishman who avowed himself in sympathy with 'the Quaker rule, that doth the human feeling cool'. And yet, paradoxically, this Shaw is also the Shaw who says through Good King Charles: 'It is not that I have too little religion in me for the Church. I have too much.'

Under the large, bright window of the dining-room is a comfortable couch, on whose cushions he used to rest every day; and here, in a November dawn in 1950, he died. Around him were pictures of his native Dublin, documents recording the City freedoms he had been awarded, a portrait by Augustus John, photographs of great figures of the past—Gandhi, Lenin, Ibsen, Granville-Barker. He was happy to die. He had lost Charlotte seven years before. Old age and an accident had trapped him into invalidism, and, like Joan, he preferred death to perpetual imprisonment.

As with Joan, too, death was not his end but his beginning. For a time his fame smouldered, then began to burn again to a steady glow. Of all the lustrous names of his time, his is the one that has become a household word, making an even bigger joke of the epitaph he suggested for himself: 'Here lies George Bernard Shaw. Who the devil was he?'

94

Characteristic Shavian headgear hangs in the hall beside the piano. During air-raids Shaw would play and bellow Italian operatic airs.

KNEBWORTH HOUSE

Hertfordshire

EDWARD BULWER LYTTON 1843–1873

'SOME of you will connect him with prose, others will connect him with poetry. One will connect him with comedy, and another with the romantic passions of the stage, and his assertion of worthy ambition and earnest struggle against

> *Those twin gaolers of the human heart,*
> *Low birth and iron fortune.*

'Again, another's taste will lead him to the contemplation of Rienzi and the streets of Rome; another's to the rebuilt and repeopled streets of Pompeii; another's to the touching history of the fireside where the Caxton family learned how to discipline their natures and tame their wild hopes down.'

The speaker is Charles Dickens; the subject, Sir Edward Bulwer Lytton, the 'Bulwer' whose name recurs over and over again in the letters, diaries and memoirs of the Victorians. Novelist, dramatist, poet, orator, statesman, occultist, patron of the arts—he who became the first Lord Lytton was one of the bright stars of his age, outshining by force of personality as much as by his talents the luminaries around him.

Knebworth's first brick was laid by Sir Robert Lytton about 1500; but Knebworth as we see it is very much what Bulwer made it, continuing the work of his strong-minded mother. Barbara Bulwer-Lytton was a talented amateur artist, but her eye for architecture was sadly at fault. Demolishing most of what had been described as a perfect specimen of Tudor house, she rebuilt it as a Romantic's dream castle, a thing of hectic ornamentation, half eastern, half Gothick, and all delightful to the taste of 1811.

Now time has had its usual softening effect, and the pretentiousness and incongruity have settled down into a kind of beauty. A gentle fertile landscape surrounds Knebworth, its paths lead to an unchanged village, a mile from the Knebworth that grew around the railway station and the Great North Road. The strange towers, domes and pinnacles of the house strike the eye with surprise, as one turns the corner and sees them for the first time.

96

Resembling some 'stately pleasure dome', Sir Edward Bulwer Lytton's Knebworth home is very much what the romantic tastes of his mother and himself made it; but its first brick was laid about 1500.

Only one room remains intact of the old Knebworth. It is the banqueting hall, large, splendid, and still having the oak ceiling, screen and minstrels' gallery of the time of James I, and pine panelling which Inigo Jones may have designed. Above it, at the top of a staircase guarded by negroes and heraldic lions, is the only other room to survive, the State Drawing-room, where Elizabeth I was entertained in 1588. Nothing but memory remains of what it was in Elizabeth's day; redecorated and furnished by Bulwer, it is an ebullient expression of Victorian romanticism, a riot of

97

porcelain, gilding, armorial crest and figurine, the whole dominated by a stained-glass window representing Henry VII, 'to whose blood are akin ye Heirs of Sir Robert de Lytton of Knebworth'. In the fine painting by Maclise of Edward IV inspecting Caxton's press, Bulwer himself appears as a slender knight in silver armour. This is Bulwer the medievalist, as he sees himself. In his library we find him as the world saw him, throughout his life.

The heart of Knebworth is in this room. The walls are covered with Bulwer's books, volumes of reference, history, poetry, fiction, reflecting his wide interests. His desk remains as if the year were 1873, and he had just laid down his pen. In his blotter are notes, scribbles, doodles, sketches, bills, the personal memoranda of a busy author; and the programme of that memorable three-night run of Jonson's comedy *Every Man in his Humour*, in November 1850.

The performances had been given in the banqueting hall in aid of the Guild of Literature and Art founded by Dickens and Bulwer. This grandiose scheme was intended to raise money to improve the lot of struggling men of letters; the money being coaxed from the pockets of rich country folk in exchange for dramatic entertainments given by Dickens and his talented family and friends. John Forster, Douglas Jerrold, John Leech, Mark Lemon, all took part. Dickens's sister-in-law, Georgina Hogarth, played the leading role of Mistress Bridget, and Mrs Lemon stepped in to replace poor Kate Dickens, who, with her usual clumsiness, had sprained her ankle. Dickens himself flashed and shone as the boastful Captain Bobadil. The 'Bulwer Festival' was a tremendous success. 'The nights at Knebworth were triumphant,' Dickens recorded gleefully. Bulwer, a splendid host in oriental robes, brilliant and talkative, enjoyed every minute, particularly the Prologue he had written himself:

> *Hark the frank music of the elder age—*
> *Ben Jonson's giant tread sounds ringing up the stage!...*
> *Each, here, a merit not his own shall find,*
> *And Every Man the Humour to be kind.*

Kindness, however, was not enough. The Guild of Literature and Art proved a damp squib. Bulwer built almshouses at Stevenage, but nobody would live in them. No more plays were given at Knebworth. But during that week of 1850 Georgina Hogarth formed a lifelong friendship with her host, whose personality she found 'magnetic'. His compulsive charm looks out of Knebworth portraits, showing him at all stages of his life. At twenty-eight he is Byronically handsome, a 'talented blue-eyed dandy' of the late Regency, and editor of the *New Monthly Magazine*. (He was seen at the Athenaeum wearing high-heeled boots, a white great-coat, and a flaming blue cravat.) Further on he is the bridegroom of a lovely Irish girl, Rosina Wheeler, for whose sake he has at last defied his dominant mother. They live in London, too extravagantly for what Bulwer can earn by writing; for the angry Barbara had withdrawn her allowance when he married against her wishes.

Another picture shows an older, bearded face, lined with worry. The marriage has ended in nightmare. Rosina, finding herself neglected by her overworked husband, sought admiration elsewhere and turned savagely on Bulwer, badgering and harassing the man she considered responsible for her spoiled life.

But Bulwer was unbeaten. He went on alone, became a successful novelist with his first novels, *Paul Clifford, Eugene Aram, Pelham, The Disowned*, books anticipating Dickens in their element of propaganda for reform of the terrible prison conditions and harsh penal code of the time, and in Bulwer's analytical interest in criminal psychology. Then came the splendid *Last Days of Pompeii*, with its first gleam of mysticism.

At the same time Bulwer was carving out a career in politics, first as Member for St Ives, then for Lincoln: Liberal, but not strongly Whig, and always campaigning on behalf of the victims of 'low birth and iron fortune'. Later he was to change sides, largely owing to the influence of his friend Disraeli, and, as Colonial Secretary, to deliver what Palmerston described to Queen Victoria as the best speech he had ever heard in the House of Commons.

But this was in mid century. In the meantime he had become a dramatist, and at least two of his plays were to endure—*Money* and *The Lady of Lyons*. The year 1838 saw him made a baronet, and in 1866 he was raised to the peerage. In 1843 his mother had died, and he had come to Knebworth, his ancestral home. Here he was to build, write, meditate, and charm his many guests, defying with equal courage unhappy memories, criticism, deafness and the ravages of age.

He fought the years 'tooth and nail', said one who knew him. 'Lord Lytton's hair seemed dyed, and his face looked as if Art had been called in aid to rejuvenate it.' The tall, slim figure became shrunken, the high-bridged nose more prominent, the rich curling hair and beard not quite so luxuriant: yet the man whose personal magnificence had matched that of his home was still striking, still exotic, though decaying as an ancient building decays. In his youthful travels he had met a young gipsy girl, and she had told his fortune:

'You have known sorrows already . . . you will never come to want, you will be much before the world and raise your head high, but I fear you'll not have the honours you count on now. You'll hunger for love all your life, and you will have much of it, but less satisfaction than sorrow.'

It had all come true; it is all there, in a painting over the library mantelpiece.

In his famous ghost story, *The Haunted and the Haunters*, Bulwer wrote a significant passage:

'Such a being . . . loves life, he dreads death; *he wills to live on.* He cannot restore himself to youth, he cannot entirely stay the progress of death . . . but he may arrest for a time so prolonged as to appear incredible, that hardening of the parts which constitutes old age.'

99

Bulwer Lytton's lifetime fame has faded; he was too much of his age, too mannered, too lacking in Dickensian universality to remain in men's minds by his works alone. He lives on in the portraits, in the vivid word-pictures of his friends, and in the structure of Knebworth. But one flash of prophecy in his late and fine novel, *The Coming Race*, suggests that his star may rise again. For in this ancestor of modern science-fiction he tells a tale of a new race of human beings, each endowed with an equal, unlimited power of destruction, by means of a force called Vril. Sitting at his Gothick window, a chibouk at his lips, a red and gold cloth beneath his hand, he had gazed out at the peaceful Hertfordshire garden and seen—the hydrogen bomb.

INDEX